I
키워드, 공기어,
그리고
네트워크

신문 빅데이터가 보여주는 것

글쓴이

김일환 Kim, Il-hwan_현재 고려대학교 민족문화연구원에서 HK연구교수로 재직 중이며, 고려대학교 국어국문학과와 동대학원(2005)을 졸업했다. 주요 저서로는『'물결21' 코퍼스의 구축과 활용』(2013, 공저), 『신문의 언어 사용 통계』(2013, 공저) 등이 있으며 최근의 주요 논문으로는 「빅 데이터 시대의 디지털 인문학」(2016), 「신문 빅 데이터 기반의 단어 사용과 트렌드 분석」(2016), 「저자 판별을 위한 전산문체론」(2015) 등이 있다. 주요 연구 분야는 국어정보학, 코퍼스언어학, 국어문법론 등이며 최근에는 디지털 인문학, 인문학을 위한 빅 데이터의 구축과 활용 등에 많은 관심을 가지고 있다.

강진웅 Kang, Jin-woong_현재 고려대학교 민족문화연구원 HK교수로 재직 중이며 연세대학교 사회학과 대학원을 졸업하고 미네소타주립대학교 사회학과에서 박사학위를 받았다. 주요 논문으로는 「문화적 전환 이후의 국가론─실재와 상상의 앙상블로서의 국가」(2014) 등이 있으며『주체의 나라 북한』(2017)이란 저서가 출판 예정에 있다. 최근에는 다문화교육 등에 관심을 갖고 연구를 하고 있다.

이도길 Lee, Do-gil_현재 고려대학교 민족문화연구원 HK교수이며, 고려대학교 컴퓨터학과와 동대학원에서 이학 박사학위(2005)를 받았다. 주요 논저로는 "An All-Words Sense Tagging Method for Resource-Deficient Languages"(2016), 「물결21 코퍼스─공개 웹 자원 및 활용 도구」(2014), "Probabilistic Modeling of Korean Morphology"(2009) 등의 연구 논문이 있다. 주요 연구 분야는 자연어처리, 정보검색, 텍스트마이닝 등이며 최근 디지털 인문학으로 관심 분야를 넓히고 있다.

배석만 Bae, Seok-man_부산대학교에서 1930~50년대 造船工業 정책과 造船會社의 경영으로 문학박사학위를 취득하였고 도쿄대학 문학부 객원연구원 등을 거쳐서 현재 고려대학교 민족문화연구원 HK연구교수로 재직 중이다.『한국조선산업사─일제시기편』(2014),『한국 중화학공업화와 사회의 변화』(공저, 2014) 등의 저작이 있다.

이지수 Lee, Ji-soo_현재 고려대학교 민족문화연구원에서 연구교수로 재직 중이며, University of North Texas 문헌정보학과 대학원을 졸업했다. 주요 관심 연구분야는 디지털 아카이브 및 도서관, 디지털 인문학, 정보이용행태 등이며, 최근에는 빅 데이터 정보를 활용한 이용행태 연구 등에 관심을 가지고 있다.

문화동역학라이브러리 29

키워드, 공기어, 그리고 네트워크
신문 빅데이터가 보여주는 것

초판인쇄 2017년 8월 15일 **초판발행** 2017년 8월 30일
지은이 김일환 강진웅 이도길 배석만 이지수 **펴낸이** 박성모 **펴낸곳** 소명출판 **출판등록** 제13-522호
주소 서울시 서초구 서초중앙로6길 15, 1층
전화 02-585-7840 **팩스** 02-585-7848 **전자우편** somyungbooks@daum.net **홈페이지** www.somyong.co.kr

값 23,000원 ⓒ김일환 외, 2017

ISBN 979-11-5905-247-7 93300
ISBN 978-89-5626-851-4 (세트)

이 책은 2007년 정부(교육과학기술부)의 재원으로 한국연구재단의 지원을 받아 수행된 연구임(NRF-2007-361-AL0013).

고려대학교 민족문화연구원
문화동역학 라이브러리 29

키워드, 공기어, 그리고 네트워크
신문 빅데이터가 보여주는 것

Big Data Analysis of Newspapers — Insights into Keywords, Co-words and Networks

김일환 외

문화동역학 라이브러리 문화는 복합적이고 역동적인 구성물이다. 한국 문화는 안팎의 다양한 갈래와 요소가 상호작용하는 과정을 통해 끊임 없이 변화해왔고, 변화해 갈 것이다. 고려대학교 민족문화연구원이 주관 하는 이 총서는 한국과 그 주변 문화의 복합적이고 역동적인 양상을 추적하 고, 이를 통해 한국 문화는 물론 인류 문화에 대한 새로운 통찰과 그 다양성 의 증진에 기여하고자 한다. 문화동역학(Cultural Dynamics)이란 이 러한 도정을 이끌어 가는 우리의 방법론적인 표어이다.

책머리에

　최근 디지털인문학(Digital Humanities)에 대한 관심이 뜨겁다. 4차 산업혁명, 인공지능, 딥러닝 등이 주요한 화두로 등장하면서 인문학에도 기존의 인문학과 차별되는 시도가 나타나기 시작한 것이다.

　이 책은 고려대학교 민족문화연구원의 전자인문학센터(2016년 디지털인문학센터로 개명)에서 2008년부터 구축해 온 대규모 신문 코퍼스인 '물결21' 코퍼스에 기반을 두고 있다. '물결21' 코퍼스는 코퍼스의 한 종류임에는 틀림없지만 그 규모의 방대함(약 6억 어절 이상)이라는 측면을 중시할 때 최근 유행하는 빅데이터의 소박한 한 유형이 될 수도 있을 것이다.

　이 책에서 소개하는 12편의 글들은 '물결21' 코퍼스를 대상으로 한 다양한 연구 성과들을 집약한 것으로서 그 가운데 일부는 기존에 출간된 바 있다. 이 글들은 가급적 게재 당시의 원문을 그대로 유지하려고 하였으나 일부 방법상의 중복되는 부분은 부득이 제거할 수밖에 없었다. 다음은 12편의 글에 대한 서지 사항을 정리한 것이다.

　　1장_ 신문 빅데이터와 연구 방법(김일환, 미발표)
　　2장_ 빅데이터 시대의 디지털 인문학(김일환·이도길, 『민족문화연구』
　　　　71, 2016)

이번 저서를 출판하는 과정에서 해당 논문을 수록하도록 흔쾌히 허락해 주신 최재웅, 이승연, 정유진 선생님의 후의에 감사드린다.

비록 세 편의 글이 새롭게 집필된 것이긴 하지만 이 책에 포함된 많은 논문들이 기왕에 출간된 것이라는 점은 위에서도 언급한 바 있다.

기존에 출판된 논문들을 하나의 책으로 묶어 내자는 만용을 부리는 데에는 고려대학교 민족문화연구원에서 약 2년간(2016~2017) 진행된 디지털 인문학 세미나팀의 격려를 빼놓을 수 없을 것이다. 디지털 인문학과 관련한 서적들이 대부분 해외에서 출간된 것이라는 점, 기왕에 산발적으로 분포한 디지털 인문학 관련 성과들을 묶음으로써 독자들이 편하게 관련 연구 성과를 접할 수 있는 기회를 줄 필요가 있다는 점 등이 이번 책의 출판을 기획한 주된 동기가 되었다. 그럼에도 불구하고 아직 젊은 연구자들이 새로운 내용이 아닌 기왕의 연구 결과를 묶어서 출간하는 것에 대해서는 여전히 찜찜한 감이 남아 있다. 앞으로의 연구를 통해 보상해야 할 것이다.

디지털 인문학은 그동안 인문학이 경험하지 못한 새로운 지평을 열어줄 것이냐 하는 데에는 여전히 다양한 논란이 있다. 특히 디지털 인문학이 포괄하는 분야와 방법상의 다양함은 디지털 인문학의 범주와 한계를 정의하는 것조차 무색하게 만들고 있기 때문에 디지털 인문학에 대한 거시적 차원의 논의는 이제 지양할 필요가 있다. 중요한 것은 디지털 인문학의 동향과 향후 발전 가능성에 대한 논의라기보다는 '디지털 인문학'의 실제 성과를 논의하는 것이 되어야 한다.

이 저서는 '집단지성'의 산물이다. 대부분의 논문들은 단독이 아닌, 공저로 작성되었다. 디지털 인문학이 여러 학문의 융합적인 성격이 강하다는 점에서 디지털 인문학 연구에서 집단지성의 역할은 더욱 그 비중이 높아질 수밖에 없을 것이다. 필자들은 본 저서가 집단지성의 한 성과로서, 그리고 디지털 인문학과 인문학을 위한 빅데이터 연구의 한 촉매제로서 기여할 수 있기를 바라며 앞으로 독자들의 질정과 참여를 통해 더 나은 연구로 이어질 수 있기를 기대한다.

2017년 8월

필자들을 대신하여

김일환 씀

─제1부─
총론

제1장 │ 신문 빅데이터와 연구 방법 │

　　최근 들어 빅데이터의 중요성이 여러 학문 분야뿐 아니라 사회적으로도 크게 부각됨에 따라 빅데이터로서의 코퍼스가 새롭게 주목을 받고 있다. 특히 유럽과 미국에서 활발히 논의되고 있는 '디지털 인문학'에서도 빅데이터를 구축, 활용하는 연구가 본격적으로 수행되고 있다는 점에서 대규모 언어자원의 구축과 활용에 대한 국내의 관심도 크게 높아지고 있다.

　　이 장은 이 책에서 토대로 삼고 있는 신문 빅데이터인 '물결21' 코퍼스와 『동아일보』 코퍼스의 규모와 특징을 설명하고, 이를 대상으로 한 연구방법론에 대해 소개한다. 이를 통해 향후 소개될 11편의 논문들이 다루고 있는 자료에 대한 기본적인 성격을 이해할 수 있을 뿐 아니라 구체적인 연구방법에 대한 이해를 참조하는 데 도움이 될 것으로 기대한다.

1. 대상 자료

1) '물결21' 코퍼스의 규모와 특징

'물결21' 코퍼스는 대한민국의 대표적인 일간지라 할 수 있는『조선일보』,『동아일보』,『중앙일보』,『한겨레신문』(이상 창간일 순서)으로 구성된 대규모 언어 자원으로서 2000년부터 2013년까지 발행된 모든 신문 기사를 포함하고 있다. 이 신문 빅데이터는 규모가 약 5억 9천만 어절에 이르며 기사로 환산한다면 약 250만 건의 기사에 해당한다. '물결21' 코퍼스의 규모를 연도별로 정리하면 〈표 1〉과 같다.

〈표 1〉 '물결21' 신문 기사의 연도별 규모

연도	기사 수	어절 수
2000년	231,361	40,377,975
2001년	220,109	39,728,480
2002년	214,941	42,298,083
2003년	205,635	42,959,317
2004년	200,260	40,652,017
2005년	180,413	38,062,190
2006년	162,055	37,539,133
2007년	177,743	42,432,005
2008년	176,697	42,322,623
2009년	164,314	43,230,845
2010년	170,338	48,307,337
2011년	157,755	44,425,114
2012년	153,227	44,017,316
2013년	152,348	45,367,321
전체	2,567,196	591,719,756

한편 '물결21' 코퍼스는 각 신문사에서 제공받은 신문 기사 전체에 대하여 표준화된 방식으로 마크업을 부착하였으며, 정밀한 언어 통계

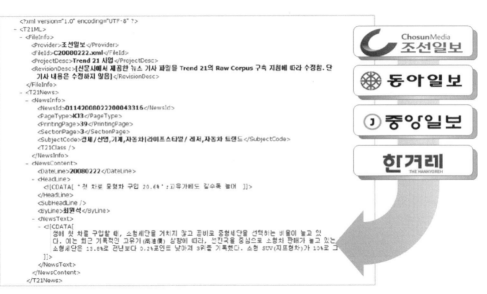

```
<?xml version="1.0" encoding="UTF-8" ?>
- <T21ML>
  - <FileInfo>
      <Provider>조선일보</Provider>
      <FileId>C20000222.xml</FileId>
      <ProjectDesc>Trend 21 사업</ProjectDesc>
      <RevisionDesc>[신문사에서 제공한 뉴스 기사 파일을 Trend 21의 Raw Corpus 구축 지침에 따라 수정함. 단
      기사 내용은 수정하지 않음]</RevisionDesc>
    </FileInfo>
  - <T21News>
    - <NewsInfo>
        <NewsId>01142008022200043316</NewsId>
        <PageType>K13</PageType>
        <PrintingPage>39</PrintingPage>
        <SectionPage>3</SectionPage>
        <SubjectCode>경제/산업,기계,자동차|라이프스타일/레저,자동차 트렌드</SubjectCode>
        <T21Class />
      </NewsInfo>
    - <NewsContent>
        <DateLine>20080222</DateLine>
      - <HeadLine>
          <![CDATA[ "첫 차로 중형차 구입 20.6%":고유가베도 길수록 늘여 ]]>
        </HeadLine>
        <SubHeadLine />
        <ByLine>최원석</ByLine>
      - <NewsText>
        - <![CDATA[
            생애 첫 차를 구입할 때, 소형세단을 거치지 않고 곧바로 중형세단을 선택하는 비율이 늘고 있
            다. 이는 최근 기록적인 고유가(高油價) 상황에 따라, 선진국을 중심으로 소형차 판매가 늘고 있는
            소형세단은 13.8%로 전년보다 0.2%포인트 낮아져 3위를 기록했다. 소형 SUV(지프형차)가 10%로 그
          ]]>
        </NewsText>
      </NewsContent>
    </T21News>
```

〈그림 1〉 '물결21' 원시코퍼스 샘플

```
<news id='C20130101_002' t21class='8' date='20130101'>
<title>
[사설]          [/SS+사설/NNG+]/SS
두쳐하고         두쳐/NNG+하/XSV+고/FM
시험받는         시험/NNG+받/VV+는/ETM
한              한/MM
해              해/NNG
</title>
<body>
<p>
<s>
2013년은        2013/SN+년/NNB+은/JX
두              두/MM
얼굴의          얼굴/NNG+의/JKG
해다.           해/NNG+이/VCP+다/EM+./SF
</s>
<s>
올해           올해/NNG
우리는         우리/NP+는/JX
지난           지나/VV+ㄴ/ETM
50년          50/SN+년/NNB
동안           동안/NNG
```

〈그림 2〉 '물결21' 형태 분석 코퍼스 샘플

를 산출하기 위해 형태소 정보를 주석하였다(김일환 외, 2013). 〈그림 1〉
은 마크업과 헤더(header) 정보를 부착한 '물결21' 코퍼스의 원시코퍼스
버전을 예로 보인 것이고 〈그림 2〉는 형태소 정보가 부착된 형태 분석
코퍼스 버전을 예시한 것이다.[1]

2) 『동아일보』 코퍼스의 규모와 특징

'물결21' 코퍼스는 2000년대의 주요 일간지로 이루어진 대규모 언어 자원인 반면, 좀 더 통시적인 차원의 연구를 위해서는 그 이전 시기까지의 언어 자원을 포함할 필요가 있다.

이 연구에서 토대로 삼고 있는 두 번째 코퍼스는 이러한 요구를 해결하기 위해 구축된 『동아일보』 코퍼스이다. 이 코퍼스는 1946년부터 2014년까지 발행된 『동아일보』 기사로 전체 약 2백 6십만(평균 약 6백만) 기사, 전체 약 4억 1천만(평균 약 3만 8천) 어절로 구성되어 있다.[2] 〈그림 3〉은 어절 단위의 연도별 『동아일보』 텍스트 규모이다.

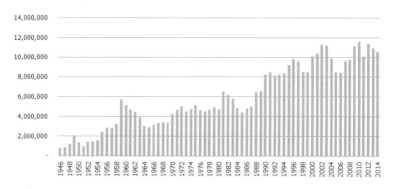

〈그림 3〉 『동아일보』의 연도별 텍스트 규모

---

1   KMAT(Korean Morphological Analyzer & Part-of-speech Tagger)은 고려대학교 민족문화연구원에서 개발한(개발자 이도길 교수) 자동 형태소 분석 및 품사 태거로서 확률 모델을 이용하여 최적의 형태소 분석 결과를 출력, 주석해 주는 도구이다(Lee & Rim, 2009). 이 분석 도구를 현대 국어를 대상으로 할 때 분석 성공률이 96%를 상회하는 것으로 보고되었다(김일환 외, 2013).

2   『동아일보』는 1920년 4월에 창간되었다. 창간 이후부터 1945년 기사까지는 표기법 문제, 한자 처리 등의 문제로 이번 연구에는 포함되지 못하였다.

```
<news>
<date>
19500101
</date>
<title>
犧牲精神固持 國防建設에全力
</title>
<body>
犧牲精神固持
國防建設에全力
國務總理談
오늘은 우리나라가獨立된後 두번째맞이하는 新年元旦임에따라 우리의偉大하고도隱難한 建國聖業은第三年度로 進入하는첫날입니다 時代
過去는모든 混亂을整頓하고 國家基礎를樹立하는데汲하였지만 오늘맞이하는新年은 國家의基礎를鞏固히하여 모든部面에있어 國力을積極
新年을맞이하는우리三千萬愛國同胞는 그思想과行動을오로지 建國에만 集注할覺悟를가져야할것이며이建國에는 國家一切의建設을包含하고
</body>
</news>
<news>
<date>
19500101
</date>
<title>
희생정신고지(犧牲精神固持) 국방건설(國防建設)에 전력(全力)
</title>
<body>
희생정신고지(犧牲精神固持)
국방건설(國防建設)에 전력(全力)
국무총리담(國務總理談)
오늘은 우리나라가 독립(獨立)된 후(後) 두번째맞이하는 신년원단(新年元旦)임에따라 우리의 위대(偉大)하고도 험난(隱難)한 건국성업(建國聖
과거(過去)는모든 혼란(混亂)을 정돈(整頓)하고 국가기초(國家基礎)를 수립(樹立)하는데 급(汲)하였지만 오늘맞이하는 신년(新年)은 국가(國
신년(新年)을맞이하는우리 삼천만애국동포(三千萬愛國同胞)는 그 사상(思想)과 행동(行動)을오로지 건국(建國)에만 집주(集注)할 각오(覺悟)
</body>
</news>
```

〈그림 4〉 원문 텍스트(위)를 전처리한 결과(아래)

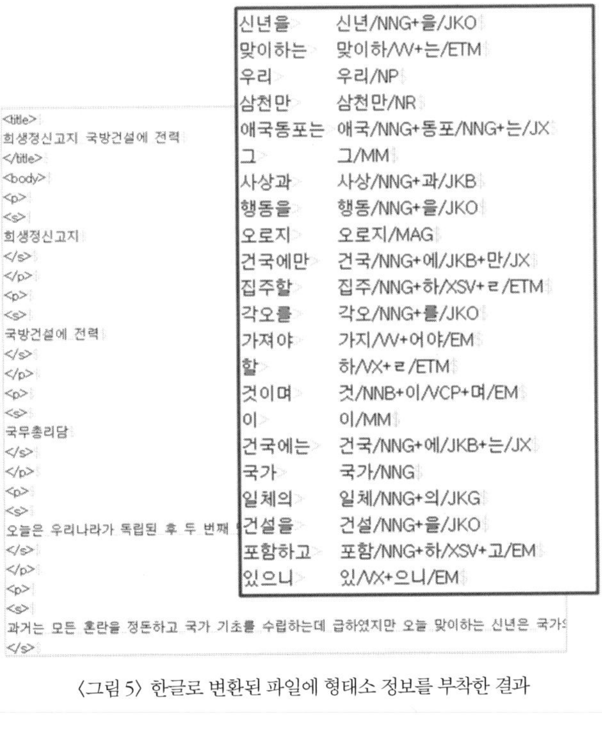

```
<title>
희생정신고지 국방건설에 전력
</title>
<body>
<p>
<s>
희생정신고지
</s>
</p>
<p>
<s>
국방건설에 전력
</s>
</p>
<p>
<s>
국무총리담
</s>
</p>
<p>
<s>
오늘은 우리나라가 독립된 후 두 번째
</s>
</p>
<p>
<s>
과거는 모든 혼란을 정돈하고 국가 기초를 수립하는데 급하였지만 오늘 맞이하는 신년은 국가의
</s>
```

신년을	신년/NNG+을/JKO
맞이하는	맞이하/VV+는/ETM
우리	우리/NP
삼천만	삼천만/NR
애국동포는	애국/NNG+동포/NNG+는/JX
그	그/MM
사상과	사상/NNG+과/JKB
행동을	행동/NNG+을/JKO
오로지	오로지/MAG
건국에만	건국/NNG+에/JKB+만/JX
집주할	집주/NNG+하/XSV+ㄹ/ETM
각오를	각오/NNG+를/JKO
가져야	가지/VV+어야/EM
할	하/VX+ㄹ/ETM
것이며	것/NNB+이/VCP+며/EM
이	이/MM
건국에는	건국/NNG+에/JKB+는/JX
국가	국가/NNG
일체의	일체/NNG+의/JKG
건설을	건설/NNG+을/JKO
포함하고	포함/NNG+하/XSV+고/EM
있으니	있/VX+으니/EM

〈그림 5〉 한글로 변환된 파일에 형태소 정보를 부착한 결과

한편『동아일보』코퍼스를 구축하고 활용하기 위해서는 특별한 전처리 과정을 포함할 필요가 있었다. 즉 1940년대와 1950년대의 신문 기사는 표기가 지금과 많이 다를 뿐 아니라 한자의 쓰임이 압도적으로 높다는 점에서 이들을 현대적인 표기 방식으로 수정하는 과정을 포함하였다. 전처리 과정의 예시를 보이면 〈그림 4〉와 같다.

전처리를 수행한 다음에는 '물결21' 코퍼스를 형태 분석하는 과정과 동일한 과정을 거쳤다. 이러한 과정을 통해 산출된 최종 결과는 〈그림 5〉와 같다.

2. 연구방법론

빅데이터를 통해 유의미한 정보를 얻기 위해서는 필연적으로 계량적, 통계적 접근 방법을 활용할 수밖에 없다. 수억 어절에 이르는 대규모의 텍스트를 기존의 방법으로 관찰하는 것은 효율적이지 않을뿐더러 객관적이지 못할 가능성이 높다는 점에서 계량적, 통계적 접근은 필수적이다. 정성적 해석은 오히려 통계적 결과를 대상으로 적용할 때 유용할 것이다.

이 연구에서는 계량적, 통계적 접근을 위해 키워드, 공기어, 네트워크라는 세 가지 방법을 활용할 것이다.

1) 키워드

어떤 단어가 키워드로 선택될 것인지에 대한 정도를 나타내는 용어로서 '키워드성(keywordness)'(Witten et al., 1999)이 있다. 즉 키워드성이 높을수록 그 단어는 해당 문서를 대표할 수 있는 키워드로 선정될 확률이 높다고 할 수 있다.

그렇다면 과연 어떤 단어가 키워드성이 높을까? 어떤 단어가 단순히 특정 문서 집합에서 많이 출현했다고 해서 그 단어가 해당 문서를 대표할 수 있는 키워드가 될 수 있는 것은 아니다. 왜냐하면 그러한 단어는 다른 주제의 문서 집합에서도 많이 등장하는 단어일 수 있기 때문이나. 일반적으로는 어떤 단어가 해당 주제의 문서에서는 자수 사용되고 다른 주제의 문서에서는 적게 사용될수록 그 단어의 키워드성이 높을 것이라고 가정한다.

본 연구에서는 키워드성을 측정하기 위한 척도로 't-점수'를 도입하였다.[3] 특정 문서 집합 D와 이에 대한 비교 대상이 되는 문서 집합 C가 주어졌을 때, 문서 집합 D에서의 단어 w의 키워드성은 다음과 같이 계산된다.

$$t = \frac{O-E}{\sqrt{O}}$$

[3] 키워드성을 측정하기 위한 방법으로 이 연구의 초기 단계에는 t-점수 이외에도 z-점수, MI(mutual information), 카이제곱 검증 등을 모두 고려하였다. 그러나 t-점수를 제외한 다른 측정 방법들은 빈도가 낮은 경우 측정값이 지나치게 급증하는 양상을 보인다는 점에서 한계가 있었다. 이러한 논의는 Evert(2009)도 유사하게 지적한 바 있다. 측정 방법에 대한 보다 상세한 논의는 Evert(2009), 신효필(2007) 등을 참조.

여기서, O는 w의 관측 빈도로서 문서 집합 D에서 단어 w가 나타난 빈도 즉, $f_D(w)$이고, E는 예상 빈도로서 다음과 같이 구한다.

$$E = \frac{|D| \times f_C(w)}{|C|}$$

$|D|$와 $|C|$는 각각 문서 집합 D와 C의 크기 즉, 해당 문서 집합에 포함된 총 단어의 수를 의미한다. 예상 빈도는 비교 대상 문서 집합에서 단어 w의 빈도를 두 문서 집합의 크기로 정규화한 값이다.

t-점수가 높을수록 키워드성이 커진다고 볼 수 있으며, t-점수는 관측 빈도와 예상 빈도를 비교하여, 관측 빈도와 예상 빈도의 차가 클수록 이 값이 커지게 된다. 따라서 아무리 특정 문서 집합에서 자주 나타나더라도 다른 주제의 문서에서도 많이 나타나게 되면 t-점수가 높은 값을 갖게 될 수 없다. 이러한 경우에 관측 빈도와 예상 빈도가 모두 높을 것이기 때문이다.

2) 공기어共起語

단어는 고립되어 존재하는 것이 아니라 일정한 문맥 속에서 사용된다. 즉 단어는 주변의 단어들과 함께 일정한 문맥을 형성하며 이러한 문맥 속에서 그 의미를 정확히 드러낸다. 한 단어와 주변 단어가 보이는 공기 양상은 단어의 의미를 기술하는 데에 사용되기도 하며 극단적으로는 문맥이 단어의 정보를 결정한다고 말하기도 한다(Firth, 1975).

이 연구에서 공기어는 어떤 단어와 일정한 문맥에서 함께 출현하는 단어들을 말한다. 이때 일정한 문맥이라 함은 문장이나 문단 차원과 같은 범위를 지칭하는 것이다.

공기어는 대상어의 문맥을 일부 보여줄 수 있다는 점에서 대상어의 사용 양상을 좀 더 구체적으로 확인할 수 있다는 의의가 있다. 그러나 어떤 단어가 공기했다는 정보만으로는 대상어의 특성을 온전히 보여 주는 데에 한계가 있다. 특히 대상어와 공기어가 우연히 빈도가 높은 수 있다는 점을 걸러낼 필요가 있다. 즉 어떤 대상어와 유의미한 공기 어가 되기 위해서는 해당 대상어와만 특별히 공기한다는 정보를 포착 할 수 있어야 한다.

이 연구에서는 이를 위해 t-점수를 도입하였다. 이 t-점수는 키워드 추출을 위해서 사용한 방식과 대체로 유사하다. 그 과정을 좀 더 자세 히 보이면 다음과 같다.

f(A)	단어 A의 빈도
f(B)	단어 B의 빈도
f(A, B)	단어 A와 B의 공기 빈도
N	코퍼스의 크기(단어의 수(token))

t-점수 $= \dfrac{O-E}{\sqrt{O}}$ (O는 관측 빈도, E는 예상 빈도)

이때 관측 빈도 O는 대상어와 공기어 간의 공기 빈도 $f(A,B)$이고, 예상 빈도 E는 다음 식과 같이 구한다.

$$E = \frac{N_A \times f(B)}{N}$$

여기서 N_A는 단어 A가 출현한 문맥에서 함께 나타난 모든 명사의 빈도를 의미한다. 이러한 방식으로 연산된 t-점수는 우리의 직관에 적절히 부합하는 것으로 검증되었다.

t-점수를 산출하는 과정을 실례를 통해 좀 더 구체적으로 살펴보자. 감정명사 '사랑'에 대한 공기어 중 '증오'와의 공기관계를 t-점수로 계산해 보면 다음과 같다.

먼저 '사랑'이 출현한 문단에서 명사의 빈도 N_A는 3,206,758이고, '증오'가 출현한 빈도 $f(B)$는 4,416이며, 코퍼스의 크기 N은 223,794, 143이었다. 위의 공식에 따라 예상 빈도(E)를 계산하면 다음과 같다.

$$E = \frac{N_{\text{사랑}} \times f(\text{증오})}{N} = \frac{3,206,758 \times 4,416}{223,794,143} = 63.277$$

'사랑'이 나오는 문단에서 '증오'가 출현한 실제 관측 빈도 O는 811이었다. '사랑'과 함께 '증오'가 출현할 예상 빈도와 실제 관측 빈도의 차이가 매우 크며, 이는 '사랑'과 '증오'의 공기 관계가 매우 유의미한 것일 수 있음을 예상하게 해 준다.

이러한 결과는 t-점수에서도 그대로 확인된다. 대상어 '사랑'과 공기어

'증오'의 t-점수를 앞에서의 계산식에 대입하여 계산하면 다음과 같다.

$$t(사랑,증오) = \frac{811 - 63.277}{\sqrt{811}} = 26.256$$

결과적으로 대상어 '사랑'과 공기어 '증오'는 t-점수가 약 26이 되어 둘 사이의 공기 관계가 매우 밀접하다는 점을 통계적으로 입증해 준다.

3) 네트워크

단어는 문맥 속에서 공기하는 단어들과 일종의 '네트워크'를 형성한다.[4] 따라서 어떤 단어의 특성을 정확히 파악하고 그 사용 양상의 변천 과정을 밝히기 위해서는 단어와 공기어가 형성하는 네트워크를 분석할 필요가 있다. 더구나 문맥은 시대와 상황에 따라 다양하게 변화하게 마련이므로 이러한 네트워크 분석 방법은 대상어(target word)와 공기어(co-occurring word)가 보이는 변화의 양상을 적절히 포착해 줄 수 있을 것으로 기대된다.

이 연구에서는 네트워크 분석 도구로는 Pajek을 사용하였는데 Pajek은 대규모 네트워크를 시각화해주는 기능뿐 아니라 네트워크의 연결

---

[4] 본고에서의 네트워크는 일정 수의 노드(절점)와 그 노드들 사이의 링크(연결선)의 집합으로 정의된다. 이때 노드에는 표지가 붙고 링크에는 값이 부여될 수 있다. 또한 여기서 제시될 네트워크는 기본적으로 공기어, 즉 단어들(언어)의 네트워크이지만, 공기명사가 개념을 단위화한 것이라는 점을 받아들인다면 그것은 개념 내지 사물의 네트워크로 해석이 가능하다(강범모, 2010).

정도 등에 대한 정보도 제공해 준다는 점에서 네트워크 분석을 위해 매우 요긴한 도구라 할 수 있다.[5] Pajek을 통해 드러나는 대상어와 공기어의 연결 관계, 그리고 공기어 분포의 양상 등을 시각적으로 잘 포착할 수 있다.

---

5 'Pajek'은 공개 소프트웨어로 http://vlado.fmf.uni-lj.si/pub/networks/pajek/에서 무료로 다운로드받을 수 있다. 네트워크 분석도구로는 이 외에도 UCINET와 국내에서 개발된 NetMiner 등이 있다. 이들에 대한 설명은 김용학(2007)을 참조할 수 있다.

키워드, 공기어, 그리고 네트워크−신문 빅데이터가 보여주는 것

제2장 | 빅데이터 시대의 디지털 인문학 |

1. 도입

지금은 데이터, 빅데이터의 시대다. 경제, 경영, 의료, 전산 등 다양한 영역에서 빅데이터는 주요한 화두로 자리매김하고 있다. 이 논문은 이러한 빅데이터 시대 속에서 기존 인문학이 가진 한계를 극복하기 위해 대두되고 있는 '디지털 인문학'의 위상과 범위, 역할 등에 대해 종합적으로 검토하는 데에 주된 초점이 있다. 특히 디지털 인문학에 대한 논의가 일찍부터 활발히 진행된 서구에 비해 국내의 디지털 인문학에 대한 논의는 여전히 초창기 수준에 머물러 있음을 국내외 동향 연구를 검토하면서 지적하고 과연 디지털 인문학이 국내에 어떤 식으로 정립되어야 할 것인가에 대한 포괄적인 견해를 제시한다.

또한 빅데이터의 활용과 관련하여 국내에서 진행되고 있는 몇몇 사레를 소개, 검토함으로써 디지털 인문학은 기존 인문학을 대체하려는 시도가 아님을 강조할 것이다. 특히 인문학을 산업화와 연계시키려는 몇몇 제안에 문제가 있음을 지적하고, 디지털 인문학은 '디지털'이라는 새로운 도구와 방법론을 활용하여 인문학의 지평을 새로운 차원으로 승화시키는 데 기여할 수 있다는 점을 강조할 것이다.

2. 디지털 인문학의 연구 동향

디지털 인문학은 영국과 미국을 비롯한 서구에서 선도적으로 이끌고 있으며 최근 일본과 대만 등에서도 디지털 인문학에 대한 관심을 보여주고 있다.[1]

1) 국외의 연구 동향

(1) 주요 국가별 동향

영국은 왕립대학(King's College, London)을 중심으로 디지털 인문학을 선도하고 있다. 이 대학에서는 2014년에 세계 최초로 '디지털 인문학과'를 정규학과로 설립하기도 하였는데, 이 밖에도 옥스퍼드(Oxford) 대학,

---

[1] 디지털 인문학의 동향에 대해서는 김바로(2014), 김현·김바로(2014), 김현(2013), 최희수(2011) 등에서도 논의된 바 있다. 본고에서는 기존 동향 분석에서 기술되지 않은 부분을 중심으로 논의를 전개하겠으나 일부 논의는 중복될 수도 있다. 한편 국내외의 디지털 인문학 연구 동향을 조사하는 과정에서 고려대학교 대학원 언어학과 김연우, 국어국문학과 박은정, 박민정 연구원의 도움을 받았음을 밝힌다.

글래스고우(Glasgow) 대학, 유니버시티 칼리지 런던(University College) 등에서도 디지털 인문학에 적극 동참하고 있다. 이 대학들에 설치된 대표적인 센터로는 왕립대학의 e-리서치 센터, 옥스퍼드 대학의 디지털 인문학 네트워크 등을 들 수 있다.

미국은 디지털 인문학에 대한 관심이 가장 높은 곳으로 유씨엘에이(UCLA)의 Center for Digital Humanities, 스탠포드(Stanford) 대학의 Digital Humanities Center, 유씨버클리(UC Berkeley)의 Digital Humanities, 엠아이티(MIT)의 Hyperstudio, 하버드(Harvard) 대학의 Digital Art & Humanities 등이 중심이 되어 디지털 인문학을 선도하고 있으며, 그 밖에도 브라운(Brown) 대학, 노스웨스턴(Northwestern) 대학, 네브라스카(Nebraska) 대학, 코넬(Cornell) 대학 능노 다양한 프로젝트를 수행함으로써 적극적으로 디지털 인문학 분야에 참여하고 있다. 이 밖에 프랑스, 독일을 비롯한 유럽의 여러 국가들에서도 디지털 인문학에 대한 관심이 높다.

이에 비해 아시아권에서는 대만과 일본 정도가 적극적인 활동에 나서고 있으며 다른 국가들은 시작 단계에 머물러 있다. 대만은 적극적인 정부의 지원 하에 국립 대만 대학교의 '대만 역사 디지털 도서관', 법고 불교학원의 데이터베이스 프로젝트, 대만 문학 연구 데이터베이스 등을 통해 디지털 인문학 분야에서 적극적인 활동을 보이고 있다. 일본의 경우에는 리츠메이칸 대학을 중심으로 디지털 인문학 연구가 진행되고 있으며, 2012년부터는 도쿄 대학에서 디지털 인문학 융합 프로그램을 개설하여 디지털 인문학 전공 인력 양성에 주력하고 있다.

한편 디지털 인문학의 국제적 네트워크 구축을 위해 개발된 '센터넷'의 역할을 주목해 볼 필요가 있다.

Centers

〈그림 1〉 센터넷에 등록된 디지털 인문학 센터의 분포

■ 센터넷(www.dhcenternet.org)

센터넷은 전 세계의 디지털 인문학 센터들을 연결하는 국제적 네트 워크로 디지털 인문학 관련 기관들의 협업을 위해 계획되었다. 최근에 는 DHCommons 웹사이트를 공개하여 개별 디지털 인문학 센터들이 수행한 프로젝트 내용 및 사용 도구, 연구진 정보를 공유할 수 있도록 세련된 틀을 제공하고 있다.

센터넷은 2007년 4월 12~13일 미국 인문학재단(NEH)이 주최한 디 지털 인문학 관련 회의에서 처음 논의되었다. 그 이래로 센터넷은 19 개 국가, 190여 개 기관이 참여하는 국제적인 네트워크로 발전하였다. 또한 센터넷은 〈그림 1〉에서처럼 센터넷에 등록된 전 세계 기관들의 분포를 지도에 시각화하여 보여주며 지도상에 표시된 링크를 통해 각 센터의 웹사이트로 접속할 수 있는 기능도 제공하고 있다(http://www.dhce nternet.org/centers).

현재 센터넷에 등록되어 있는 기관들의 대륙별 분포를 보면 북미지 역이 88개 기관으로 가장 많고 71개의 유럽이 그 뒤를 잇고 있다. 아시 아의 경우 8개 기관이 참여하고 있다. 국가별로는 일본 3개 기관, 대만

2개 기관이 참여하고 있고 중국, 이란, 이스라엘의 경우 각각 1개의 기관이 등록되어 있다. 반면 현재까지 센터넷에 참여하고 있는 한국의 센터나 기관은 전무한 실정이다.

(2) 국외의 주요 프로젝트

해외 디지털인문학센터에서 진행하고 있는 프로젝트는 크게 두 가지 분야로 나누어 살펴볼 수 있다. 첫째, 문학 및 물질문화(material culture) 자료를 디지털화, 표준화하여 구축하고 다양한 플랫폼으로 제공하여 자료의 접근성을 높이는 데에 목적을 두는 디지털 아카이브 분야와, 둘째 대규모로 구축된 언어 자원을 바탕으로 자료를 분석·제공하는 데 목적을 두는 데이터 마이닝 분야이다. 여기서는 두 분야에서 대표적인 몇몇 프로젝트를 소개하기로 한다.

■ 에피독(EpiDoc) 프로젝트(https://epidoc.sourceforge.net/)
에피독(EpiDoc) 프로젝트는 2002년부터 2004년까지 영국 왕립대학(런던)에서 수행된 프로젝트로 고대 그리스·라틴어의 기록물 전사 및 디지털 출간을 위한 매뉴얼과 관련 작업을 지원하는 도구들을 제공한다. 이 프로젝트의 매뉴얼은 TEI 지침을 준수하고 디지털 형식을 표상하기 위해 XML을 활용하고 있다.
왕립대학(런던) 전자인문학센터는 Epidoc의 개발을 통해 2004년부터 2008년까지 30만 5천 파운드(약 5억 6천만 원)의 기금이 투입된 '아프로디시아스 석판 기록물 코퍼스' 구축을 성공적으로 이끌었다. 이러한 성공을 발판으로 현재 Epidoc은 고대 비문 아카이브 분야뿐만 아니라 파피루스, 필사본과 같은 다양한 매체의 고대 텍스트 아카이브 분야에서 활용되고 있다(피사대학의 아랍어 비문 연구를 위한 디지털 아카이브나 옥스포드 대학의 그리스, 라틴 비문 프로젝트 등).

주목해야 할 점은 Epidoc이 고대 기록물 디지털화 분야에서 실질적인 표준의 역할을 하고 있다는 것이다. 그 이유는 먼저 Epidoc 자체가 이론적, 구조적으로 잘 설계된 체계와 도구를 제공하기 때문이다. 또한 그것이 처음 활용되었던 왕립대학의 프로젝트가 고대 기록물 아카이브 구축의 훌륭한 모범이 되었기 때문이다. 그러나 또 하나 놓치지 말아야 할 것은 개방성이란 단어로 표현할 수 있는 Epidoc의 배포·공유 정책이다. Epidoc은 개발된 모든 소프트웨어와 문서에 대하여 GNU 일반 공중 사용허가 라이선스를 부여하고 있다. 따라서 소스 페이지를 통해 누구나 비용 없이 프로그램을 이용할 수 있고 변용도 가능하다. 또한 프로그램은 지속적으로 관리 및 개선되고 있다. 최근에는 2015년 6월 19일에 8.21버전으로 업데이트되었다. 이러한 탁월성과 개방성 덕분에 Epidoc은 '2014년 디지털 인문학 국제 컨퍼런스'와 '2013년 TEI 국제 컨퍼런스'에서 따로 워크숍을 마련할 만큼 고대 기록물 아카이브 구축의 핵심적인 도구로 인정받고 있다.

■ Visualizing Cultures(http://ocw.mit.edu/ans7870/21f/21f.027/home/vc01_about.html)

이 프로젝트는 아시아의 근대화에 대한 내용을 '중국 광동 무역의 흥망', '흑선과 사무라이' 등과 같은 20개의 하위 주제로 구분하고 이들 주

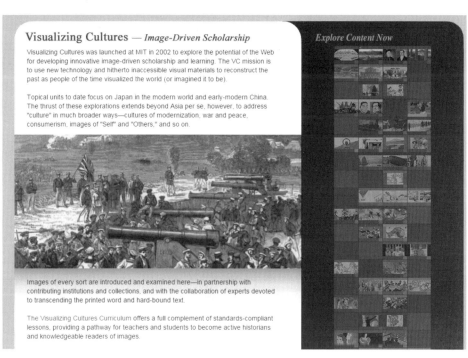

〈그림 2〉 Visualizing Culture의 메인 홈페이지

제에 해당하는 역사적 그림, 사진 등의 이미지 자료를 디지털 영상으로 제작, 공개하여 연구와 교육 등에 활용하기 위해 설계된 대규모 프로젝트이다. 이 프로젝트는 다음과 같이 연구자들이 적극적으로 활용할 수 있는 방안을 제공하고 있다.

- 이전에는 접근할 수 없었던 대규모의 이미지 자료 제공
- 완전컬러판의 고해상도를 포함한 원본 텍스트 제공
- 이미지를 분석하고 보여주는 새로운 방식의 기술 지원

한편 2010년부터는 예일 대학, 프린스턴 대학과 함께 이 프로젝트의 성과를 토대로 한 학술대회를 매년 개최하고 있다.

■ HathiTrust(https://www.hathitrust.org/)

미국 대학 도서관을 중심으로 결성된 HathiTrust는 보유 장서를 디지털화하여 보존하고, 자료에 대한 접근성을 높이는 것을 목적으로 2008년부터 시작된 디지털 도서관 프로젝트이다.

HathiTrust는 방대한 규모와 뛰어난 접근성의 측면에서 다른 관련 프로젝트와 차별된다. 현재 85개 이상의 대학 도서관들과 파트너십을 맺고 있으며, 11,000,000권의 디지털화된 자료를 보유하고 있을 정도로 규모가 크다. 또한 대학 도서관과 파트너십을 추가적으로 맺어나가면서 많은 양의 자료를 확보하고 있으며, 전 세계의 사용자들을 위해 특정한 절차 없이 전문 텍스트를 무료로 볼 수 있도록 하고 있다.

■ Paper Machines(http://papermachines.org/)

하버드 대학의 디지털예술인문학센터에서 주도한 Paper Machines 사업의 가장 중요한 목적은 인문학 분야의 연구자들이 전문적인 전산 지식 없이도 토픽모델링 분석을 쉽게 수행할 수 있도록 하는 것이었다. 이 도구가 제공하는 토픽모델링 모듈의 장점은 텍스트 생산 연도 정보를 활용하여 텍스트 주제 변화의 통시적 추이를 확인할 수 있다는 점이다. 그 뿐만 아니라 어휘 빈도, 공기어 분석 및 메타데이터를 이용한 다양한 시각화 모듈을 포함하고 있다.

Paper Machines와 같은 언어자원 분석 도구가 중요한 이유는 디지털 인문학 분야에서 언어 처리 도구의 필요성이 나날이 급증하고 있기 때문이다. 최근 디지털 인문학의 흐름은 기존에 수행하던 연구 방법을 컴퓨터를 통해 더 쉽게 하는 차원을 넘어 기존에는 시도조차 할 수 없었던 새로운 방법을 연구에 적용하는 방향으로 나아가고 있다. 전산화된 자원을 통한 언어 연구에서도 이와 같은 경향은 일반적이다. 단순히 필요한 용례를 쉽게 검출해내는 것에 머무르지 않고 대규모 자원에 대한 거시적, 계량적 분석을 추구하고 있다. 따라서 이러한 분석을 가능하게 하는 도구를 개발하고 배포하거나 구축된 빅데이터에 대하여 시각화 인터페이스를 제공하는 것은 디지털 인문학 연구 주체의 중요한 활동이라 할 수 있다.

한편 Paper Machines는 개방적인 배포 정책을 추구하고 있다. 프로그램은 구글이 제공하는 Open Source Programs Office를 통하여 누구나 아무런 제약 없이 내려 받을 수 있다. 또한 별도의 홈페이지를 통해 사용자 매뉴얼을 제공하고 있으며 위키페이지를 통해 각종 문제에 대한 도움말을 제공하고 있다. 이러한 접근성과 편의성 덕분에 Paper Machines는 디지털 인문학의 주요 웹사이트와 블로그로부터 큰 주목을 받고 있다.

■ Mapping TEXTS(http://mappingtexts.org/index.html)

스탠포드 대학과 노스텍사스(North Texas) 대학이 함께 2010년부터 수행하고 있는 Mapping TEXTS는 대규모 역사 신문을 통해 의미 있는 언어 패턴을 분석할 수 있는 도구를 개발하고 제공한다.

Mapping TEXTS는 미국의 지역 신문이 반영하고 있는 그 지역의 특징을 보여주는 프로젝트이다. 예를 들어 1829년부터 2008년 사이에 발간된, 232,500페이지에 달하는 텍사스 신문을 바탕으로 텍스트 분석이 이루어진 언어 자료의 제공은 언어뿐 아니라 다른 영역의 연구에도 큰 의미를 지닐 것이다. Mapping TEXTS에서는 시간과 공간에 따라 기사들이 분류되어 있으며, 이에 따라 지역별 차이, 역사에 따른 주제 등을 한눈에 알아볼 수 있다. 또한 키워드가 될 수 있는 단어들을 제공하여 연구에 유용하게 활용할 수 있다.

■ ORBIS(http://orbis.stanford.edu/)

스탠포드 대학의 디지털인문학센터에서 수행한 ORBIS 프로젝트(2012~2014)는 로마 세계를 중심으로 한 역사적인 지리(교통) 네트워크 모델로서 이미 국내에도 소개된 바 있는 유명한 프로젝트이다. 이 프로젝트에서는 다음과 같은 기능을 제공하고 있다.

- Finding Routes : 가장 빠르고 경제적인 경로를 찾아줌. 지역과 시기(또는 계절), 이동 매체 등을 선택하여 과거부터 지금까지 이동 가능한 경로를 모두 확인 가능함
- Network Diagrams and Clustering : 한 도시가 다른 도시와 연결되어 있는 전체적인 네트워크 제공
- Flow Diagrams : 다이어그램 또는 세그먼트 산출 경로를 집계하여 흐름도를 제공

이 프로젝트는 3개 대륙의 정치·군사·경제적 교류가 활발했던 로마 시대를 중심으로 지도에 필요한 정보를 시각화하여 제공한다. 사용자가 선택하는 여러 옵션을 통해 같은 경로가 역사적으로 어떤 변화를 가지게 되었는지 파악할 수 있어, 연구자뿐 아니라 일반인들에게도 유

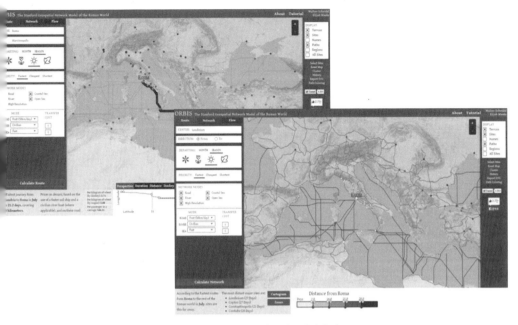

〈그림 3〉 ORBIS 프로젝트의 고대 로마시대 지도

용한 정보를 제공한다. 2012년에 처음 나온 도구를 2014년에 버전 업 그레이드하는 등 끊임없이 도구 개발에 힘쓰고 있으며, 프로젝트는 현재까지 계속 진행되고 있다.

(3) 디지털 인문학 교과 과정

유럽과 미국에서의 디지털 인문학과 관련한 교육 과정은 주로 정규 학과 내에서 수행되는 정규 교육 과정과 디지털 인문학 센터 중심으로 수행되는 워크숍 과정으로 구분되어 운영되고 있다. 이 교육 과정은 대체로 인문학 데이터 큐레이션을 담당할 전문가를 양성하는 기초 과정과 전문연구자, 프로젝트 관리자 등을 위한 고급 과정으로 이원화되어 있어 디지털 인문학 연구의 심화와 인재 양성의 측면을 모두 포함하려 노력하고 있다.

여기서는 디지털 인문학을 선도하는 대표적인 국가 중 하나인 영국과 독일의 협동 교육 프로그램을 살펴보기로 한다.

영국의 왕립대학(King's College, London)과 독일 훔볼트 대학의 협동 프로그램인 디지털 큐레이션 석사과정은 날로 확장되어가는 분야인 디지털 큐레이션의 전문가를 양성하기 위한 프로그램이다. 총 2년 과정으로 첫 해는 훔볼트 대학에서 그리고 두 번째 해에는 왕립대학(런던)에서 수학하게 된다. 프로그램은 2014년에 개시되었다.

디지털 큐레이션 과정은 학생들이 공공기관과 민간기업 등, 디지털 정보를 다루는 모든 곳에서 리더십 역할을 수행하도록 하는 것을 목표로 한다. 수강과목 체계는 〈표 1〉과 같다.

〈표 1〉 훔볼트 대학과 왕립대학(런던)의 디지털 인문학 교과 과정

훔볼트(베를린) 1·2학기			왕립대학(런던) 3·4학기	
필수	Digital Preservation Technologies	필수	From Information to Knowledge-Metadata and Systems for Digital Assets and Media	
	Information Ethics and Legal Aspects		Dissertation	
	Research Methods		Indicative Non-core Content	
	Digital Preservation	선택 (3과목)	Management for Digital Content Industries	
	Digital Libraries		Crowds and Clouds—Digital Ecosystems	
	Knowledge Representation		Curating and Preserving Digital Culture	
			Digital Media, Digital Marketing	
			Internship	
			Digital Publishing	
			Structured Data in the Digital Humanities —databases & semantic web	
			Editorial models for Digital Texts—Theory and Practice	
			Web Technologies	
			The Social Life of Big Data	

한편 디지털 인문학에서 중시하는 '디지털 큐레이션'에 대해 논의할 필요가 있다. 서구에서는 이와 관련한 다양한 교과 과정을 개발하여 디지털 큐레이터 양성에 큰 비중을 두고 있기 때문이다.

■ 디지털 큐레이션

디지털 큐레이션은 디지털 자산을 선별, 유지, 보수, 수집, 보존과 관련한 것으로.[2] 디지털 연구 데이터의 수명주기(lifecycle) 전 과정 속에서 데이터를 유지, 보수하고 그것에 가치를 부여하는 것이다.[3] '디지털 큐레이션'이라는 용어는 어느 세미나의 제목으로 2001년에 처음 등장하였다. 그 세미나는 디지털 아카이브, 디지털 도서관 등 다양한 분야의 전문가들이 모여 디지털 정보의 장기 관리, 보존 문제에 대해 토론하는 자리였다. 그 이후로 '디지털 큐레이션'의 개념은 디지털 데이터의 생성과 관리에 더하여 미래에 그 데이터에 접근하고 그것을 재사용 할 수 있도록 데이터의 활용성과 지속성을 담보하는 모든 활동을 포함하는 것으로 확장되었다.[4]

현재 대부분의 디지털 인문학 프로젝트는 데이터 생성과 처리의 측면에서 다음과 같은 조건을 만족시키기 위해 노력하고 있다.

• 데이터 보존 및 재사용 가능성

---

2 "digital curation", wikipedia(2015년 7월 8일 검색).
3 "What is Digital Curation?", Digital Curation Centre(2015년 7월 8일 검색).
4 Jeonghyun Kim · Edward Warga · William E. Moen, "Competencies Required for Digital Curation—An Analysis of Job Advertisements", *The International Journal of Digital Curation* Volume 8 Issue 1, 2013.

- 데이터의 신뢰성 확보 및 수집의 윤리적, 법적 절차 준수

- 인문학적 가치 부여

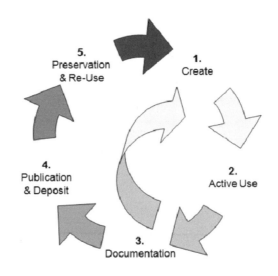

〈그림 4〉 data lifecycle
(Jones, S., "Data Management Planning", Digital Curation Centre)

(4) 요약

서구에서는 1994년, 이탈리아의 예수회 신부 로베르토 부사가 토마스 아퀴나스의 저작을 포함한 중세 라틴어 텍스트를 CD-ROM으로 간행한 것을 디지털 인문학의 효시로 인정하고 있다. 특히 디지털 인문학의 정의와 범위, 역할, 디지털 큐레이터의 교육과 양성 방안에 대해 폭넓고 진지한 논의를 여전히 진행하고 있다.

또한 서구 디지털 인문학의 또 다른 특징으로는 정부 기관뿐 아니라 대학에서도 디지털 인문학을 적극 지원하고 있다는 점이다. 이는 기존

인문학 성과의 공유와 확산, 소통에 기여하는 것은 물론 인문학의 외연을 확장하는 효과를 거두고 있다.

최근 들어 서구의 디지털 인문학은 어학, 문학, 역사, 지리, 예술 등의 다양한 분야를 모두 아우르는 학제 간 연구의 성격을 점점 두드러지게 보여주고 있으며 다른 한편으로는 다양한 시각화 자료를 서비스함으로써 인문학 내부에서만 주로 소통되어 왔다는 인문학의 폐쇄성을 극복하기 위한 노력을 기울이고 있다.

2) 국내의 현황

(1) 디지털 인문학 논의의 시작

국내에서는 2000년부터 '문화콘텐츠'라는 용어가 등장하기 시작하였다. 특히 김현(2013)에서는 디지털 인문학과 문화콘텐츠의 상생 가능성이 적극적으로 논의되기도 하였다. 디지털 인문학과 관련하여 국내의 특이한 동향은 디지털 인문학이 '문화콘텐츠'와 같이 문화적인 맥락 속에서 먼저 논의되기 시작하였다는 점이다. 한편 2015년 5월 30일에는 한국 디지털 인문학 협의회가 발족되어 디지털 인문학 연구의 교류와 확장을 위한 노력이 진행되고 있다.

디지털 인문학과 관련한 다양한 프로젝트가 이미 수행되고 있는 서구에 비해 국내의 디지털 인문학 프로젝트는 매우 빈약하다.

2014년에는 연구재단의 정책 과제로 "디지털시대 인문학 성과의 산업화 방안 연구"에 대한 연구가 수행되었는데 이 과제의 주요 내용으로는 국내외 동향 조사, 인문학 기반 산학 협력 방향 제시, 교육부 주관 사업의 기본 구도 및 2014년 하반기 시범사업 방안 등이 포함되어 있다. 이 프로젝트는 단기간(5개월)에 걸친 정책 과제로 국내외 동향을 파악하고 산업화 방향을 위한 방안을 모색하기 위한 과제로 본격적인 의미의 디지털 인문학 과제라고 보기는 어렵다.

한편 2002년부터 학술진흥재단의 과제로 '디지털인문학 과목개발'이라는 과제가 수행된 바 있다. 이 과제의 연구 결과로 총 8개의 교과목이 개발되어 운영되기도 하였는데 시범 사업 수준에 머물러 있다는 한계가 있다.

(2) 교육 과정

정부의 지원하에 디지털 인문학 관련 교육 과정도 다양한 학제 안에 개설되기도 하였다.

• 대학원
－한국학 중앙연구원 한국학대학원 문화예술학부 인문정보학 전공, 2009년부터
－서울대 융합기술대학원 디지털정보 융합전공(전산 중심), 2009년부터
－카이스트 문화기술대학원 문화기술학 부전공, 2005년부터

- 학부
  - 아주대학교 문화콘텐츠 학과, 2010년부터
  - 한국외국어대학교 인문대학 지식콘텐츠 학부, 2015년부터
  - 연세대학교 연계전공 디지털 예술학, 2006년 개설, 2009년 이후 축소 운영

(3) 센터 혹은 단체

디지털 인문학 센터를 본격적으로 표방한 것은 고려대학교 민족문화연구원의 '전자인문학센터'와 아주대학교의 '디지털 휴머니티 연구센터'를 꼽을 수 있다.

- 고려대학교 민족문화연구원 전자인문학센터(2008년)

고려대학교 민족문화연구원의 전자인문학센터는 주로 빅데이터를 구축하고 분석, 활용하는 연구를 수행해 오고 있다. 즉 2000년 이후 발행된 『조선일보』, 『동아일보』, 『중앙일보』, 『한겨레신문』을 모두 전자 자원화하고 분석 정보를 주석하여 제공함으로써 단어의 시기별, 주제별 사용 추이를 살펴볼 수 있도록 하고 있다. 또한 특정 단어와 유의미하게 같은 문맥에서 출현하는 '공기어(co-occurrence word)'도 제공해 주고 있어 단순히 언어 사용 추이뿐 아니라 다양한 사회적 관심사의 변화 분석도 가능하다.

- 아주대학교 디지털 휴머니티 연구센터(2014년)

아주대학의 디지털 휴머니티 연구센터는 빅데이터 분석을 통해 인간과

사회의 다양한 경향성을 파악하고 이를 통해 미래를 예측하는 모델을 구축하는 것을 목표로 삼고 있다. 이 센터는 교육부 대학 특성화 사업의 지원으로 운영되고 있으며 디지털 인문학의 동향과 관련한 국제 심포지움을 두 차례에 걸쳐 개최한 바 있다. 구체적인 디지털 인문학 성과를 도출하는 센터라기보다는 교육 과정 개발에 치중하는 것으로 보인다.

(4) 요약

국내의 디지털 인문학 연구는 이제 착수 단계에 있다고 보아야 할 것이다. 물론 디지털 인문학을 본격적으로 내세우지는 않았으나 국내에는 디지털 인문학의 범주에 포함될 수 있는 성과들을 이미 상당수 보유하고 있다. 조선시대 전자문화지도 시스템(고려대 민족문화연구원), 한국 금석문 종합 영상정보 시스템(국립문화재연구소) 등이 그것이다. 이러한 성과는 디지털 인문학과 직접 관련된 것으로 볼 수 있다.

국내의 디지털 인문학 센터와 관련하여 특징적인 것은 '디지털인문학'보다 '문화콘텐츠'를 먼저 언급하기 시작하였다는 점을 우선 들 수 있다. 문화콘텐츠의 강조는 필연적으로 산업화와 관련한 논의로 이어지게 되는데 이러한 양상이 과연 바람직한 것인지는 재고의 여지가 있다.

또한 국내의 디지털 인문학은 고려대와 아주대의 사례를 제시하긴 하였으나 디지털 인문학을 수행하기 위한 본격적인 센터가 극히 적다는 한계가 있다. 즉 연구재단이나 교육부의 지원을 받아 시범사업을 수행하는 단계(초기 단계)에 머물러 있을 뿐 구체적인 프로젝트를 수행하는 센터는 거의 없다고 해도 과언이 아니다.

그러다 보니 전문 연구 인력이 여전히 부족하다. 전문 연구 인력의 부족은 디지털 인문학과 관련한 과제 수행을 어렵게 하는 요인일 뿐 아니라 교육 과정의 개발에도 큰 제약으로 작용한다. 결국 일부 전공자들이 교육 과정과 과제에 중복해서 참여하는 상황까지 벌어지고 있다.

마지막으로 국내 디지털 인문학 연구에서는 전자 언어자원과의 연계성을 그다지 주목하지 않고 있다는 문제가 있다. 서구에서는 에피독 프로젝트를 비롯하여 언어 자원을 처리하기 위한 데이터 큐레이터 정규 교육 과정을 개설하는 등 언어 데이터의 관리를 위한 다양한 노력을 기울이는 것에 비해 국내의 디지털 인문학 연구는 이에 대한 관심이 너무 적다는 문제가 있다. 최근 빅데이터가 주목을 받고 있기는 하지만 빅데이터의 기반이 없이는 빅데이터를 다룰 수는 없다. 빅데이터의 구축과 처리를 위해서는 관련 기술을 지속적으로 개발, 보완해 나가야 하기 때문이다.

3. 디지털 인문학의 위상과 역할

지금까지 살펴본 국내외의 디지털 인문학 연구 동향을 종합하면서 디지털 인문학의 개념, 범위와 함께 역할, 향후 발전 방향에 대한 논의하기로 한다.

1) 디지털 인문학의 개념과 범위

디지털 인문학은 전통적인 인문학이 가지는 한계를 극복하기 위해 제안된 개념이다(Susan Schreibman et al., 2004). 디지털 기술이 급속도로 발전하면서 우리를 둘러싼 정보환경도 급격한 변화를 맞이하였으며, 이렇게 변화한 환경 속에서 기존 인문학의 위상과 역할에 대한 진지한 논의가 필요한 시점이 되었다.

서구에서는 이미 디지털 인문학에 대한 본격적인 논의가 시작된 바 있으며(Susan Schreibman et al., 2004; Matthew K. Gold, 2012) 현재도 진행 중이다. 즉 서구에서는 디지털 인문학의 개념과 범위, 역할 등에 대해서 다양한 관점에서 오랜 기간 논의를 진행하면서 자연스럽게 디지털 인문학에 대한 이해의 폭을 넓혀간 것으로 보인다.

이에 대해 국내에서는 '디지털 인문학'에 대한 왕성한 논의와 활동에도 불구하고 정작 '디지털 인문학' 자체에 대해서는 정체성에 대한 진지한 고민과 토론이 그다지 이루어진 바가 없는 것으로 보인다. 즉 디지털 인문학이 최근 국제적으로 크게 부상하고 국내에서도 그 중요성이 인식되자 마치 유행처럼 디지털 인문학에 대해 논의하고 있기는 하지만 정작 그 실체를 들여다보면 허황되기 짝이 없는 경우가 종종 있다. 이는 디지털 인문학의 위상, 범위, 역할 등에 대해서 합의된 결과에 도달하지 못했기 때문이다.

물론 '디지털'과 '인문학'은 지시하는 바가 명확하지 않으며 다양한 대상을 포괄하는 용어이므로 디지털 인문학의 세부 내용과 역할에 따른 차이가 있는 것은 당연할 수 있다. 그러나 현재 국내에서 전개되는 디지털 인문학에 대한 양상은 세부적인 내용이나 방법론의 다양성이라기보다는 디지털 인문학에 대한 서로 다른 이해와 관점이 반영된 결과로 보아야 할 것이다.

2) 디지털 인문학과 문화콘텐츠의 관련성

김현(2013)에서도 지적한 바와 같이 국내의 디지털 인문학은 문화콘텐츠와의 밀접한 관련 속에서 진행되었다. 한국학중앙연구원을 비롯하여 아주대, 카이스트 등에서는 디지털 인문학과 관련하여 대학원과 학부에서 전공, 부전공 과정을 운영하고 있는데 이들 대부분이 '문화콘텐츠'와의 적극적인 연결을 모색하고 있다.

그러나 이러한 양상은 국제적인 디지털 연구 동향과 비교할 때 다소 특이한 것으로 여겨진다. 디지털 인문학이 문화와 밀접한 관련을 맺는다는 것은 명백한 사실이지만 이를 디지털 인문학의 궁극적인 지향점인 듯 지나치게 강조하는 것은 무리가 있다. 이미 디지털 인문학이 학문 간의 경계를 넘나드는 통섭적, 융합적 성격이 짙은 분야인 만큼 지시적 개념이 분명하지 않은 '문화콘텐츠'를 다시 강조할 필요는 없어 보인다. 서구의 디지털 인문학에서 문화콘텐츠를 강조하는 논의를 찾아보기 어려운 것도 유사한 맥락이다.

문화콘텐츠를 중시하는 국내의 동향은 디지털 인문학 관련 센터나 학제들이 문화와 관련한 체제 내에서 출범한 것과 관련이 있다. 이는 최근 '한류' 등의 움직임과 관련하여 '문화'를 상품화하기 위한 한 방편으로서 디지털 인문학의 영역을 활용하려는 시도인 것으로 해석될 수 있다.

이러한 맥락에서 디지털 인문학의 성과를 지나치게 산업화하려는 움직임에 대해서도 재고할 여지가 있다. 디지털 인문학에 대한 진지한 논의도 미흡한데다가 서구에 비해 디지털 인문학에 대한 구체적인 성과도 풍부하지 않은 상황에서 산업화 등과의 연계 방안을 논의하는 것은 마치 이제 갓 싹을 피우려는 찰나에 열매를 따려는 격이 될 수 있다. 디지털 인문학에 대한 논의와 이해가 좀 더 성숙해지고 구체적인 연구 성과들이 도출되기까지는 숙성의 시간이 필요하다.

3) 디지털 인문학의 역할

디지털 인문학과 관련한 교과 과정을 개설하려는 움직임이 활발하다. 특히 정부의 코어(core) 사업이나 인문학 진흥 정책 등에 힘입어 몇몇 대학과 기관에서 디지털 인문학 교과 과정을 이미 시행하고 있기도 하다.

그러나 시행 중인 교과 과정을 살펴보면 어느 한 대학이나 기관에서도 디지털 인문학의 포괄적인 내용을 감당할 만한 체재를 갖추고 있지 못하고 있다. 이는 디지털 인문학에 대한 전문 연구자의 부족에서 기인한 것이지만 그렇다고 디지털 인문학을 담당할 교수자를 별도로 육성하는 것도 현실적으로 쉽지 않은 일이다.

이를 위해서는 국외의 사례를 면밀히 조사하고 참고할 필요가 있다.

국외에서는 어느 한 기관이 아니라 여러 기관 혹은 대학이 참여하는 대형 프로젝트를 수행함으로써 전문 연구자의 연구 역량을 강화하고 이 과정에서 자연스럽게 디지털 인문학 교수자를 양성하는 방법을 시행하고 있다. 즉 여러 분과와 영역을 아우르는 대규모의 디지털 인문학 프로젝트를 기획, 수행함으로써 다양한 기관과 연구 인력이 공모하여 참여함으로써 전문 인력을 양성할 수 있을 것이다.

이를 통해 프로젝트에 참여한 여러 기관이나 대학에서는 관련 교과를 개발하고 교수할 인력을 확보할 수 있게 됨으로써 디지털 인문학 교과 과정을 수행하기 위한 기반을 마련할 수 있을 것이다.

한편 디지털 인문학의 성과를 산업화 혹은 사업을 위한 콘텐츠로 여기는 풍토에 대해 검토해 볼 필요가 있다.

미국과 영국을 비롯한 국외의 디지털 인문학은 대체로 정부와 대학 중심으로 진행된다. 즉 이들은 디지털 인문학 연구를 위해 공적인 자금을 투입하고 있다.

이에 비해 국내에서는 민간 자본을 유치하려는 움직임이 일부 있다. 즉 대규모의 포털업체나 IT업체의 후원을 기대하는 방안이다. 그러나 이와 관련해서 유의해야 할 것은 포털업체나 여타 사업체로부터의 지원은 기부와 후원에 국한해야 한다는 점이다. 즉 디지털 인문학의 사업성과를 이용해서 수익을 창출하려는 사업적인 마인드로 디지털 인문학에 동참하는 것이 아니라 단순히 기부와 후원 차원에서만 참여를 이끌어야 한다. 디지털 인문학과 민간 사업체와의 사업적인 연결은 서로 접점을 찾는 것이 현재로서는 아직 명확하지 않기 때문이다.

기업 간의 생존 경쟁이 더욱 극심해진 마당에 수익성이 확실하지 않은 디지털 인문학 분야에 무턱대고 투자하기를 바라는 것 자체가 무리다.

디지털 인문학과 관련한 다양한 연구와 교육이 이루어지고 가시적인 성과가 도출되는 시점에서 기업이나 산업과의 구체적인 협력 방안을 논의해야 할 것이다. 국외에서 왜 정부와 대학 중심으로 디지털 인문학 사업이 운영되는지를 다시 한 번 곰곰이 짚어봐야 할 것이다.

디지털 인문학은 전통적인 인문학에서 다루었던 주요 주제들에 새로운 시각과 방법론을 제시해 줄 것으로 기대된다. 즉 디지털 인문학은 기존의 인문학에서 미처 다루지 못했거나 해결이 난망한 주제들에 대해 새로운 기술과 방법론을 적용함으로써 기존 인문학의 한계를 극복하는 데에 주된 초점이 있다. 특히 최근 시대적 화두인 빅데이터, 그리고 시각화 등을 이용한 연구는 기존 인문학의 전통과 기반 위에서 더욱 빛을 발휘할 수 있을 것이다. 결과적으로 디지털 인문학은 기존의 인문학을 대체하거나 전혀 새롭게 등장한 학문이 아니라 기존 인문학의 영역을 확장한 데 지나지 않은 것으로, 같은 인문학의 연장선상에 있는 것으로 보아야 할 것이다.

4. 사례 연구—빅데이터와 디지털 인문학

1) 신문 빅데이터가 보여주는 한국 사회

고려대 민족문화연구원의 전자인문학센터에서는 대규모의 신문 빅

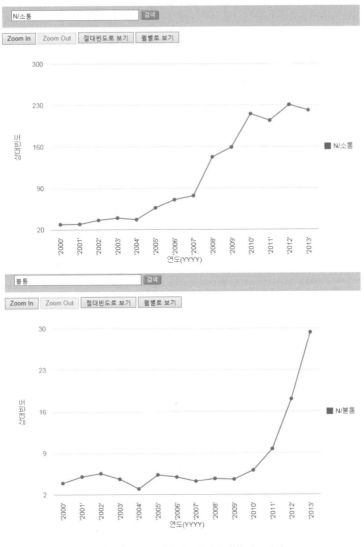

〈그림 5〉'소통, 불통'의 연도별 단어 사용 빈도 추이

데이터를 구축하고 이를 토대로 다양한 언어, 사회, 문화의 변화 추이를 분석하고 있다.

구축된 신문 빅데이터는 단어의 사용 빈도 추이를 확인할 수 있는 기반을 제공해 준다. 이를테면 다음 그림에서는 '소통'과 '불통'이 최근

순위	2000년	2001년	2002년	2003년	2004년	2005년	2006년	2007년	2008년	2009년	2010년	2011년	2012년	2013년
1	N/교통	N/교통	N/교통	N/교통	N/교통	N/교통	N/교통	N/언어	N/사회	N/사회	N/사회	N/사회	N/사회	N/사회
2	N/원활	N/도로	N/도로	N/원활	N/원활	N/언어	N/언어	N/의사	N/대통령	N/사회	N/시민	N/문화	N/문화	N/문화
3	N/도로	N/차량	N/원활	N/도로	N/도로	N/의사	N/원활	N/원활	N/사회	N/문화	N/시민	N/사회	N/시민	N/사회
4	N/차량	N/원활	N/차량	N/차량	N/차량	N/원활	N/의사	N/대화	P/청와대	N/원활	N/트위터	N/시민	N/리더십	N/대통령
5	N/정보	N/언어	N/의사	N/언어	N/의사	N/도로	N/문화	N/사회	N/문화	N/공간	N/강화	N/트위터	N/공감	N/고객
6	N/의사	N/구간	N/언어	N/의사	N/언어	N/인간	N/사회	N/교통	N/부족	N/세상	N/화합	N/공간	N/능력	N/강화
7	N/언어	N/의사	N/인간	N/구간	N/공간	N/문화	N/사람	N/문화	N/언어	N/시민	N/대화	N/강화	N/공간	N/대화
8	고속도로	고속도로	고속도로	N/문화	N/문화	N/차량	N/문화	N/세상	N/말	N/부재	N/문화	N/능력	N/강조	N/공간
9	N/구간	N/정보	N/주제	N/문화	N/관객	N/사회	N/당	N/대중	N/능력	N/대통령	N/강조	N/사람	N/말	N/말
10	N/터널	N/대책	N/미술	N/인터넷	N/작가	N/사람	N/인문학	N/능력	N/시민	N/언어	N/말	N/부재	N/중요	N/시민
11	N/공간	N/문화	N/구간	N/정보	N/사람	N/세상	N/사이	N/공간	N/원활	N/교통	N/원활	N/원활	N/강화	N/리더십
12	N/관객	N/주변	N/주변	N/관객	N/벽	N/과학	N/대화	N/공간	N/부재	N/대화	N/부재	N/말	N/고객	N/능력
13	N/가능	N/신호	N/작품	N/영화	N/방식	N/단절	N/대중	N/사람	N/인터넷	N/정치	N/고객	N/소설	N/사회	N/노력
14	N/인터넷	N/상황	N/가능	N/단속	N/세상	N/이해	N/도로	N/단절	N/의사	N/대중	N/중요	N/세대	N/부재	N/중요
15	N/영화	N/시	N/관객	N/사회	N/미술	N/대중	N/말	N/시민	N/정치	N/말	N/대중	N/대중	N/원활	N/강조
16	N/예술	N/공사	N/공간	N/가능	N/단절	N/세대	N/독자	N/도로	N/중요	N/화합	N/교통	N/고객	N/직원	P/박
17	N/사이	N/예술	N/작가	N/음악	N/사회	N/영화	N/공간	N/정보	N/공간	N/능력	N/공간	N/중요	N/대화	N/부재
18	N/지장	N/터널	N/사이	N/세상	N/이해	N/대화	N/영화	N/사이	N/문제	P/청와대	P/청와대	N/강조	N/화합	N/공감

〈그림 6〉 '소통'의 연도별 상위 공기어

들어 사용 빈도가 급증했음을 명확하게 보여준다.

이러한 단어 사용 빈도의 급격한 변화는 사회, 문화적인 맥락과 함께 해석될 수 있다. '소통'의 경우 2000년대 중반부터 사용 빈도가 급증하는 양상을 보이는데 이를 좀 더 구체적으로 살펴보기 위해서는 '공기어'에 대한 분석 정보를 참고할 필요가 있다.

〈그림 6〉은 '소통'의 공기어에 2006년까지는 주로 '교통'에 대한 단어가 많이 포함되었으나 그 이후 '언어'에 대한 소통으로 관심의 주된 대상이 변화하였음을 잘 보여주고 있다.

2) 계량적, 통계적 기법을 이용한 저자 판별

문학과 어학, 전산학의 분야가 모두 참여하여 수행할 수 있는 영역으로는 전산 문체론과 저자 판별에 대한 분야를 고려해 볼 수 있다. 전

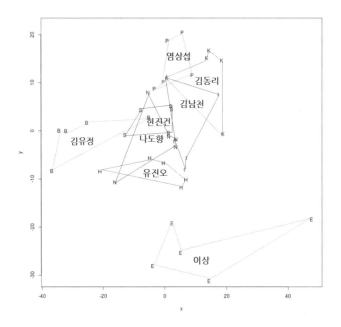

〈그림 7〉 현대소설 주요 작가 8인의 작품간 유사도

산 문체론과 저자 판별은 서구에 비해 200여 년 정도 뒤쳐진 분야로 거론되기도 한다.

특히 국내에는 일제강점기에 쓰인 상당한 규모의 텍스트가 저자 미상 혹은 필명으로 되어 있어 객관적인 근거에 기반한 저자 판별이 큰 역할을 할 수 있을 것으로 기대된다.

〈그림 7〉은 현대문학의 주요 작가인 김유정 외 7인의 문학작품 각각 5개를 대상으로 하여 '코사인 유사도'라는 거리 측정법을 적용하여 작품간 유사도를 시각적으로 표현한 것이다. 이를 통해 동일 작가의 작품간 유사도뿐 아니라 저자들 간의 유사도도 분석해 볼 수 있다. '이상'은 어느 작가와 비교해도 유사도가 가장 다르게 분포하고 있다는 점은 그의 문학이 지니는 독특함을 잘 보여주고 있다.

5. 결론과 전망

빅데이터와 디지털 인문학이 최근 시대적 화두임은 분명하다. 특히 국제적인 동향에 민감한 국내 정서를 고려할 때 빅데이터와 디지털 인문학에 대한 관심과 열정이 당분간 유지될 것임은 쉽게 예측된다. 더구나 디지털 인문학은 속성상 학제 간 융합 과정이 폭넓게 포함되어 있는데 이는 교육부에서 강조하는 융합 학문의 육성 정책과도 관련이 있다는 점에서 디지털 인문학에 대한 관심은 더욱 클 수밖에 없다.

그러나 증대하는 관심과 기대를 충족하기 위해서는 디지털 인문학에 대한 좀 더 진지한 학문적 논의와 성찰이 수반되어야 한다. 앞에서도 언급한 바와 같이 국내에서는 디지털 인문학이 특정한 영역에 편중되어 수행되고 있다는 점, 디지털 인문학을 주도할 본격적인 센터가 크게 부족하다는 점, 많은 연구자들이 참여할 만한 대형 프로젝트가 없다는 점, 디지털 인문학 전문 연구 인력과 교수 인력이 크게 부족하다는 점 등이 시급히 해결해야 할 과제로 보인다. 특히 디지털 인문학의 착수 단계에서 지나치게 산업화와의 연계 방향이나 활용 측면에 몰입하는 것은 기존 인문학의 전통을 계승, 발전하는 데에 장애가 될 수도 있을 것이다.

그럼에도 불구하고 디지털 인문학이 기존 인문학의 한계를 극복할 수 있는 중요한 계기가 될 것임을 부정할 수는 없다. 디지털 인문학을 통해 인문학의 위기가 극복될 수 있을 것인지는 이제부터의 노력에 달려 있다고 해도 과언이 아니다.

참고문헌

김바로, 「해외 디지털인문학 동향」, 『인문콘텐츠』 33, 인문콘텐츠학회, 2014.

김일환 외, 『'물결21' 코퍼스의 구축과 활용』, 소명출판, 2013.

김일환·이도길, 「저자판별을 위한 전산문체론－초기 현대소설을 대상으로」, 『국어국문학』 170, 국어국문학회, 2015.

김일환·이도길, 「신문 빅데이터 기반의 단어 사용과 트렌드 분석」, 『언어정보』 22, 고려대 언어정보연구소, 2016.

김현·김바로, 「미국 인문학재단(NEH)의 디지털인문학 육성 사업」, 『인문콘텐츠』 34, 인문콘텐츠학회, 2014.

김현, 「디지털 인문학－인문학과 문화콘텐츠의 상생 구도에 관한 구상」, 『인문콘텐츠』 29, 인문콘텐츠학회, 2013.

최희수, 「디지털 인문학의 현황과 과제」, 『소통과 인문학』 제13집, 한성대 인문과학연구원, 2011.

한국 디지털 인문학 허브, http://digitalhumanities.kr/

Anne Burdick et al., *Digital_Humanities*, MIT Press, 2012.

Claire Warwick et al., *Digital Humanities in Practice*, facet publishing, 2012.

David M. Berry, *Understanding Digital Humanities*, Palgrave Macmillan, 2012.

Matthew K. Gold, *Debates in the Digital Humanities*, University of Minnesota Press, 2012.

Schreibman S.·Siemens R.·Unsworth J., *A Companion to Digital Humanities*, Blackwell Publishing, 2004.

Steve E. Jones, *The Emergence of the Digital Humanities*, Routledge, 2014.

Susan Schreibman et al., *A Companion to Digital Humanities*, Blackwell Publishing, 2004.

Arts and Humanities Research Council, http://www.ahrc.ac.uk/

Centre for Digital Humanities at University College London,
        http://www.ucl.ac.uk/dh/

Centre for e-Research at King's College London,
        http://www.kcl.ac.uk/innovation/groups/cerch/

Department of Digital Humanities at King's College London,
        http://www.kcl.ac.uk/artshums/depts/ddh/

Digital Humanities Network at University of Glasgow,
        http://www.digital-humanities.glasgow.ac.uk/
Digital Humanities at Oxford Summer School 2015,
        http://dhoxss.humanities.ox.ac.uk/2015/
Digital Humanities Network at University of Oxford,
        http://digital.humanities.ox.ac.uk/
European Commission Funded Program, http://cordis.europa.eu/
Humanities in the European Research Area, http://new.heranet.info/
Huntington Digital Library, http://hdl.huntington.org/
Joint Information Systems Committee, http://www.jisc.ac.uk/
Wilson Center Digital Archive, http://digitalarchive.wilsoncenter.org/

제3장 | '물결21' 코퍼스 |

공개 웹 자원 및 활용 도구

1. 도입

한 사회의 모습을 이해하는 데는 현장에 가서 직접 살펴보는 것 못지않게 좋은 방법으로 해당 사회의 주요 신문을 활용하는 방법을 들 수 있다. 흔히 알려진 대로 신문은 곧 사회의 거울이라 할 수 있기 때문이다. 그러나 신문을 단순한 독자의 입장에서 접하는 것은 현장에 가는 것만큼 제약이 많다. 한 개인이 눈으로 읽어낼 수 있는 글자 수는 많지 않기 때문이다. 반면 최근 유행하는 텍스트 분석 기법을 사용하면 신문 기사를 하나하나 모두 읽지 않고도 전체 흐름을 종합적으로 파악할 수 있는 새로운 길이 열린다.[1] 그러나 이러한 방법의 활용에는 중요

---

[1] Google Ngram viewer(https://books.google.com/ngrams)의 경우 'Culturomics'라는 새로운 학문 주제를 구현한 대표적 도구로 평가받고 있다. 이는 대규모 전자텍스트에 대한

한 전제가 있다. 신문 기사가 전자텍스트 형태로 잘 정리되어 있어야 한다. 웹에서 제공되는 신문 기사는 단순 검색만 가능하게 할 뿐 다양한 방법을 통한 신문 기사 분석이 거의 불가능하다.

'물결21' 코퍼스는 고려대학교 민족문화연구원이 지속적으로 구축해오고 있는 대규모 신문자원 코퍼스로, 단일 자원 한글 코퍼스로는 가장 큰 규모다.[2] 국내 대표적인 4대 일간지로부터 제공받은 신문기사를 바탕으로 구축된 '물결21'은 2014년 현재 2000~2013년 기간의 기사 6억 어절 규모로 구축되어 있다. 이러한 방대한 자원을 구축하는 것도 매우 의미 있는 일이지만, 보다 진정한 의미는 그러한 자원이 일반 연구자들에게 공개되어 다양한 방식으로 본격적으로 활용되는 데서 찾아야 할 것이다. 이러한 취지에서 '물결21'에 대한 공개 방침이 결정되었고, 일차적으로 웹을 통해 접속하여 몇 가지 방식으로 코퍼스 자원을 사용할 수 있도록 관련 도구를 마련하였다.

본 글에서는 '물결21'의 구성 및 구축 과정에 대해 비교적 간단하게 기술한 뒤에 자원의 공개와 관련된 쟁점 및 입장을 논의하고, 이어서 웹으로 공개된 접속 도구에 대한 소개와 설명을 하기로 한다.[3]

양적 분석을 통해 인간의 행동이나 문화적 흐름을 연구하는 분야로 정의되고 있다(Michel et al., 2010).

2   이하 논의에서 '물결21' 코퍼스는 '물결21'로 줄여서 표기하기로 한다.

3   '물결21' 프로젝트 및 코퍼스 구성, 구축 과정 및 정제 방식 등에 대한 보다 상세한 설명은 김일환 외(2013) 참고.

2. '물결21' 개요

1) 구성 및 규모

'물결21'은 국내의 대표적 신문사인 『조선일보』, 『동아일보』, 『중앙일보』, 『한겨레신문』 네 곳으로부터 매년 제공받는 기사를 원 자료로 한다. 2008년에 각 신문사와의 기사제공 협약체결이 이루어진 후, 2000년 이후 기사를 일괄 제공 받았으며, 이어 매년 상반기에 전년도 기사를 제공받아 이를 정제 가공하여 축적하는 방식으로 구축작업이 진행되고 있다. 따라서 현재 위 4대 일간지 기사 중 2000~2013년도에 실린 기사가 2014년 6월 시점에서 본 '물결21'의 구성 내용이다. 전체 구축된 코퍼스 규모를 도표로 나타내 보면 〈그림 1〉, 〈그림 2〉와 같다.

우선 〈그림 1〉은 기사 수를 기준으로 한 규모다. 〈그림 1〉에서 왼쪽 수치는 연도별 기사 수를 나타내고, 오른쪽 수치는 연도별 수치의 누적 값을 나타낸다. 즉 기사 수로 보아 '물결21'은 전체 약 257만 건의 기사이

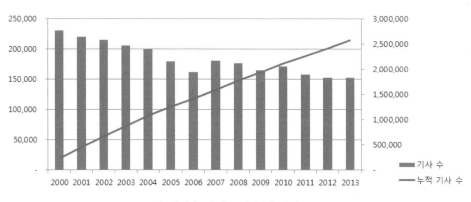

〈그림 1〉 '물결21' 규모(기사 수 기준)

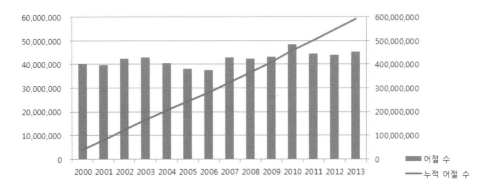

〈그림 2〉'물결21' 규모(어절 수 기준)

고, 연 평균 18만 건의 기사로 구성되어 있다. 〈그림 2〉는 어절 수를 기준으로 한 '물결21'의 규모를 나타낸다. 이 그림은 '물결21'이 누적 수치 6억 어절에 이르고 있고, 이는 14년간 매년 4천 2백만 어절 이상으로 구성된 것이라는 것을 보여준다. 규모로만 비교해 볼 때, 국가적 사업으로 10년에 걸쳐 구축한 형태분석 1천 4백만 어절, 원시 말뭉치 7천만 어절의 큰 규모인 세종코퍼스(공개자원 기준)를 훨씬 넘어서는 규모다.

2) 자료 정제 및 표준화

각 신문사로부터 제공받은 기사 자원은 여러 문제로 인해 코퍼스로 직접 변환해 쓸 수가 없으므로 정제 과정을 거쳐야 한다. 예를 들어 기사별 최종본만 들어 있는 것이 아니라 지방판 기사와 수도권 기사, 또는 몇 차례 수정/갱신 과정을 거친 기사가 모두 들어 있는 경우들이 적지 않아 중복 기사들을 걸러 내야 한다. 또 신문사별로 고유한 형식으로 기사를 작성하였고, 게다가 그러한 형식에서 벗어나 있는 개별 기

키워드, 공기어, 그리고 네트워크—신문 빅데이터가 보여주는 것

사들도 무수히 발견이 된다. 따라서 이러한 문제를 하나하나 찾아 확인해야 하는 작업에 상당 규모의 인적 자원이 필요하다. 또한 각 신문사별 기사 구성방식을 '물결21' 마크업 방식으로 표준화하는 작업을 해야 한다.[4]

여기에 더해서 모든 기사에 대한 주제별 분류도 시도하였다. 일부는 원 자원에 이미 표기된 방식을 활용하였고 (예를 들어 정치면 기사, 경제면 기사 등의 신문사별 분류) 그러한 구분이 제대로 되어 있지 않은 경우엔 수작업을 통해 분류를 시도하였다. 물론 이러한 분류 역시 표준화가 전제된다. 주제분류 표준화 방식으로 '물결21'을 위한 주제분류 기준인 't21 class'를 설정하여 이에 따라 기사별 분류 작업을 하였다.[5] 이 단계에서 자동으로 일괄 변환하기 이전의 수작업이 대부분 완료된다.

3) 표준 마크업 부착 및 형태소 분석

자료의 정제 및 분류 작업을 마친 후에는 표준화된 마크업을 실제로 부여하는 작업을 거친다. 그리고 그렇게 만들어진 원시 코퍼스와는 별

---

4 이러한 작업 및 이어지는 모든 작업을 단시일 내에 제한된 인력으로 완벽하게 이루는 것은 실질적으로 불가능하다. 실제로 구축된 결과물에서 다양한 종류의 오류가 발견되고 있는 점도 사실이다. 실제로 이루어진 정제 및 표준화 작업의 상세한 내용은 김일환 외 (2013) 참고.

5 주제 분류는 '사설'처럼 비교적 구분이 명확한 경우도 있지만, 많은 경우 기사가 복합적인 성격을 띠고 있어서 보는 사람에 따라 분류가 달라질 수도 있다. 따라서 '물결21'은 해당 시점까지의 최선의 정제 결과를 담고 있다고 보아야 할 것이다. 신문사 별 기사 분류를 바탕으로 내부적 분류 기준인 t21 class에 따라 분류하는 작업에 대한 보다 자세한 내용은 김일환 외(2013) 참고.

도로 형태소 분석 과정을 거쳐 형태소 분석 코퍼스도 구축하였다. 이 단계의 작업은 대부분 관련 프로그램을 통한 일괄작업 형태로 진행된다. 마크업은 '물결21'을 위해 표준화된 방식인 T21ML에 따르고, 형태소 분석 표지는 세종코퍼스의 형태 분석 표지를 약간 수정한 방식을 만들어 적용하였다.

3. '물결21'의 공개 방침

그동안 '물결21'은 관련 내부 연구원만 활용이 가능한 상황이었다. 이제 이러한 상황을 바꾸어야 할 것이라 판단하여 민족문화연구원 전자인문학센터 개소에 맞추어 2014년 5월 일반 연구자들에게도 공개하게 되었다. 실상 코퍼스의 공개는 여러 민감한 문제를 내포하고 있다. 이러한 문제를 직접 거론하여 논하는 Langendoen & Bender(2010)에 따르면 연구자들이 언어자원의 공개를 주저하는 데는 적어도 세 가지 원인이 있다.

첫 번째는, 코퍼스 구축이 매우 힘든 작업이고 시간이 적지 않게 소요되는 작업이라는 점에서 그 구축에 공을 들인 만큼 일정 기간 동안 자원 활용에 대한 독점적인 권한을 행사하고 싶은 것은 당연하다는 것이다. 두 번째는 앞서 언급한 것처럼 대규모 자원에 필연적으로 들어 있게 될 오류와 관련된 문제로, 코퍼스를 공개할 경우 그러한 불완전하거나 잘못된 부분들이 드러날 수밖에 없다. 그렇다고 그것을 완벽하게 다듬을 시간이 충분하지도 않기 때문에 공개를 주저하게 된다는 것이다. 세 번째 원인으로는 일단 공개를 할 경우 이런 저런 요청이 들어오게 될 터이나 그러한 요청에 일일이 대응할 여력이 없기 때문에 공개를 피하게 된다고 한다.

Langendoen & Bender(2010)의 관점을 여기에서 비교적 자세히 소개하는 까닭은 '물결21'의 공개를 준비하는 과정에서 위에 제기된 똑같은 문제들을 고민했었기 때문이다. 그리고 거기에 더해 '물결21'의 공개나 배포에는 더 근본적인 어려움이 있었다. 애초 신문자원 공급자인 각 신문사와 체결된 협약서에 따르면 신문사가 제공한 자원을 배포하지 않는다는 조건이 들어 있다. 저작권자나 자원 제공기관의 뜻이 최대한 존중되어야 함은 두말할 필요가 없다. 따라서 '물결21'을 온전한 형태로 배포하는 것은 애초부터 가능하지 않았다.

그러나 Langendoen & Bender(2010)에도 설득력 있게 제시되어 있듯이, 어떤 형태로든 자원의 공개와 공유가 학계 발전에 기여하는 길이고, 또 궁극적으로는 자원 자체의 생명력을 키워주는 일이라는 점은 분명하다고 보았다. '물결21'의 가치에 대한 관련 연구진의 자부심이 큰 만큼 그것의 활용에 대한 일반 연구자들의 기대감도 클 것으로 판단하였다. 그리고 미루어야 할 뚜렷한 내부적인 사정이 없는 한 제한된 범위 내에서라도 공개를 시도하는 것이 옳은 방향이라고 정리하였다. 또한 가능한 한 명목상의 공개가 아니라 연구자들에게 실질적으로 도움이 될 수 있는 방향으로 공개가 되도록 구상하였다. 즉, 온전한 형태의 자원 배포는 논외로 하되, 연구자에게 도움이 되는 방향으로 가공된 자원에 접속하여 사용할 수 있도록 공개하는 쪽으로 방향을 잡았다.

이를 위해 자원의 정제 및 마크업, 태깅 등의 작업을 다시 한 번 더 수행하였다.[6] 그리고 그동안은 내부 연구자만 접속할 수 있었던 사이트를 외부 연구자들에게도 공개하여 내부 연구진과 외부 연구자가 똑같은 환경에서 웹을 통해 검색을 하고 그 결과를 볼 수 있도록 하는 것으로 방침을 정하였다. 또한 이번 기회에 그동안 사용되던 인터페이스를 완전히 새롭게 구축하면서 기능도 대폭 확장하는 쪽으로 작업을 추진하였다.[7] 이처럼 새롭게 구축된 인터페이스 및 기능에 대해서는 다음 절에서 항목별로 소개하기로 한다.

이 절에서는 '물결21'의 공개와 관련한 기본 방향과 방침, 방식 등에 대하여 설명하였고, 또한 공개에 따르는 잠재적인 문제점 등을 논하였다. '물결21'의 공개는 여건이 허락하는 범위 내에서 탄력적으로 추진해 나갈 계획이다. 예를 들어 연도별 형태소 빈도수 목록 공개가 당장 고려 중인 사항이고, 이후에도 연구자들의 요구에 부합하는 방향으로 단계적으로 필요한 가공 자료들을 공급할 계획이다. 즉 '물결21'을 통해 한국 사회의 흐름을 분석하는 데 가급적 많은 연구자들이 동참할 수 있는 기회를 만들어서, 학문 연구 생태계 활성화에 기여할 수 있도록 하자는 것이 공개와 관련한 기본 취지다.

---

6 물론 이것으로 오류가 모두 바로 잡혔다는 의미는 아니다. 그것은, 앞서 말했듯이, '물결21' 규모의 코퍼스에서는 현실적으로 불가능한 작업이다. 따라서 코퍼스 검색 결과에 담겨 있을지도 모르는 오류 등은 이러한 관점에서 평가되어야 할 것이다.

7 이러한 과정에서 Google Ngram viewer(https://books.google.com/ngrams)나 COCA (http://corpus.byu.edu/coca/) 등이 좋은 참고가 되었다(2014년 6월 접속).

4. '물결21'의 활용 - 웹 기반 코퍼스 분석 도구

1) 개요

그동안 내부적으로만 활용되던 여러 가지 도구들을 통합, 개편하고, 외부에 공개하면서 "웹 기반 코퍼스 분석 도구(이하 코퍼스 분석 도구)"라 명명하였고, 이 도구는 http://corpus.korea.ac.kr을 통해 접속할 수 있다.

신문사들과의 협약에 의해 '물결21' 코퍼스 원자료의 제공은 불가하다는 점과 개별 연구자들 특히, 전산학 전공자가 아닌 인문학자들이 개인용 컴퓨터를 이용하여 연구에 활용하기 위한 자료로 가공하기에는 '물결21' 코퍼스의 규모가 방대하다는 점을 고려해 데스크탑 응용 프로그램보다는 웹 응용 프로그램으로 코퍼스 분석 도구를 개발하게 되었다.

코퍼스 분석 도구는 크게 용례검색기, 단어 빈도 차트, 공기어 분석 도구로 이루어져 있다. 각 도구에 대한 설명을 차례대로 진행하기로 한다.

2) 용례검색기

용례검색기는 코퍼스로부터 용례 즉, 사용자가 입력한 질의와 일치하는 문자열을 포함하고 있는 문장을 찾아 제시하는 도구이다. 언어학 또는 사회학 연구를 수행할 때 특정 키워드가 실제로 기사에서 쓰인

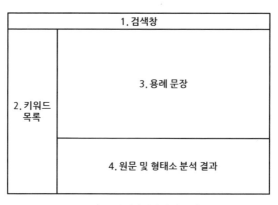

〈그림 3〉 용례검색기 화면 구성

용례를 확인할 필요가 있는데 용례검색기는 이러한 목적에 활용될 수 있다.

용례검색기의 화면은 〈그림 3〉과 같이 네 개의 창으로 구성되어 있다.

용례검색의 과정은 다음과 같다. 먼저, 검색창(1번)을 통해 사용자가 입력한 질의(query)를 받아들인다. 검색창에서는 찾고자 하는 단위(검색단위)를 형태소 검색 또는 어절 검색 중에 선택하고, 기사의 범위를 전체 또는 개별 연도 중에서 선택할 수 있다.

다음으로, 입력된 질의를 색인된 코퍼스로부터 찾아 키워드 목록창(2번)에 나열한다. 중의성이 있는 형태소나 와일드카드가 질의에 포함되는 경우는 둘 이상의 키워드가 코퍼스에서 검색될 수 있는데, 이러한 경우 해당되는 모든 키워드가 나열된다. 만약 너무 많은 키워드가 검색되는 경우, 최대 5,000개의 키워드만 보여주도록 설정하였다.[8] 키워드 목록에 제시된 키워드들은 첫 행의 'keyword' 또는 'freq'를 선택함으로써 각각 키워드 순이나 빈도 순으로 정렬할 수 있다.

키워드 목록창에서 특정한 키워드를 선택하면 용례 문장창(3번)에

---

8 이러한 경우에 유의해야 할 것은 여기에 제시되는 키워드는 검색되는 순서에 의한 것이지 키워드의 빈도 순에 의해 선별된 것이 아니라는 점이다.

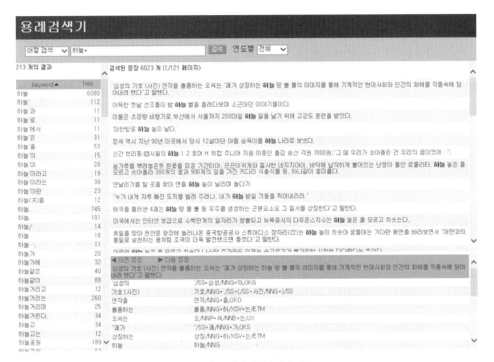

〈그림 4〉 용례검색기 실행 예

선택된 키워드에 대한 용례 문장들이 나열된다. 용례 문장을 표시할 때 문장 안에서 키워드에 해당하는 부분은 파란색으로 표시하여 강조하였다. 다만 검색 단위가 형태소인 경우, 형태소가 활용하여 표층형(어절)과 다른 경우에는 해당 형태소가 포함된 어절 전체를 강조한다. 예를 들면, 형용사 '고맙'을 검색하였을 때, '고맙다', '고맙습니다', '고맙고' 등과 같이 어간이 원형과 동일한 경우에는 해당 부분만 강조하는데 비해, '고마운', '고마워요', '고마울' 등과 같이 불규칙 활용에 의해 원형이 어절에서 발견되지 않는 경우에는 해당 어절 전체를 강조한다.

또한 용례 문장 창에서 특정 문장을 선택하면 원문 및 형태소 분석 결과창(4번)에, 선택된 문장에 대한 원문과 형태소 분석 결과를 표시한다. 용례 문장창과 원문 및 형태소 분석 결과창은 기본적으로 첫 번째 키워드 및 문장에 대한 결과가 표시된다. 〈그림 4〉는 용례검색기가 실행된 결과의 예를 보여준다.

한편 사용자가 입력하는 질의에 대해 자세히 설명하고자 한다. 본 용례검색기에서 지원하는 사용자 질의에 대한 일치 유형은 '완전 일치(exact match)'와 '와일드카드 일치(wildcard match)'가 있다. 완전 일치는 입력된 질의 전체와 일치하는 문자열을 찾는 것을 의미하고, 와일드카드 일치는 와일드카드 문자를 포함한 질의로부터 문자열을 찾는 것을 의미한다. 와일드카드 문자는 다른 문자나 문자열을 대체하기 위해 사용되는 문자이다. 본 용례검색기에서 지원하는 와일드카드 문자에는 '*'와 '?'가 있다. '*'는 해당 문자 대신 모든 문자열을 대체할 수 있고,[9] '?'는 한 바이트 문자를 대체한다. 완성형 코드의 경우, 한글은 2바이트로 표현되므로 ??와 같이 사용하면 된다. 예를 들어, '하늘*'는 '하늘' 및 '하늘'로 시작하는 모든 문자열이 검색 대상이 되고, '하늘??'는 '하늘'로 시작하는 3음절의 모든 문자열이 검색 대상이 된다.

본 용례검색기에서 사용할 수 있는 질의의 종류에는 '키워드 질의(keyword query)', '공기어 질의(co-occurrence query)', '구 질의(phrase query)'가 있다. 키워드 질의는 입력된 질의가 하나의 키워드(단일 키워드)로 이루어진 경우이고, 공기어 질의는 둘 이상의 키워드가 함께 나타난 문장을 검색하기 위한 질의로서 둘 이상의 키워드를 '&' 문자로 구분하여 사용한다. 공기어 질의에서는 문장에서의 키워드들의 위치는 고려하지 않는다. 구 질의는 둘 이상의 인접한 키워드가 나타난 문장을 검색하기 위

---

[9] 문자가 없는 경우도 포함한다. 전산학에서는 이를 '널 문자(null character)'라고 한다.

〈표 1〉 질의 유형에 따른 질의의 예(어절 단위 검색)

질의 유형	질의 예	설명
키워드 질의	사랑스러운	어절(완전일치)
	사랑*	'사랑~'인 모든 어절
공기어 질의	사랑과&평화의	두 어절 '사랑과'와 '평화의'의 공기
	전쟁*&평화*&희망*	'전쟁', '평화', '희망'으로 시작하는 세 어절의 공기
	사랑&*평화*	'사랑'과 '평화'가 포함된 두 어절의 공기
구 질의	할 수 있*	'할 수 있~'인 모든 구
	*을 먹고	'~을 먹고'인 모든 구
	사랑* 평화*	'사랑~ 평화~'인 모든 구

〈표 2〉 질의 유형에 따른 질의의 예(형태소 단위 검색)

질의 유형	질의 예	설명
키워드 질의	사랑	형태소 '사랑'(완전일치)
	사랑/NNG	품사 지정
	사랑*	'사랑'으로 시작하는 모든 형태소
	*사랑	'사랑'으로 끝나는 모든 형태소
	사랑	'사랑'이 포함된 모든 형태소
	??사랑	'사랑'으로 끝나는 모든 3음절 형태소
공기어 질의	걱정&목소리	두 형태소의 공기
	사랑/NNG&평화/NNG	품사 지정
	사랑&평화&희망	세 형태소의 공기

한 질의로서 둘 이상의 키워드를 공백 문자로 구분하여 사용한다.[10]

형태소 단위 검색에서는 키워드 질의와 공기어 질의를 사용할 수 있고, 어절 단위 검색에서는 구 질의를 포함한 세 종류의 질의를 모두 사용할 수 있다. 또한 모든 종류의 질의에 대해 와일드카드 문자를 사용함으로써 높은 표현력을 가진 질의도 사용할 수 있다. 〈표 1〉과 〈표 2〉는 각각 형태소 단위 검색과 어절 단위 검색에서의 질의 유형에 따른 질의의 예를 보여준다.

---

[10] 구 질의는 공기어 질의의 특수한 경우로서 키워드들이 인접하여 공기하는 경우로 한정된다는 점이 다르다.

3) 단어 빈도 차트

어떤 키워드가 일정 기간 동안 코퍼스에 나타난 빈도는 그 키워드에 대한 관심의 정도를 표현하는 척도라고 볼 수 있다. 일정 기간 동안 더 많은 관심을 받는 키워드일수록 신문 기사에 더 많이 등장하게 된다. 우리는 시간의 흐름에 따른 키워드의 빈도 변화를 살펴봄으로써 당시 관심의 변화를 살펴볼 수 있다. 단어 빈도 차트는 입력된 키워드(형태소)의 연도별 및 월별 출현 빈도를 시각화하여 차트로[11] 보여주는 도구이다.

단어 빈도 차트 도구의 주요 기능은 〈표 3〉과 같다.

〈표 3〉 단어 빈도 차트의 기능

기능	설명
복수의 단어 입력	검색창에 둘 이상의 단어를 입력할 수 있다.
절대빈도/상대빈도 선택	절대빈도로 보기/상대빈도로 보기 버튼을 선택함으로써 빈도의 종류를 선택할 수 있다.
연도별/월별 선택	연도별로 보기/월별로 보기 버튼을 선택함으로써 날짜 구간의 크기를 선택할 수 있다.
차트 확대/축소	Zoom In/Out 버튼을 이용하여 차트를 확대하거나 축소할 수 있다.
수치 확인	포인트에 마우스 포인터를 올리면 툴팁(tooltip)에 수치(빈도값)가 표시된다.
용례검색기와 연동	포인트를 선택하면 해당 연도의 기사에 나타난 단어의 용례를 확인하는 새로운 창이 열린다.

절대빈도란 실제 코퍼스에 나타난 빈도를, 상대빈도란 해당 구간의 전체 코퍼스의 크기를[12] 백만으로 가정했을 때 그 단어의 절대빈도를

---

11 본 코퍼스 분석 도구에 사용된 모든 차트는 구글 차트(Google Charts, https://developers. google.com/chart/)를 이용하여 작성되었음을 밝힌다.
12 본 글에서 코퍼스의 크기는 코퍼스에 속한 형태소의 수로서 구하였다.

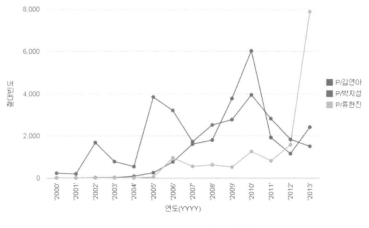

〈그림 5〉 단어 빈도 차트 실행 예

환산한 값을 의미한다.

〈그림 5〉는 질의어로 '김연아 박지성 류현진'을 입력하였을 때의 단어 빈도 차트의 실행 화면이다.

4) 공기어 분석 도구

공기어란 대상어와 같은 문맥에서 함께 사용된 단어를 의미한다. 문맥은 문장, 문단, 텍스트 등의 언어 단위가 될 수 있으나, 여기서는 문장을 문맥으로 삼고 있다. 즉 공기어 분석을 위해 두 단어가 같은 문장에서 함께 사용되는 경우를 조사하였다.

이 공기어 분석 도구에서는 공기 관계의 정도(대상어와 공기어 사이의 연관도)를 t-점수(t-score)로 판단한다. 기본적인 가정은 같은 문장 내에서 두 단어가 우연히 함께 나타날 빈도보다 실제로 함께 나타난 빈도가 높을수록 강한 공기 관계가 성립한다는 것이다. 이 공기어 분석 도구에서 사용한 t-점수의 계산에 관한 자세한 사항은 김일환 외(2010)를 참고할 수 있다.

공기어 도구는 '연도별 공기어(Table & Pie chart)', '연도별 공기어(Area chart)', '공기어 비교'의 세 가지 도구로 구성된다.

연도별 공기어 도구는 특정 대상어에 대한 공기어들의 연도별 변화 추이를 살펴보는 데에 유용하다. 동일한 대상어일지라도 시기에 따라 함께 사용되는 단어가 달라질 수 있고 이러한 변화를 연도별 공기어 도구를 이용해 분석해 볼 수 있다. 연도별 공기어(Table & Pie chart) 도구는 전체 연도 및 특정 연도에서의 대상어와 공기어 간의 t-점수를 표와 파이 차트를 통해 자세히 살펴볼 수 있고, 연도별 공기어(Area chart) 도구는 전체 기간에 대한 대상어와 공기어 간의 t-점수의 변화를 한눈에 보기에 용이하다. 연도별로 공기어의 t-점수 값에 비례하는 영역의 크기를 비교함으로써 주목할 만한 특징을 비교적 쉽게 찾아낼 수 있다.

〈그림 6〉과 〈그림 7〉은 각각 연도별 공기어(Table & Pie chart) 도구와 연도별 공기어(Area chart) 도구의 실행 예를 보여준다.

두 가지 연도별 공기어 도구에 사용된 공기어 선정 기준은 대상어 즉, 사용자가 입력한 단어와의 t-점수를 기준으로 전체 연도에 대한 상위 20개의 공기어와 각 연도별 상위 5개의 공기어를 차트에 표시한다. 대부분의 경우 전체 연도의 상위 공기어에 포함이 되나 특정 연도에 높은 t-점수를 갖는 공기어가 포함되기도 하므로 전체 공기어의 수는 대상어 별로 상이하다.

연도별 공기어 도구의 주요 기능은 〈표 4〉와 〈표 5〉에 설명되어 있다.

연도
all ▾

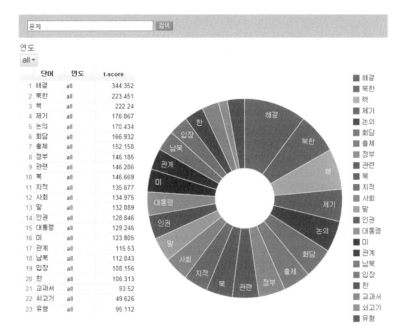

	단어	연도	t-score
1	해결	all	344.352
2	북한	all	223.451
3	핵	all	222.24
4	제기	all	176.067
5	논의	all	170.434
6	회담	all	166.932
7	출제	all	152.158
8	정부	all	146.185
9	관련	all	146.286
10	북	all	146.669
11	지적	all	135.677
12	사회	all	134.975
13	말	all	132.089
14	인권	all	128.846
15	대통령	all	129.246
16	미	all	123.805
17	관계	all	115.53
18	남북	all	112.043
19	입장	all	108.156
20	한	all	106.313
21	교과서	all	93.52
22	쇠고기	all	49.626
23	유형	all	95.112

〈그림 6〉 연도별 공기어(Table & Pie chart) 실행 예

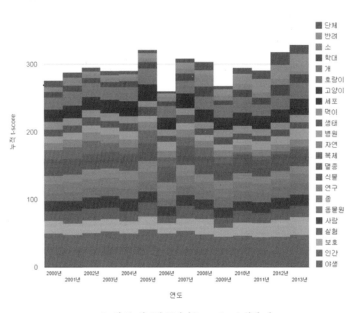

〈그림 7〉 연도별 공기어(Area chart) 실행 예

〈표 4〉 연도별 공기어(Table & Pie chart) 도구의 기능

기능	설명
연도 선택	특정 연도의 결과를 확인하려면 해당 연도를 선택한다.('all'은 전체 연도를 의미함)
수치 확인	차트의 각 영역에 마우스 포인터를 올리면 툴팁(tooltip)에 수치(t-점수)가 표시된다.
항목 정렬	표의 첫 행(단어, 연도, t-점수)의 항목을 선택하면 해당 값에 따라 정렬된다.
용례검색기와 연동	표의 각 행, 차트의 특정 영역, 범례의 항목을 선택하면 대상어와 공기어의 용례(두 단어가 함께 나타나는 문장)를 확인하는 새로운 창이 열린다.

〈표 5〉 공기어 비교 도구의 기능

기능	설명
연도 선택	특정 연도의 결과를 확인하려면 해당 연도의 버튼(2000~2013년)을 누른다.('all'은 전체 연도를 의미함)
차트 확대/축소	Zoom In/Out 버튼을 이용하여 차트를 확대하거나 축소할 수 있다.
차트 내부 확대/축소	마우스 휠을 사용하여 차트 내부를 확대하거나 축소할 수 있다.
차트 내부 이동	마우스로 드래그하면 차트 내부를 이동할 수 있다.
차트 크기/위치 초기화	마우스 우측 버튼을 클릭하면 차트의 크기와 위치가 초기 상태로 돌아간다.
수치 확인	포인트에 마우스 포인터를 올리면 툴팁(tooltip)에 수치(t-점수)가 표시된다.
용례검색기와 연동	포인트를 선택하면 해당 키워드와 공기어의 용례(두 단어가 함께 나타나는 문장)를 확인하는 새로운 창이 열린다.

공기어 비교 도구는 비교하고자 하는 두 단어에 대한 공기어들의 분포를 확인할 수 있다. 공기어들의 위치에 따라 두 단어를 비교하는 데에 용이하다. 〈그림 8〉은 공기어 비교 도구의 실행 예를 보여준다.

차트의 두 축은 사용자가 입력한 두 대상어를 나타낸다. 〈그림 8〉의 예에서 x축은 '목숨'을 y축은 '생명'을 나타내며, x축에 가까운 공기어는 '목숨'과 더 자주 공기하는 단어이고, y축에 가까운 공기어는 '생명'과 더 자주 공기하는 단어라는 것을 알 수 있다.

공기어 비교 도구의 주요 기능은 〈표 6〉과 같다.

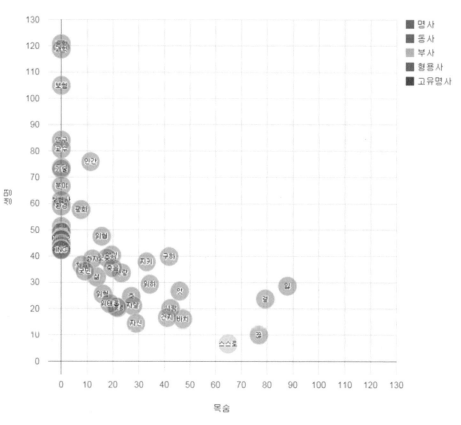

〈그림 8〉 공기어 비교 도구의 실행 예

〈표 6〉 연도별 공기어(Area chart) 도구의 기능

기능	설명
차트 확대/축소	Zoom In/Out 버튼을 이용하여 차트를 확대하거나 축소할 수 있다.
수치 확인	차트의 각 영역에 마우스 포인터를 올리면 툴팁(tooltip)에 수치(t-점수)가 표시된다.
용례검색기와 연동	표의 각 행, 차트의 특정 영역, 범례의 항목을 선택하면 대상어와 공기어의 용례(두 단어가 함께 나타나는 문장)를 확인하는 새로운 창이 열린다.

　차트의 시각성을 고려하여 두 대상어와의 t-점수의 합을 기준으로 상위 50개의 공기어만을 차트에 표시하였다.

5. 결론

본 글에서는 '물결21' 코퍼스의 공개와 관련하여 코퍼스의 규모, 구축 과정, 구성내용, 특징 등을 소개하였다. 아울러 공개와 관련한 기본 입장, 한계, 취지 등을 논하였다. 또한 웹상으로 공개된 자원의 활용이라는 관점에서, 각 도구별로 취지 및 사용 방법 등에 대한 소개와 논의를 하였다. 구체적으로 구현된 도구로는 용례검색기, 단어 빈도 차트, 공기어 분석 도구가 있으며, 추후 새로운 도구들도 추가할 계획이다.

오랫동안 코퍼스에 대한 학계의 관심이 지속되고 있고, 국내에 크고 작은 규모의 코퍼스가 구축된 것으로 논문에는 보고되고 있다. 그러나 일반 학자들이 광범위하게 코퍼스를 접속하여 연구에 활용할 수 있는 경우는 그리 많지 않은 편이다. 앞에서 살펴본 바처럼, '물결21'은 2000년부터 현재까지 지속적으로 구축된 한국어 신문 자원으로 여러 다양한 분야의 연구자들이 활용할 수 있는 가능성이 무궁무진한 자원이라 할 수 있다. 이번 공개로 인해 그러한 가능성을 구현한 다양한 연구 결과가 산출될 수 있는 계기가 마련되었기를 바란다.

참고문헌

강범모, 『언어, 컴퓨터, 코퍼스언어학』, 고려대 출판부, 2003.

강범모, 「명사 빈도의 변화, 사회적 관심의 트렌드-물결 21 코퍼스(2000~2009)」, 『언어학』 제61호, 한국언어학회, 2011.

김일환·이도길, 「대규모 신문 기사의 자동 키워드 추출과 분석-t-점수를 이용하여」, 『한국어학』 제53권, 한국어학회, 2011.

김일환·이도길·강범모, 「공기 관계 네트워크를 이용한 감정명사의 사용 양상 분석」, 『한국어학』 제49권, 한국어학회, 2010.

김일환·정유진·강범모·김흥규, 『'물결21' 코퍼스의 구축과 활용』, 소명출판, 2013.

Bender, Emily M. · D. Terence Langendoen, *Computational Linguistics in Support of Linguistic Theory* LiLT volume 3, issue 2, February 2010.

Church, K. · W. Gale · P. Hanks · D. Hindl, "Using Statistics in Lexical Analysis", U. Zernik ed., *Lexcial Acquisition—Exploiting on-line resources to build a lexicon*, Hilldale : Lawrence Erlbaum, 1991.

Lee, Do-Gil · Hae-Chang Rim, "Probabilistic Modeling of Korean Morphology", *IEEE Transactions on Audio, Speech, and Language Processing* vol.17 no.5, July 2009.

Manning, C. · H. Schüze, *Foundations of Statistical Natural Language Processing*, Cambridge, Mass : The MIT Press, 1999.

Michel, Jean-Baptiste · Erez Liberman Aiden · A. P. Aiden · A. Veres · M. K. Gray · J. P. Pickett · D. Hoiberg · D. Clancy · P. Norvig · John Orwan · Martin Nowak · Steven Pinker, "Quantitative Analysis of Culture Using Millions of Digitized Books", *Science* 331, December 2010.

Stubbs, Michael, "Collocations and Semantic Prosodies—On the cause of the trouble with quantitative studies", *Foundations of Language* 2-1, 1995.

제4장 | 『동아일보』 키워드를 통해 본 분단체제 정체성과 이념 갈등 |

1. 들어가며

　민족해방을 거쳐 한국전쟁, 군사독재, 탈냉전 민주화, 세계화 및 다문화에 이르기까지 우리의 분단체제는 다양한 정체성 및 이념 논쟁을 야기해 왔다. 1945년 해방과 함께 남과 북으로 갈라진 한반도는 장기적인 분단체제를 형성했고 이러한 분단체제에서 과거 권위주의 정권들은 북한과 대립하며 적대적인 이념과 정체성 담론을 주조하면서 시민사회 내에서 많은 이념적 갈등을 불러 일으켰다. 이러한 양상은 1987년 이후 민주화로 이행한 이후에도 크게 변화하지 않았다. 1980년대 말, 1990년대 초 사회주의 붕괴와 함께 한 탈냉전, 탈이념의 무드, 2000년대 초반 남북한의 데탕트에도 불구하고 이른바 '보혁갈등'으로 불리어진 이념 대립은 한국사회의 주요한 갈등구조로 지속되었다. 김대중, 노무현 정부 이후 증폭된 보혁갈등에서 다양한 이념 담론들이 형성되었고 최근 들어서는 남한의 보수정권과 북한의 강경노선이 대립하며 신냉전 상황이 지속되고 있다.

반세기가 넘어선 분단체제를 회고해 볼 때 이러한 이념 갈등에서 다양한 정체성 담론들이 국가적, 사회적 수준에서 형성되어 온 것이 사실이다. 한국전쟁을 거쳐 분단체제가 성립한 이후 이승만 정권은 반공에 기반을 둔 국가적 정체성을 강화하며 안보국가의 '국민' 담론을 주조해 나갔다.[1] 특히 박정희, 전두환 군사정권은 북한을 악마화하며 반공적 국민의 정체성을 '민족' 정체성과 등치시키며 이념적 분단체제를 정당화했다.[2] 이렇듯 한국전쟁 이후 반공 담론이 획일화되는 1950년대부터 민주화로 이행하기 전인 1980년대 중반까지 권위주의 정권들은 '국가', '국민', '민족'의 집단적 정체성을 강조하고 반공적 흑백논리를 통해 시민사회를 통제했던 것이다. 그러나 1980년대에 들어 전두환 정권의 폭압적 지배에 대한 재야학생 운동권의 저항이 고조되었고 '민중' 정체성을 중심으로 한 저항담론이 분출되었다. 이와 동시에 1989년 베를린 장벽이 붕괴되고 1990년대 초반부터는 독일 통일과 맞물려 '통일' 담론이 활성화되었고 시민운동이 발전하면서 '시민' 담론이 '민중' 담론을 대체해 갔다. 이후 1990년대 후반 김대중 정권을 거쳐 2000년대 초반 노무현 정권에 들어서 여러 정치사회적 사안들에 대한 다양

---

1 김동춘, 「한국의 분단국가 형성과 시민권 - 한국전쟁, 초기 안보국가하에서 '국민 됨'과 시민권」, 『경제와 사회』 70호, 2006.
2 Gi-Wook Shin · James Freda · Gihong Yi, "The Politics of Ethnic Nationalism in Divided Korea", *Nations and Nationalism* Vol. 5 No. 4, 1999.

한 이념적 갈등 양상이 드러났다. 1980년대부터 1990년대까지 위로부터의 반공, 좌경, 용공 담론과 아래로부터의 저항담론이 대립한데 이어 2000년대에 들어서는 대북포용정책, 군사작전권 반환, 북한 및 한총련 문제 등에서 진보, 친북 등의 논리로 보혁갈등이 첨예화된 것이다. 이러한 시민사회의 갈등에서 탈북자 그룹 및 다문화가족 등이 소수자로 정착하면서 한국사회는 다문화라는 시대적 변화를 경험하게 되었다.

이 글은 1946년부터 2014년까지 발행된『동아일보』의 기사 텍스트에서 정체성 관련어들의 빈도 변화를 검토한 뒤 1950년대부터 2000년대까지 이념 갈등과 관련된 핵심어들을 10년 단위로 구분하여 시기별 양상을 비교해 본다.『동아일보』기사 텍스트라는 빅데이터를 기반으로 하여 한국사회 이념 갈등의 장기적이고 거시적인 변화에 관한 양적인 분석과 함께 시기적 담론 변화에 관한 질적 분석을 함께 제시하고자 한다.

2. 자료와 방법

이 글은 고려대 민족문화연구원의 전자인문학센터에서『동아일보』의 자료 협조를 받아 개발한 '코퍼스 분석 도구'에서 정체성 관련어의 빈도 변화를 살펴보고 이념 갈등과 관련된 핵심어들을 시기별로 추출하여 그 양상을 비교분석한다. 분석대상 자료는 1946년부터 2014년까지 발간된『동아일보』의 약 260만 기사, 약 4억 1,000만 개의 어절로 구성된 텍스트이다.

텍스트 자료의 변환과정을 보면, 네이버의 뉴스 라이브러리에서도 확인할 수 있는 『동아일보』의 원문 텍스트에서 한자 변환과 띄어쓰기 교정이 이루어졌고 사건, 사고 및 비기사 텍스트들(부음, 인사, 만평 등)은 분석에서 배제되었다. 또한 자동 형태소 분석 도구인 KMAT(Korean Morphological Analyzer & Part-of-speech Tagger)를 활용하여[3] 현대 국어 표기에서 벗어난 오류를 수정하고 최적의 분석 코퍼스를 도출했다. 이러한 변환과정을 거쳐 완성된 형태소 분석 결과를 바탕으로 정체성 관련어의 빈도와 각 시기별 이념 갈등을 드러내 주는 핵심어를 추출했다. 먼저 이념 갈등과 관련된 핵심어와 전체 맥락을 분석하기 위해서는 정체성 관련어의 빈도 변화를 살펴보아야 한다. 이때 정체성 관련어의 빈도는 절대 기사 수에서 차이가 나기 때문에 시기별 분포를 비교하기 위해서는 상대빈도가 함께 검토되어야 한다.

무엇보다도 정체성 관련어와 연동하여 이념 갈등을 반영하는 핵심어들을 추출하고 시대적 변화를 분석하는 것이 중요하다. 텍스트 마이닝(text mining)은 텍스트로 된 빅데이터에서 유의미한 정보를 포착하는 연구 영역이며 이러한 분야에서 시대별 분포를 비교하는 것은 주로 핵심어를 추출하여 비교하는 전략이 유용할 것이다.[4] 이 글에서는 각 어휘(일반명사)에서 특정 시기에 분포하는 값이 비교 대상이 되는 시기의 분포 값에 비해 상대적으로 높은 것들을 핵심어로 고려했다. 핵심어를

---

3 KMAT에 대한 내용은 이도길(2005)을 참조할 것.
4 김일환, 「광복 이후부터 한국전쟁 직후까지의 핵심어 분석—동아일보 1946~1955년 기사를 대상으로」, 『국제어문』66집, 2015; 최재웅 외, 「핵심어로 본 시대상의 변화—1946 ~2014년 『동아일보』 기사를 중심으로」, 『새국어생활』25권 4호, 2015.

채택하는 통계적 기준은 t-점수와 절대빈도가 활용되었다. 먼저 시기별 상대비교에서 로그우도비값, 카이스퀘어, t-점수를 이용하여 t-점수가 높은 일반명사를 핵심어로 채택할 수 있다.[5] 이 글에서는 10년 단위로 시기를 구분하고 각 시기를 그다음 시기와 비교하여 두드러진 차이를 보이는 일반명사를 대상으로 했는데, 각 시기별 약 4만 개 이상의 핵심어에서 임팩트가 높은 핵심어를 선별하기 위해 대략 t-점수 20 이상의 기준을 적용했다. 또한 정체성과 이념 갈등을 반영하며 각 시기의 여론을 드러내 주는 맥락에서 핵심어의 절대빈도 역시 고려했고 t-점수 20 이상의 범위에서 절대빈도 1,000 이상의 기준을 적용했다.

이러한 배경에서 이 글은 빅데이터를 다루는 현대 디지털 인문학 (digital humanities)의 중요한 전략인 '폭넓게 보는 방식(distant reading)'에 의지하여 1946년부터 2014년까지 정체성 관련어의 빈도 변화를 살펴보고 1950년대부터 2000년대까지 10년 단위로 이념 갈등의 핵심어를 추출, 분석한다. 전통적 인문학의 질적 분석(close reading)이 광대한 양의 데이터를 분석하는 것에 한계를 갖는 반면 디지털 인문학은 빅데이터에서 광범위한 시기의 역사적 사실에 관한 양적 분석을 가능하게 해 준다.[6] 70년사라는 광대한 범위의 『동아일보』를 분석하는 이 연구 역시 시대별 이념 갈등을 거시적으로 바라보는 디지털 인문학의 방법론을 추구한다. 그러나 각 시기별 쟁점과 담론적 변화를 분석하기 위해서는 기존 인문사회과학의 질적 분석을 간과할 수 없다. 따라서 빅데

---

5 김일환·이도길, 「대규모 신문 기사의 자동 키워드 추출과 분석-t-점수를 이용하여」, 『한국어학』 53권, 2011.

6 David Berry, "Introduction-Understanding the Digital Humanities", David Berry ed., *Understanding Digital Humanities*, London : Palgrave/Macmillan, 2012.

이터 분석을 '사회학적 상상력'과 결합하여 역사적 변화에 관한 담론분석으로 발전시키는 것이 중요한 의의를 가질 것이다.[7]

이러한 방법론적 전략에서 3장에서는 정체성 관련어의 사용 빈도를 살펴 볼 것이며 4장에서는 분단체제의 이념 갈등을 드러내는 핵심어들을 추출하고 시기별 변화를 비교해 볼 것이다.

3. 정체성 관련어의 빈도 변화

이 절에서는 분단체제 하에서 한국사회의 정체성을 드러내주는 관련어로 '민족', '국가', '국민', '민중', '시민', '이념'의 빈도 변화를 살펴본다.[8] '정체성(identity)'이란 개인이 자신이 속한 집단에 소속감을 나타내는 정도와 방식을 의미한다.[9] 우리가 한 집단의 울타리 안에서 스스로를 규정할 때 사용하는 정체성과 연관된 단어 가운데 〈그림 1〉은 '네이션, 종족, 인종' 등을 포괄해 표현하는 '민족' 개념의 절대빈도와 상대빈도를 나타낸 것이다.

〈그림 1〉에서 '민족'의 절대빈도는 1990년, 1989년, 1991년, 1949년 순으로 높은 것으로 나타났다. 1989년 베를린 장벽 붕괴, 노태우 정부의 한민족공동체통일방안, 재야학생 운동권의 통일 담론 활성화, 1990

---

7 Leighton Evans and Sian Rees, "An Interpretation of Digital Humanities", David Berry ed., *Understanding Digital Humanities*, London : Palgrave/Macmillan, 2012.

8 대부분의 핵심어에서 1940년대 후반의 낮은 절대빈도는 상대빈도로 전환할 때 높아지는 경향이 있다. 따라서 시기별 상대적 분포를 비교할 때에는 상대빈도를 사용한다.

9 Judith Howard, "Social Psychology of Identities", *Annual Review of Sociology* Vol. 26, 2000.

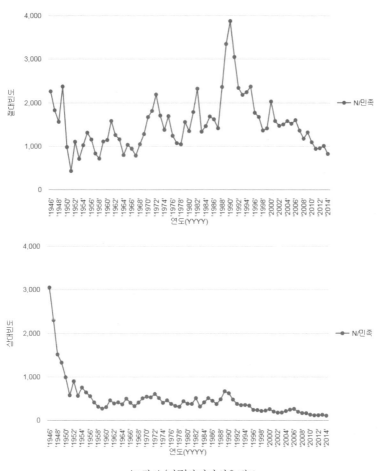

<그림 1> '민족'의 단어 사용 빈도

년 독일 통일, 1991년 남북기본합의서 채택 및 소연방 해체 등의 현상에서 민족 개념의 빈도가 높아진 것이다. 또한 한국전쟁 직전인 1940년대 후반 민족분단이 굳어진 상황에서 '민족'의 사용 빈도 역시 높게 나타났다. 그러나 각 시기별로 신문 텍스트의 기사 수에 차이가 나기 때문에 상대빈도로 전환하여 비교해 보면 민족의 개념 사용은 1946년을 중심으로 한 해방정국에서 월등히 높은 것으로 드러난다. 따라서

절대빈도와 상대빈도를 모두 고려해 볼 때 분단체제 한국인들은 냉전시대 민족분단과 탈냉전 통일시대에 이르기까지, 즉 1940년대 후반에 이어 1980년대 말, 1990년대 초 사회주의권이 붕괴하고 한국의 통일 담론이 활성화되었을 때까지 민족의 가치를 중요한 정체성으로 삼았던 것으로 평가할 수 있다. 그러나 2007년 개정 교육과정 이후의 교육 개혁이 보여주듯이, '단일민족'의 정체성을 극복하는 흐름과 '다문화적' 개혁이라는 시대적 흐름에서 2000년대 이후 민족 개념의 사용은 감소하는 추세이다.

다음으로 〈그림 2〉는 민족 개념과 유사하게 우리가 정체성의 중요한 개념으로 사용하는 '국가'의 빈도 변화를 보여준다. 상대빈도의 측면에서 민족과 달리 '국가'는 2000년대 이후에도 완만한 증가세를 보여주는데, 이것은 월드컵 현상에서 관찰할 수 있듯이 '대한민국' 국가의 정체성이 강화되고 탈국가적 세계화의 물결에도 불구하고 국민국가의 개념이 구성원들의 정체성에 크게 자리잡고 있는 현실을 반영하는 것이다.[10]

또한 전반적으로 꾸준한 증가세를 보여주는 절대빈도와 달리 상대빈도의 측면에서는 해방정국에서 국가 개념의 사용 빈도가 더 높았고 군사정권기에는 국가 개념이 국민 개념과 함께 집단주의적 정체성을 형성하는 데 기여했다. 무엇보다도 1990년대 이후 시민운동이 발전하고 세계화의 무드에서 폐쇄적, 혈통적 민족 정체성이 약화되고 있는 반면 국가적 정체성은 여전히 대중들에게 중요한 자기 근거로 인식되

---

10 강원택 · 이내영, 『한국인, 우리는 누구인가? 여론조사를 통해 본 한국인의 정체성』, 동아시아연구원, 2011.

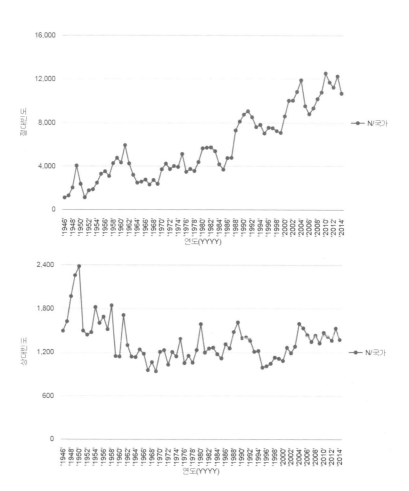

<그림 2> '국가'의 단어 사용 빈도

고 있다는 점이 비교될 만한 부분이다. 그만큼 국가적 정체성은 우리를 제한하고 규정짓는 법적, 정치적, 문화적 정체성을 구성하고 있는 것이다.

이러한 배경에서 분단체제를 통해 드러난 정체성 관련어로서 '국민', '민중', '시민'의 빈도 변화를 살펴보도록 한다. 해방정국[11]에 이어 한국전쟁을 거쳐 분단체제의 국민국가를 수립한 이승만 정권은 반공을 중심으로 한 '국민' 정체성을 주조하며 사회를 동원해 나갔고, 이러한 국민 정체성은 1960년대에 정립되어 1980년대까지 권위주의 정권의 지배담론으로 활용되었다. 그러나 1970년대 노동운동의 부활과 1980년대의 민주화투쟁과 함께 '민중' 정체성 담론이 등장하여 지배와 저항의 이항대립적 전선이 형성되었다. 이후 1980년대 말 사회주의권의 붕괴로 인해 1990년대 이후 시민운동이 성장했고 2000년대에는 '시민'의 정체성 담론이 활성화되고 다문화적 흐름으로 이어졌다. 〈그림 3〉은 '국민', '민중', '시민'의 빈도 변화를 보여준다.

〈그림 3〉에서 알 수 있듯이 절대빈도의 측면에서 전체적으로 '국민', '시민'의 빈도가 높고 '민중'의 빈도는 상대적으로 낮다.[12] 그럼에도 불구하고 각각의 정체성 관련어는 시기별 흐름에 따른 맥락적 변화를 드러낸다. 먼저 '국민'은 1950년대 이승만 정권기부터 1980년대 전두환 정권기까지 권위주의 정권의 이념적인 정체성 담론으로 활용되었고 그 이후에도 일반적인 정체성 개념으로 그 빈도가 꾸준히 상승했다.[13] 실제로 이승만, 박정희, 전두환 정권은 국가적 정체성과 함께 국민적

---

11 미군정기와 이승만 정권 초기에는 '공민'의 정체성이 부각되었다. '국민'과 거의 같은 뜻으로 사용되었던 '공민'은 미군정의 민주주의 교육과 이승만 정부의 정치사회적 정체성 담론으로 주로 활용되었다. 예를 들어, 1946년 4월 22일 한 기사는 "문교부에서는 홍익인간의 건국이상에 기하여 인격이 완전하고 애국정신이 투철한 민주국가의 공민양성을 목적으로 하는 교육의 근본이념과 그 이념의 관철을 위한 근본방침을 천명한 바 있었고"(『동아일보』, 1946.4.22)라며 미군정의 민주주의 교육을 '공민교육'으로 규정했다. 그러나 문교부 정책이나 교육 담론에서 주로 활용된 공민 개념은 이승만 정권의 권력이 공고화되면서 점차로 1960년대 이후에 핵심어로 등장하는 '국민' 개념으로 수렴되어 갔다.
12 보수적인 『동아일보』의 기조 역시 민중 개념의 사용 빈도가 낮은 이유가 될 것이다.
13 '국민'은 절대빈도에서는 1990년대 이후에 주로 증가하지만 상대빈도로 전환하면 그 차이는 거의 사라진다. 1980년대 이전 빈도에서 1963년의 경우 대통령선거 국면에서 '국민의 당' 명칭이, 1975년의 경우에는 유신헌법 '국민투표'의 빈도가 높게 나타나 '국민' 핵심어의 전체 빈도에 영향을 미쳤다.

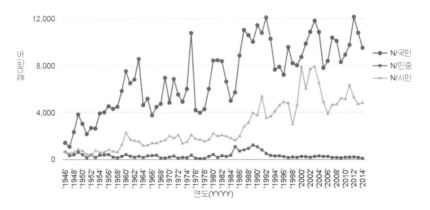

<그림 3> '국민, 민중, 시민'의 단어 사용 빈도

정체성을 강조하며 반공적 획일성을 앞세웠고 이러한 집단주의적 정체성을 바탕으로 분단체제를 정당화했다. 여기서 유의할 점은 1987년 민주화투쟁 당시 '국민운동본부' 등 시민사회의 저항담론에서도 '국민' 개념이 적지 않게 활용되었다는 점이다. '국민'은 지배담론에서 주로 활용되었지만 야권과 대중들의 저항담론에서도 '민중'보다는 덜 급진적인 용어로 사용되었던 것이다.

'국민'이 주로 지배담론의 정체성을 나타낸 것이라면 '민중'은 피지배 계급의 저항담론에서 주로 활용되었다. '민중'의 절대빈도는 1989년, 1985년, 1990년을 중심으로 1985년부터 1991년까지 상승 곡선을 나타냈다. 전두환 정권기를 거쳐 민중운동 및 통일 담론이 활성화된 1990년대 초까지 저항담론에서 '민중'의 빈도가 상승한 것이다. 이러한 절대빈도는 상대빈도로 전환해도 해방정국을 제외하곤 거의 유사한 양상이다. 그러나 민중 개념은 1946년을 중심으로 한 해방정국에서 크게 부각되었지만 이승만 정권의 등장과 함께 급속히 사그라진다. 이러한 민중 개념은 1970년대 노동운동의 부활 이후 1980년대 재야학생 운동의 저항담론에서 꽃을 피우며 핵심어로 등장하여 1990년대까지 이어진다.

이러한 지배와 저항 담론의 대립 양상은 1987년 민주화 이행과 1989년 사회주의 붕괴를 거쳐 1990년대에 시민운동이 성장하면서 변화를 맞게 된다.[14] '시민' 정체성 개념은 1989~1990년에 피크에 오른 후 2003년, 2000년, 2002년을 중심으로 2000년대 이후 증가세가 뚜렷하다. 특히 1990년대에 경실련, 참여연대, 환경운동연합 등 다양한 시민 운동단체들이 들어서면서 '시민' 정체성이 저항담론의 '민중' 정체성을 대체해 갔고 진보적 시민운동을 지원했던 김대중, 노무현 정부 집권기에 그 사용 빈도가 정점에 올랐다. 이러한 민중의 시민으로의 전환은 〈그림 4〉에서 보이듯이 사회주의 몰락과 함께 한 '이념'의 빈도 변화와 관련성이 높은 것이다.

〈그림 4〉를 보면 절대빈도에서 1963년 대통령선거 이념 논쟁, 1989년, 1990년 사회주의 붕괴 및 2004년, 2005년 노무현 정권기 이념 논쟁에서 '이념'의 개념 사용이 증가했다. 먼저 1989년과 1990년의 '이념' 빈도는 1989년 베를린 장벽 붕괴와 1990년 독일 통일의 국면을 반영하는 것이다. '역사의 종언', '이념의 종말'로 불렸던 이 시기에 주로 사회주의를 의미하는 '이념'의 사용 빈도가 높았던 것이다. 소비에트 사회주의가 붕괴한 이후 탈이념의 무드에서 저항담론에서도 민중에서 시민으로 대안적 정체성이 변화되었다. 또한 1963년 대통령선거의 경우

---

14 최현, 「한국 사회 진보의 주체 ─ 민중, 노동계급, 시민, 다중과 정체성 집단」, 『경제와 사회』 86호, 2010.

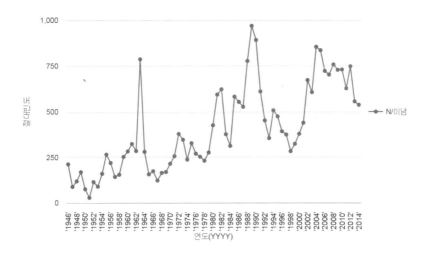

〈그림 4〉 '이념'의 단어 사용 빈도

'혁명이념' 및 '민족주의적 민주주의'를 내세운 박정희와 이를 비판하며 교정증식을 주장하는 윤보선의 이념 논쟁에서 '이념' 빈도가 현저히 증가했다. 2004년, 2005년의 빈도는 노무현 정부 집권 중반기의 각종 시국현안에 대한 보혁갈등을 반영하는 것인데, 2004년 9월 8일 한 사설은 "우리 사회는 지금 '과거'라는 블랙홀로 모든 것이 소용돌이치며 빨려 들어가고 있고, 그 중심에 대통령이 있는 듯한 양상"이라고 지적한 뒤 "대통령부터 과거에 대한 편협한 해석, '나는 옳고 너는 틀렸다'는 식의 독선에서 빠져나오지 않으면 파국으로 치달을 뿐"이라며 당시 보혁간 대립양상을 드러냈다.[15] 상대빈도를 함께 고려하면 한국사회에서 1946년 좌우의 이념 대립, 1963년 박정희와 윤보선의 이념 논쟁, 1985년 학생운동의 이념 비판, 1989년 사회주의 붕괴 및 2004~2006년 노무현 정부 집권기 보혁갈등에서 '이념'의 개념과 담론이 증가했던 것이다.

---

15 『동아일보』, 2004.9.8.

이와 같이, 한국의 역사에서 정체성 관련어들의 빈도 변화를 확인하고 이를 통해 각 시기와 국면에서 정체성 및 이념 갈등과 관련된 역사적 맥락을 파악해 볼 수 있었다. 4절에서는 이러한 맥락을 각 시기별 핵심어들과 관련시켜 좀 더 확장된 분석을 시도해 보고자 한다.

4. 시기별 이념 갈등 관련 핵심어의 변화

이 절에서는 1950년대부터 2000년대까지 『동아일보』 텍스트 기사를 10년 단위로 구분하여 각 시기별로 분단체제 이념 갈등과 관련된 주요 핵심어들을 추출하고 그 변화 양상을 분석하고자 한다. 앞에서 밝혔듯이 이 글의 분석에서 활용되는 핵심어는 t-점수를 기준으로 추출한 전체 핵심어 중에서 t-점수 20 이상(동시에 절대빈도 1,000 이상)의 범위에서 이념 갈등과 관련된 핵심어들을 다시 추출한 것이다. 정리한 결과는 〈표 1〉과 같다.

〈표 1〉 시기별 핵심어 (t-점수 순)

	1950 ~1959	1960 ~1969	1970 ~1979	1980 ~1989	1990 ~1999	2000 ~2009
핵심어	괴뢰	혁명	북괴	올림픽	통일	탈북자
	자유	괴뢰	미군	학생	재벌	진보
	보안법	국민운동	카아터	북괴	민족	다문화
	중공군	국민	철수	민주화	농민	시민
	인민	간첩	공산군	자유	근로자	대북
	국가	반공	수출	국민	사회주의	인권
	민주	공산당	예비군	근로자	핵	국가
	공산주의	반혁명	근대화	민주주의	무장간첩	자유주의
	전쟁	자유	공비	공산권	민중	친북
	피난민	원흉	도발	좌경	동구권	

통일 괴뢰군 평화 수용소 반공 자유세계 공산당 민주주의 민족 민중 애국	공비 파병 민주주의 월남전 보안법 민중	유신 반공법 반공 자유	민중 사회 반공 이념 공산주의 용공 이데올로기 과격 국가	범민족 공산주의 국민

1) 1950년대–반공, 자유, 민주의 획일적 담론

이념 갈등과 관련된 1950년대의 핵심어는 t 점수의 순으로 괴뢰, 자유, 보안법, 중공군, 인민, 국가, 민주, 공산주의, 전쟁, 피난민, 통일, 괴뢰군, 평화, 수용소, 반공, 자유세계, 공산당, 민주주의, 민족, 민중, 애국 등이다. 이 핵심어들은 전쟁 상황, 냉전적 분단체제의 이념 갈등 및 이와 관련된 정체성 관련어들이다.

먼저 '인민', '국가', '민족', '민중'의 정체성 관련어에서 '국가', '민족' 은 3절의 분석 맥락과 같이 이해할 수 있다. 다만, 1950년대의 '민중' 개념은 "이대통령의 재출마를 호소하는 민중운동의 점고되는 이 때"[16]의 기사 내용이나 "재출마를 희구하는 국민의 간절한 뜻을 저버릴 수 없어 제3대 대통령선거에 다시 입후보하기로 결심한 것으로 (…중략…) 입후보하도록 하려는 민중의 뜻을 받아들여"[17]라는 기사 내용에서 알

16 『동아일보』, 1956.3.11.
17 『동아일보』, 1956.3.24.

수 있듯이 '국민'과 거의 같은 의미로 사용되었다. 이것은 1970~1980년대 이후 저항담론에서 등장하는 '민중' 개념과는 구분되는 것이라 할 수 있다. 한편, '인민' 개념은 중공의 '인민공사'와 중공, 북한의 '인민대회' 등 주로 공산권 정치제도를 설명하는 맥락에서 사용되었지만 "아시아 자유국가 인민이 공산주의 침투를 방지하기 위하여 정치적, 사회적 동맹을 결성하는데 대하여 본관은 큰 희망을 갖는 바이다"[18]라는 기사 내용에서처럼 1950년대 초 남한의 정치담론에서도 때때로 사용되었다. 해방정국에서 주로 좌파에 의해 사용된 인민 개념은 1959년 조봉암 사형 집행에서도 알 수 있듯이 전후 반공주의가 공고화되면서 한국사회에서 금기어로 변화해 갔고 1960년대 이후에는 공식적인 정체성 담론에서 사라지게 된다.

무엇보다도 가장 상위에 위치하는 '괴뢰'의 핵심어가 1950년대의 이념적 시대상을 반영한다고 할 수 있다. '북한괴뢰', '괴뢰군', '괴뢰정부' 등에서 '괴뢰' 개념은 북한을 악마화하는 수사로 1960년대까지 상위의 핵심어를 차지했고 1970~1980년대에는 '북괴'로 이어져 남한의 반공체제를 극명하게 보여주는 핵심어가 되었다. '괴뢰'와 함께 '중공군', '전쟁', '피난민', '괴뢰군', '수용소'는 모두 한국전쟁의 여파를 반영하는 핵심어들이다. "북한괴뢰 중공예속"[19]이라는 기사 제목에서 알 수 있듯이 '괴뢰'와 '중공'이 한국전쟁의 국면에서 부각되었다. 또한 '피난민'과 함께 휴전 과정에서 포로 '수용소'의 문제가 핵심 이슈로 등장하기도 했다.

이와 맞물려 이념 갈등의 핵심어로 부각된 것은 '반공', '자유'와 함께

---

18 『동아일보』, 1950.2.25.
19 『동아일보』, 1953.3.25.

'보안법', '민주', '공산주의', '통일', '평화', '자유세계', '공산당', '민주주의', '애국'이다. 여기서 전반적인 이념적 색채는 '반공민족주의'와 '자유민주주의'라는 지배담론을 반영한다. 먼저 '반공'은 '괴뢰', '북괴'와 유사한 맥락에서 1950년대부터 1980년대까지 이념적 갈등의 핵심어를 대표한다고 할 수 있다. 절대빈도로는 1959년, 1961년, 1960년, 1962년, 1954년 순으로 높았는데, 1959년에는 재일교포 북송 사건, 1961년에는 박정희 쿠데타 이후 반공의식 고조, 1954년에는 반공포로 석방과 관련되어 있다. '반공'은 전후 냉전체제에서 국내외 '반공연맹', '반공대회', '반공단체', '반공청년단' 등에서 사용되었고 '공산주의', '공산당' 등은 반공적 맥락에서 공산권의 소식을 전하기 위해 사용되었다. 현재 폐지 논란이 일고 있는 국가보안법을 의미하는 '보안법'은 일제의 유산을 이어받아 이승만 정권이 1948년 제정한 것으로 1950년대에도 보안법을 개정 또는 철폐하려 한 갈등 양상이 있었음을 보여준다.

'괴뢰', '반공'에 이어 1950년대의 대표적인 핵심어인 '자유'는 '자유당'과 같은 고유명사나 민주주의의 기본권 개념으로도 많이 사용되었지만 북한 체제와 대비되는 이데올로기적 수사로 주로 활용되었다. "자유세계의 반공결속을 요망"[20]이라는 기사 제목에서 알 수 있듯이 '자유(세계)'와 '반공'은 선택적 친화성이 높은 핵심어로 분류될 수 있다. 또한 한 칼럼에서 "자유민주주의의 세례를 받지 못한 후진국가에 있어서의 사회주의가 공산당의 앞잡이 역할의 가능성은 많은 것이요"[21]라고 기술되었듯이 이승만 정권의 지배담론은 자유→민주→

---

20 『동아일보』, 1959.6.8.
21 『동아일보』, 1955.5.10.

반공의 논리로 이어졌다. 이승만 정권은 반공민족주의를 기반으로 하여 반공=자유=민족=민주라는 지배담론을 강화해 나갔고, 반공을 기반으로 한 자유민주주의를 앞세우며 '민주(주의)', '통일', '평화', '애국'을 주장한 것이다. 한국전쟁을 거쳐 이승만은 줄기차게 북진통일을 내세웠고,[22] '애국'의 논리에서 정당화된 '평화'와 '통일'은 모두 '자유', '반공', '민주', '민족'을 등치시키는 남한의 정치담론을 합리화하기 위해 사용되었다.

2) 1960년대 — 군사 쿠데타와 반공적 국민

이념 갈등과 관련된 1960년대의 핵심어들은 혁명, 괴뢰, 국민운동, 국민, 간첩, 반공, 공산당, 반혁명, 자유, 원흉, 공비, 파병, 민주주의, 월남전, 보안법, 민중 등이다. 1950년대와 유사하게 '괴뢰', '반공', '공산당', '자유', '민주주의', '보안법', '민중'이 그대로 이어졌고, 1961년 5월 16일 박정희의 군사 쿠데타와 반공 노선을 반영하는 '혁명'과 '괴뢰'가 1960년대의 상위 핵심어로 등장했다. 먼저 시대적 배경을 나타내는 '혁명', '원흉', '파병', '월남전'이란 핵심어가 눈에 띤다. '혁명'은 5·16 군사 쿠데타를 의미하며 '원흉'은 4·19 혁명 이후 처단된 3·15 부정선거 사범들을 지칭하는 것이다.[23] 또한 '파병'과 '월남전'은 1960년대 후반 월남전 파병의 시대상을 나타낸다. '민중의 지팡이'[24]에서 '국민'

---

22 『동아일보』, 1953.4.22.
23 '반혁명'은 주로 5·16 군사 쿠데타에 반대하는 저항세력을 의미하는 것으로 사용되었다.

과 유사한 의미로 사용된 '민중'은 이 시기에도 핵심어로 지속되었지만 1950년대보다 용례가 현저히 감소했다.

지배담론의 측면에서 박정희 정권 역시 이승만의 반공주의를 계승하여 '반공'을 강조했고 북한을 지칭하는 '괴뢰'의 개념 역시 즐겨 사용했다. 그러나 남한이 북한을 괴뢰로 지칭하는 것이 다수를 이루는 가운데 북한이 남한을 괴뢰로 지칭할 때 사용된 사례 역시 증가한 차이점이 있다. 예를 들어, "한국정부는 괴뢰정권"[25]이라는 기사 제목은 북한의 언론매체 주장을 그대로 실어 보도한 것이다. 또한 '간첩'의 핵심어는 1958년 개별 간첩사건과 관련해 절대빈도에서 최고치에 올랐고 1967년 이후 무장간첩 출몰에 관한 기사들에서도 높은 빈도를 보여 주었다. 이와 연관되어 '공비'는 1960년대와 1970년대의 핵심어로 등장했고, 1968년 울진삼척 무장공비 사건 기사에 이어 1970년부터 '반공어린이 이승복'에 대한 언급이 시작되었다.[26]

무엇보다도 북한괴뢰에 대한 반공 노선과 함께 1960년대에 두드러진 특징 중의 하나는 '국민'의 핵심어가 보여주듯이 '국민' 정체성 담론이 부각되었다는 점이다. '국민'은 1960년대에 핵심어로 등장하여 1990년대까지 이어졌다. '국민'의 경우 '국민의 당'과 같은 고유명사도 다수 포함되었지만 '국민운동'의 핵심어와 함께 당시 강조된 국민 정체성을 분명하게 드러내 준다. 1960년대부터 1970년대까지 여야의 정치결사체에서 '민주'보다 '국민'이 더 선호되었다는 점에서 국민적 정체

---

24 『동아일보』, 1961.8.13.
25 『동아일보』, 1965.10.29.
26 『동아일보』, 1970.6.10.

성의 중요성을 짐작해 볼 수 있다. 이것은 이승만 정권의 국민 정체성 담론을 이어받아 박정희 정권이 국민적 정체성을 확고하게 정립하려 했던 것으로 평가할 수 있다.

3) 1970년대—산업화 속의 북괴

1970년대의 핵심어는 북괴, 미군, 카아터, 철수, 공산군, 수출, 예비군, 근대화, 공비, 도발, 유신, 반공법, 반공, 자유 등이다. 여기서 '공산군', '반공법', '반공', '자유'는 이전과 동일하게 지속되는 이념 갈등 핵심어이다. '수출', '근대화'에서 박정희 정권의 산업화 정책을, '유신'에서는 1972년 유신헌법을 둘러싼 정치적 갈등을 파악할 수 있다. 또한 1970년대 후반 카터의 인권외교와 주한미군철수 문제가 불거진 사실이 '미군', '카아터', '철수'라는 핵심어로 반영되었다.

이념 갈등과 관련하여 가장 주목할 만한 것은 반공의 시대적 배경에서 '북한괴뢰'의 줄임말인 '북괴'가 1순위의 핵심어로 등장했다는 점이다. 이것은 1950~1960년대의 핵심어인 '괴뢰'를 잇는 것으로 당시의 냉전적 남북대립이 최고조에 달했음을 드러내 주는 것이다. 1980년대까지 핵심어로 이어진 '북괴'의 경우 1976년 판문점 사건에서 가장 높은 빈도를 나타냈다. 1976년 8월 19일 "북괴군, 판문점서 미군장교 2명 참살"이란 제목의 기사는 "미육군 장교들은 도끼와 곡괭이 도끼자루로 기습하는 30여 명의 북괴 경비병들에 의해 머리에 중상을 입고 짓밟혀 살해됐으며"[27]라며 북한의 만행을 알리는데 주력했다.

이렇듯 1960년대 후반부터 1970년대 중반까지 남북간 군사대립이 격화되면서 남한의 반공주의가 최고조에 이르게 되었다. 이러한 배경에서 1968년 1월 북한의 청와대 습격 사건과 푸에블로호 나포 사건 직후인 1968년 4월 박정희 정권은 '향토예비군'을 창설하며 대중들의 반공 경각심을 높이는데 주력했다. '예비군'이란 용어가 1970년대에 핵심어로 부각된 것도 바로 이 때문이다. 또한 1968년 북한의 청와대 습격 사건을 포함해 1960년대 후반에 빈번했던 무장공비 침투 사건은 '공비'와 '도발'이란 핵심어로 나타났다. 특히 1968년부터 1972년까지 북한의 무장공비 침투에 대한 국민적 분노에서 '승공통일', '승공결의' 등 '승공'이란 용어가 일시적으로 등장하기도 했다. 1961년 박정희의 군사쿠데타 직후 제정되어 1980년 국가보안법으로 통합된 '반공법' 역시 1970년대의 이념적 갈등을 보여주는 것이다.

4) 1980년대 – 극단적 이념대립과 저항담론

1980년대의 핵심어는 올림픽, 학생, 북괴, 민주화, 자유, 국민, 근로자, 민주주의, 공산권, 좌경, 민중, 사회, 반공, 이념, 공산주의, 용공, 이데올로기, 과격, 국가로서 다양한 정체성 및 이념 갈등을 반영한다. '북괴', '자유', '국민', '반공', '공산주의'는 이전의 이념적 지형을 그대로 잇고 있으며 '국가'는 1950년대에 이어 1980년대와 2000년대에 핵심어로

---

27 『동아일보』, 1976.8.19.

등장한다. 무엇보다도 1순위의 핵심어로서 '올림픽'이 등장했다. 1960년대의 '혁명'과 같이 1980년대를 대표하는 핵심어로 '올림픽'이 부각된 것이며 이는 이념적 갈등과 상관없이 당시 사회에 가장 큰 영향을 미쳤던 사건으로 평가할 수 있다. 또한 '사회'는 '국가'와 유사하게 이념 갈등을 떠나 일반적인 맥락에서 많이 사용되었지만 '사회정화', '사회안정', '민주사회', '사회혼란' 등 국가주의적 정체성을 강조하는 맥락에서 주로 활용되었다.

1980년대는 박정희 정권에 이어 전두환 정권의 반공통치가 극단화되었던 시기였지만 아래로부터의 저항 역시 격렬했던 시기였다. 1950~1960년대에 이어 '민중'이란 핵심어가 다시 등장하여 1990년대까지 이어진 것도 이 때문이다. 이전과 달리 '민중운동', '민중사학', '민중예술' 등으로 불리며 '민중' 정체성이 저항담론의 핵심적 정체성으로 자리매김한 것이다. 이것은 1987년 이전까지 전두환 정권의 폭정에 대항한 학생운동 및 민주화투쟁이 격화되어 '학생', '민주화'가 핵심어 상위에 오른 것과 같은 맥락에 있다. 노동운동 역시 활성화되어 '근로자'[28]가 핵심어로 등장했고 '민주주의'는 일반적 민주주의 원리를 설명하는 차원과 당시의 시대적 상황을 반영하는 차원을 보여 주었다. 민주, 민주주의, 민주화 등 '민주'가 들어간 핵심어들은 1970년대와 1990년대, 2000년대에는 등장하지 않았는데, 이것은 1970년대의 유신 억압체제가 노골화된 측면과 1990년대 이후 민주화로 전환된 사회적 배경과 관련되는 것이다.

---

28 저항담론에서는 '노동자' 개념이 선호되었지만 지배담론과 보수 일간지에서는 '근로자' 개념이 주로 사용되었다.

이렇듯 저항담론이 활성화된 가운데 지배담론에서는 '이념', '좌경', '용공', '과격', '이데올로기' 등이 핵심어로 등장했다. 예를 들어, 건대항쟁 이후 전두환 정권은 "좌경용공 400명선 수사"[29]라는 제목의 기사에서 당시 학생운동 세력을 '좌경용공'으로 몰아가려 했다. '과격'의 핵심어 역시 당시 학생운동의 폭력성을 부각시키려 한 지배담론의 대표적인 수식어였다. '이념'의 경우 "북한 제압할 이념 무장을"[30]이라는 기사에서처럼 반공주의의 맥락에서 사용되었고 1989년 '공산권'의 붕괴 이후에는 사회주의 및 학생운동의 논리를 비판하기 위한 맥락에서도 사용되었다. '이데올로기' 역시 1980년대가 국내적으로, 세계사적으로 이념적 갈등과 굴곡이 최고조에 이른 시기였음을 드러내 주는 것이라 할 수 있다.

5) 1990년대-탈이념 민주화와 통일 담론

1990년대에 드러난 이념 갈등 관련 핵심어는 통일, 재벌, 민족, 농민, 근로자, 사회주의, 핵, 무장간첩, 민중, 동구권, 범민족, 공산주의, 국민 등이다. 1990년대의 정체성 관련 핵심어로서 저항담론에서 '민중'이 사용되었고 '국민' 역시 여러 고유명사와 함께 일반적인 정체성을 나타내는 핵심어로 등장했다. '사회주의', '동구권', '공산주의'는 1980년대와 같은 연장선상에 있는 핵심어들로서 사회주의가 몰락한 탈이념의

---

29 『동아일보』, 1986.10.21.
30 『동아일보』, 1983.4.27.

세계사를 반영한다.

무엇보다도 1989년 노태우 정부의 민족화합민족민주통일방안 및 베를린 장벽 붕괴, 1990년 독일 통일, 1991년 남북기본합의서 채택 및 소연방 해체, 1994년 남북정상회담 추진이란 시대적 배경에서 통일 담론이 급증했고 남북한 통일을 위한 스포츠, 문화, 예술 교류가 증가하면서 '통일'이 상위의 핵심어로 올라섰다. '민족' 역시 '통일'과 같은 맥락에 있다고 볼 수 있다. '통일'은 절대빈도에서 1990년, 1994년, 2000년, 1972년의 순으로, 상대빈도에서는 1946년, 1990년, 1989년의 순으로 높게 나타났다. 학생운동권의 통일 담론 역시 증가했는데, 특히 한총련과 북한의 범민족대회가 시국 사안으로 자주 등장하여 '범민족'이 핵심어로 등장했다. 또한 1990년대 초반 북한의 핵사찰과 NPT 탈퇴 등 '핵' 문제가 불거져 동북아시아의 긴장이 고조되었고 1996년 북한 잠수정 강릉 침투 사건 이후 한동안 가라앉았던 '무장간첩'이 다시 핵심어로 등장했다.

1990년대는 탈이념 시민운동과 통일 담론이 활성화된 시기이기도 하지만 '재벌', '농민', '근로자' 등 계급갈등이 표면화된 시기이기도 하다. 1980년대에 이어 '근로자'가 노동운동을 반영하는 핵심어로 부각되었고, '재벌'의 경우 IMF 사태 이후 김대중 정부가 들어서면서 재벌 개혁의 차원에서 주로 사용되었다.[31] 노사간 대립 이외에도 '농민'이 핵심어로 등장하여 "UR 저지투쟁 본격화",[32] "WTO 반대 농민집회"[33]

---

31 『동아일보』, 1992.3.3.
32 『동아일보』, 1990.9.28.
33 『동아일보』, 1994.11.30.

등 1990년대의 농축산물 개방 반대와 쌀 수매와 관련된 농민투쟁의 양상을 반영했다.

6) 2000년대 – 다원화된 시민사회

탈이념의 시대를 넘어서 세계화와 다문화의 시대로 접어든 2000년대의 핵심어는 탈북자, 진보, 다문화, 시민, 대북, 인권, 국가, 자유주의, 친북 등이다. 먼저 '자유주의'는 세계사적으로 변화한 이념적 지형을 반영하는 것이다. 1950년대, 1960년대, 1980년대에 등장한 '자유'의 핵심어가 반공적 개념이나 민주주의의 기본권을 의미하는 맥락에서 주로 사용되었다면 2000년대의 '자유주의'는 탈이념화된 세계화의 맥락을 반영하는 것이다. 또한 '국가'는 개인에게 미치는 국가적 정체성의 영향력을 반영하는 것으로서 개인의 정체성이 국민국가의 테두리 안에서 결정되어 세계화의 물결에도 여전히 견고한 힘을 갖는 현상을 드러내 준다.

무엇보다도 1990년대부터 두드러지기 시작한 '시민' 개념이 핵심어로 부각되었다. 1990년대 초반 참여연대, 경실련, 환경운동연합 등 다양한 시민운동 단체들이 들어서면서 2000년대에 이르기까지 시민운동 및 시민 정체성 담론이 발전해 왔다. 이러한 '시민' 정체성은 민중운동이 퇴조하고 시민운동이 발전한 맥락과 함께 국민 정체성을 대체하는 개념으로서 시민 개념이 일반화된 맥락이 섞여 있는 것이다. 또한 1990년대부터 발전해 온 시민사회는 2000년대에 들어 탈북자, 다문화가족, 소수자 그룹 등에 의해 더욱 다원화되었다. 핵심어 상위에 위치한 '탈북자'는 1990년대 중반 북한의 식량난 이후 증가하여 2000년대 들어 2만 명을 넘어선 탈북자 그룹의 존재를 알려준다. 이와 함께 '다문화'는 21세기에 들어 증가한 결혼이주여성들과 다문화가족을 반영하는 것이며, '인권'은 탈북자, 다문화가족은 물론 여성, 장애인, 학생, 노인, 극빈층 등 소수자의 권익을 옹호하는 시대적 배경을 반영하는 것이다.

　이념적 갈등의 측면에서도 기존의 이분법적 틀이 변형, 유지되는 등 보다 다원화된 양상을 드러냈다. 먼저 1990년대부터 확산되어 온 '진보'의 핵심어는 '진보정당', '진보세력' 등 김대중 정권 이후 한국사회의 보혁갈등을 반영하는 핵심적인 키워드이다. 한 칼럼은 "좌냐 우냐, 진보냐 보수냐, 친정부냐 반정부냐, 개혁이냐 반개혁이냐, 주류냐 비주류냐, 호남이냐 아니냐, 영남이냐 아니냐, 내가 믿는 신만 신이고 네가 믿는 것은 미신이고 우상 아니냐"[34]라며 1990년대 후반부터 2000년대 초반까지 이어진 이념 갈등을 묘사했다. 이러한 담론은 이른바 좌우, 보혁의 이분법적 갈등 전선을 유지하고 있지만 북괴, 반공, 좌경, 용공 등 극단적인 악마화의 논리에서 벗어나 보다 유연화된 형태를 나타냈다. 물론, 2002년 효순, 미선이 사건과 2008년 광우병 파동 등에서 반미적 급진 노선이 돌출하여 보수세력이 '친북'의 논리로 진보세력을 공격하고 햇볕정책 등 '대북' 포용정책을 퍼주기로 비난하기도 했다. 최근 들어 '종북'의 개념으로도 이어지고 있는 '친북'의 개념은 1990년대

---

34 『동아일보』, 2000.6.10.

에 사용 빈도가 증가하여 2000년대에 들어 한국사회의 보혁갈등을 나타내는 핵심어가 되었다. 이러한 배경에서 2000년대의 이념 갈등과 관련한 한 칼럼이 눈길을 끈다.

> 지난 회까지 우리는 남북정상회담 이후 한국 사회에서 전개된 이념 갈등을 몇 가지 분야에서 주로 보수적 입장과 진보적 입장을 대비시켜 살폈다. (…중략…) 좌파나 진보 성향을 무조건 '빨갱이', '주사파', '친북' 등으로, 우파나 보수 성향을 무조건 '반통일', '수구', '보수반동', '냉전세력' 등으로 딱 지붙이기 해버리는 것은 서로의 감정의 골을 깊게 할 뿐이라는 것이다. (…중략…) 학교교육은 물론이고 언론 매체와 사회단체의 대중 교육 등이 이념적 대립을 조장하는 쪽이 아니라 완화를 유도하는 쪽으로 기능해야 한다고 전문가들은 권고한다.[35]

김대중 정권기에는 햇볕정책과 대북 송금문제를 둘러싼 이념 갈등이 증폭되었고 김대중 정권을 계승한 노무현 정권에 들어서는 보혁갈등이 더욱 격화되어 진보와 보수, 좌와 우, 친북과 반북의 프레임에서 갈등 양상이 증폭되었다. 2000년 남북정상회담 시 대북 송금에 관한 논쟁은 물론 2002년 여중생 미군 장갑차 사망 사건, 2008년 광우병 파동, 2002년 연평도 해전, 2008년 금강산 관광객 피격 사건, 2006년, 2009년 북한의 핵실험 등에서 이념 논쟁을 중심으로 한 남남갈등이 빈번했고 특히 노무현 정부 집권 당시 국가보안법 개정, 송두율, 강정구

---

35 『동아일보』, 2000.12.15.

교수 사건, 전시작전권 반환 문제, 한총련의 맥아더 동상 철거 사건 등
에서 보혁갈등이 노골화되었다. 이러한 갈등구조는 과거의 매카시즘
과 마녀사냥식 이념 갈등이 부활한 측면도 있지만 다원화된 시민사회
의 발전을 반영하는 것이기도 하다.

5. 나오며

이 글은 1946년부터 2014년까지 『동아일보』 기사 텍스트 자료를 기
반으로 하여 한국의 분단체제에서 드러난 이념적 정체성과 갈등 양상
을 분석해 보았다. 과거 이념적 정체성의 측면에서 북한을 악마화하는
반공주의에 기반을 둔 '국민'의 정체성이 '국가', '민족' 정체성과 결합하
여 권위주의 정권의 지배담론으로 활용되었다. 저항담론의 측면에서
는 1980년대 노동운동 및 민중운동의 성장과 함께 1990년대로 이어진
'민중' 정체성이 소비에트 사회주의의 붕괴와 함께 '시민'의 정체성으
로 변화했고 현재 다문화적 시민의 정체성으로 발전하고 있다.

이러한 정체성 담론의 변화와 맞물려 이념 갈등의 측면에서 1950년
대에는 반공민족주의와 자유민주주의가 결합된 형태로 반공, 자유, 민
주의 획일화된 지배담론이 구축되었고 1960년대에는 5·16 군사 쿠데
타와 반공주의의 영향력 하에서 국민적 정체성이 확립되었다. 1970년
대에 들어서는 산업화의 슬로건 하에서 북괴에 대한 증오가 극단에 달
했고 1980년대에는 군사정권의 폭압적 지배에 대한 저항이 고조되어
민중 담론이 활성화되었다. 1990년대에는 사회주의가 붕괴하여 탈이

넘의 세계사적 변환에서 시민운동이 성장하고 통일 담론이 활성화되었다. 이후 21세기에 들어서는 탈북자, 다문화가족이 한국사회의 소수자 그룹으로 정착하며 다원화된 시민사회를 형성했고 분단체제를 둘러싼 이념 논쟁에서 변형된 형태의 보혁갈등이 첨예화되었다.

21세기에 들어선 현재 탈이념 세계화의 물결에도 불구하고 한반도는 여전히 적대적인 이념으로 남북이 대립하는 분단체제를 유지하고 있다. 시민사회가 성숙해 가고 있지만 과거의 극단적 이념 갈등이 변형된 형태로 지속되고 있는 것 또한 사실이다. 더욱이 이러한 이념 갈등은 기존의 색깔론을 넘어서 여성, 다문화, 소수자 인권 등의 문제로 확대되고 있다. 다원화된 시민사회의 발전 속에서 이념 갈등 및 정체성 담론 역시 다양한 형태로 재구성되고 있으며 이러한 양상을 거시적인 안목에서 성찰하면서 미시적인 변화를 분석하는 것이 향후의 과제로 남을 것이다.

참고문헌

강원택·이내영,『한국인, 우리는 누구인가? 여론조사를 통해 본 한국인의 정체성』, 동아시아연구원, 2011.

김동춘, 「한국의 분단국가 형성과 시민권 ─ 한국전쟁, 초기 안보국가하에서 '국민 됨'과 시민권」, 『경제와 사회』 70호, 2006.

김일환, 「광복 이후부터 한국전쟁 직후까지의 핵심어 분석 ─『동아일보』 1946~1955년 기사를 대상으로」, 『국제어문』 66집, 2015.

김일환·이도길, 「대규모 신문 기사의 자동 키워드 추출과 분석 ─ t-점수를 이용하여」, 『한국어학』 53권, 2011.

이도길, 「한국어 형태소 분석과 품사 부착을 위한 확률 모형」, 고려대 박사논문, 2005.

최재웅·김일환·홍정하·이도길, 「핵심어로 본 시대상의 변화 ─ 1946~2014년 『동아일보』 기사를 중심으로」, 『새국어생활』 25권 4호, 2015.

최현, 「한국 사회 진보의 주체 ─ 민중, 노동계급, 시민, 다중과 정체성 집단」, 『경제와 사회』 86호, 2010.

Berry, David, "Introduction ─ Understanding the Digital Humanities", David Berry ed., *Understanding Digital Humanities*, London : Palgrave/Macmillan, 2012.

Evans, Leighton·Sian Rees, "An Interpretation of Digital Humanities", David Berry ed., *Understanding Digital Humanities*, London : Palgrave/Macmillan, 2012.

Howard, Judith, "Social Psychology of Identities", *Annual Review of Sociology* Vol. 26, 2000.

Shin, Gi-Wook·James Freda·Gihong Yi, "The Politics of Ethnic Nationalism in Divided Korea", *Nations and Nationalism* Vol. 5 No. 4, 1999.

2000년대 이후의 기사를 중심으로

1. 서론

정보는 인간의 삶과 매우 긴밀하게 연결되어 있고, 특히 정보사회라고 할 수 있는 현대에서는 그 영향력이 더욱 커지고 있다. 이런 정보의 영향력과 관심은 정보통신기술의 발달로 일정시기에 관심을 받아온 것이 아니라 인류의 역사에 있어서 그 형태와 발달 정도는 다르더라도 항상 있어 왔다고 볼 수 있다. 따라서 정보통신기술에 대한 각 시대의 사회적 현상과 이슈를 살펴보고 이를 이용하는 이용자의 인식 변화를 살펴봄으로써 시대적 상황의 특성과 이를 바탕으로 미래에 대한 예측할 기회를 제공할 수 있다.

정보와 이를 활용한 통신기술의 이슈는 기술 및 미디어 분야뿐만 아니라, 경제, 사회, 문화 등 여러 분야에서 나타날 수 있다. Rogers(1983 · 1995)는 그의 '혁신확산이론'에서 사회구성원이 새로운 것으로 인식하는 아이디어, 관행 또는 사물 등으로 정의되는 혁신의 확산속도와 이를 채택하는 시점의 차이가 생기는 현상을 설명하였다. 이러한 혁신의 확산을 위한 여러 요소 중 커뮤니케이션 채널은 사회시스템 안으로 정보가 전달되는 수단을 말하고, 커뮤니케이션 매체 중 하나인 신문은 정보 확산에 의미 있는 영향력을 미치고 전달 매체를 통해 얻은 혁신에 대한 정보는 개인이나 조직 내부로 전파될 수 있다고 보았다. 즉 사람들이 현실을 인식하고 새로운 정보를 받아들이는 방법은 직접 경험해서 얻는 정보와 그렇지 않은 것이 있는데, 직접 경험하지 못하는 현실에 대한 인식의 방법은 타인 또는 매체를 통해 가능하다고 볼 수 있고 그중 신문이 그 역할을 할 수 있다. 따라서 이에 대한 새로운 정보와 혁신이 대중 매체 중 하나인 신문 텍스트에서 나타나 있을 것으로 보인다. 최봉기(2013)는 신문 텍스트 분석을 통해 신흥기술의 연구에서 신문 텍스트의 장점과 한계를 언급하며, 신문기사는 관련분야의 논문에 비하면 전문성은 낮지만 속보성과 사회적 이슈에 대한 아젠다(agenda) 구축 기능을 갖고 있기 때문에 당 시대에서 이슈가 되는 주요한 기술과 제품의 현황을 파악할 수 있는 역할을 한다고 보았다.

90년대 후반부터 정보통신기술의 활용이 일상에서 생활화되면서, 기존의 아날로그 방식의 생활패턴과 달리 첨단기술을 활용하는 디지털 생활 패턴으로 변화하였고 전통 커뮤니케이션 매체인 종이신문은 감소하였지만, 온라인 신문매체를 통한 뉴스의 전달은 계속되고 있다. 사회의 현상을 다방면으로 제공하는 매체 중 하나인 신문은 사회 및 사회 구성원들에게서 나타나는 현상과 인식을 대표하는 신뢰할 만한 근거를 제공한다. 따라서 신문에서 나타난 시대의 대표적인 정보통신 기술과 관련된 키워드 용어를 분석한다면, 각 시대별 정보이용과 관련된 사회적 이슈와 이에 대한 사회 구성원의 인식 변화의 일면을 파악할 수 있을 것이다. 김찬석(2008)은 과학기술 뉴스의 내용분석은 유망 신기술이 사회적으로 어떻게 수용되고 발전되는지에 대한 환경 요인별 내용을 살펴보는 유용한 도구로 활용될 수 있다고 보았다. 또한 미디어에 나타나는 과학기술의 표현을 통해 이에 대한 사회구성원의 인식, 기대 및 즐김의 수준을 가늠하는 척도로서 적용되었다고 언급하였다. 따라서 2000년대 이후 인터넷과 정보통신기술이 발전하고 대중화가 되면서 이러한 기술을 바탕으로 한 경제, 사회, 문화 등 여러 분야에 관련된 현상이 나타나게 되고 이에 대한 여러 이슈와 인식이 변화하였을 것이라 예측되며, 이러한 변화 흐름을 신문에서 보도된 텍스트를 대상으로 살펴보고자 한다.

　미국의 국가정보위원회(NIC, National Intelligence Council) 및 유럽연합의 EU 2020 전략 등 세계의 여러 나라는 미래의 성장전략과 글로벌 트렌드 중 대표적인 것으로 '스마트한 성장'을 제시하였다. 정보통신기술을 기반으로 한 스마트한 시대에는 사회적 패러다임이 변화할 것이고 이를 위한 준비가 필요하다고 전문가들은 전망하고 있다. 따라서 본 연구는 세계적으로 중요한 키워드가 되고 있는 '스마트'에 대해 2000년대 이후의 국내의 일간지에서 연도별 빈도수와 관련어(공기어)와 증가추세인 키워드를 살펴봄으로써, 시대별 정보통신기술이 사회에 어떻게 반영되었는가와 이를 바탕으로 한 사회적 이슈 및 인식의 변화를 계량적으로 분석하는 데 목적이 있다. 또한 신문기사에서 나타나는 각 시대별 디지털 기술의 트렌드를 분석함으로써 정보화 사회에서의 앞으로의 정보통신기술의 역할과 방향을 제시해 줄 수 있을 것이라 사료된다.

2. 연구 대상 및 방법

본 연구에서는 정보통신기술과 관련된 단어 중 '스마트'의 키워드를 바탕으로 한 기사를 중심으로 내용과 빈도를 추출하여 살펴보고자 하였고, 이를 위해 1950년대부터 2010년대까지의 동아일보 신문 텍스트를 10년 단위로 분석하여 스마트의 전체적인 빈도 및 공기어 추이를 분석하였다. 그리고 뉴밀레니엄의 시작과 국내의 인터넷 도입과 디지털화가 본격화된 2000년부터 2013년까지 발행된 14년간의 국내 4대 신문(『조선일보』, 『동아일보』, 『중앙일보』, 『한겨레신문』)의 빅데이터를 기반으로 '스마트'와 관련된 어휘의 사용 양상을 살펴보며, 이를 통해 연도별 키워드를 통계적 방법으로 추출, 비교함으로써 변화 과정을 계량적으로 분석하였다.

2000년대 이후부터의 국내 4대 신문의 텍스트에서 추출된 '스마트'와 관련된 공기어의 순위를 살펴보고, 공기어 중에서 꾸준히 증가하거나 새로 언급된 단어들을 살펴봄으로써 이를 통해 스마트화에 관한 사회적 현상 및 트렌드와 인식의 변화를 분석해 보고자 한다. 또한, 신문 텍스트에서 나타나는 '스마트'와 관련된 직업의 시대별 변화를 공기어를 분석하여 살펴보고자 하였다. 이와 같은 분석은 고려대학교 민족문화연구원에서 구축한 '물결21 코퍼스'를 사용하여 수행하였다.

'스마트(smart)'의 일반적인 의미는 '맵시 좋은, 말쑥한, 똑똑한, 영리한'을 말하며 전자기술 분야에서는 전자 기기를 사용자가 기능을 확장, 재구성할 수 있는 디지털 기기를 말하고 있다. 그러나 '스마트'는 근래에는 그 의미가 더욱 확장되어 사회 및 경제, 또는 교육 분야에서 다양한 용어와 결합하여 사용되고 있다(위키 백과, 2017). 본 연구에서는 신문에 나타나는 '스마트화'에 대한 정보통신기술뿐만 아니라 사회, 경제, 문화 및 교육 등의 다른 분야의 주제별로 공기어를 분석함으로써 2000년대의 스마트 관련 트렌드를 관찰할 수 있을 것이다.

3. 분석 결과

1) 1950~2000년대까지의 '스마트'의 빈도와 공기어 변화

사회 속에서 나타나는 '스마트' 및 관련어의 변화양상을 거시적으로 살펴보기 위해 동아일보의 1950년대부터 2013년까지 약 60년의 전체 기사에서 10년 단위로 분석한 결과, 1950년대부터 '스마트'의 빈도수치가 나타났으며, 2000년대 이후부터 빈도수가 증가한 것으로 분석되었다〈그림 1〉.

신문에서 나타난 단어 '스마트'의 더욱 자세한 의미 분석을 위해 공기어 및 용례검색을 해 본 결과, 1990년대 이전에 나타난 '스마트'는 원

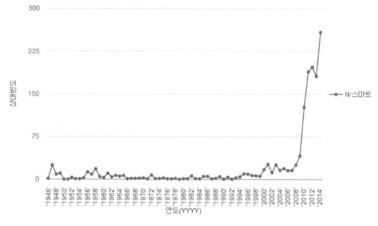

〈그림 1〉『동아일보』의 1950~2013년의 '스마트'의 상대빈도

의미의 '똑똑한'의 뜻과 결합하여 주로 사용되었고, 1980년대부터는 '스마트'와 '하이웨이', '카드', '빌딩' 등의 단어와 결합하여 첨단 정보통신기술과 여러 기술이 결합한 시스템의 의미로 사용되었다. 그러나 2000년도 이후 '스마트'의 현재의 의미인 소프트웨어나 하드웨어와 관련, 지능형으로 고도의 정보 처리 능력을 지닌 기술 및 디지털기기를 뜻하는 의미로 사용되며 빈도수가 급격하게 증가하기 시작하였다.

2) 2000년대 이후의 단어 '스마트'의 빈도와 공기어 변화

2000년대 이후에 본격적으로 사용되기 시작한 단어 '스마트'의 빈도수를 국내 대 일간지의 기사에서 절대빈도와 상대빈도로 살펴본 결과, 빈도수는 2000년대 이후 소폭의 증가, 감소를 반복하다가 2009년 급격히 증가하며 2012년까지 지속적으로 증가하고 있다(〈그림 2·3〉).

2000년대에는 단어 '스마트'와 어떤 키워드가 밀접한 관계를 가지고

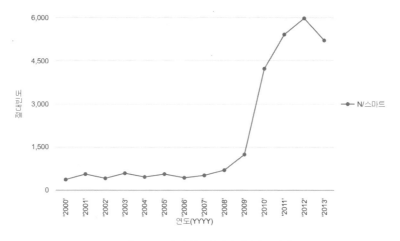

〈그림 2〉 2000년대의 '스마트'의 절대빈도 변화

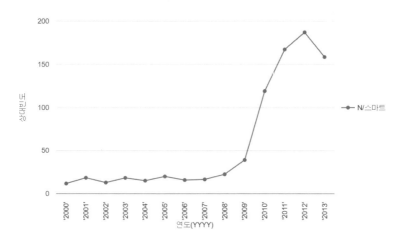

〈그림 3〉 2000년대의 '스마트'의 상대빈도 변화

있는지 살펴보기 위해, 전체 공기어를 분석해 보았다. 그리고 특정 연도의 증가 원인을 분석하기 위해 증가추세가 있었던 연도의 '스마트'와 공기어를 이루는 단어 중 t-점수가 높은 것들을 중심으로 살펴보았다 (〈표 1〉).

〈표 1〉 2000년대 이후의 '스마트' 공기어의 연도별 t-점수표

	키워드	2000	2001	2002	2003	2004	2005	2006	2007	2008	2009	2010	2011	2012	2013
1	카드	16.59	25.52	18.87	19.36	20.23	19.95	17.34	10.72	9.56	9.75	13.53	8.68	12.79	11.92
2	기술	4.84	3.31	4.49	6.47	4.00	4.85	3.49	8.36	6.69	11.27	19.17	17.71	16.61	19.58
3	기기	2.46	2.17	2.44	3.11	0.00	2.17	2.25	0.00	3.80	2.67	13.46	23.68	27.57	27.95
4	기능	4.48	7.09	6.21	5.33	6.07	4.57	5.00	5.46	6.39	4.12	12.23	16.01	18.32	19.57
5	시스템	4.77	4.03	4.34	6.01	8.08	6.68	5.36	4.30	7.86	8.93	13.65	15.25	13.46	18.31
6	전자	7.64	8.02	7.40	7.69	4.20	5.45	4.27	4.39	4.61	2.61	14.74	16.80	16.17	13.67
7	서비스	3.97	3.06	1.30	4.48	2.82	4.22	3.27	2.26	2.94	0.88	17.79	20.15	22.20	20.92
8	개발	5.64	4.87	6.32	5.78	3.19	5.08	3.99	6.17	7.06	9.38	12.95	13.20	13.01	14.00
9	정보	6.55	5.20	4.92	4.25	3.82	5.46	3.08	3.41	6.47	5.84	12.86	13.02	14.19	13.59
10	스마트 폰	0.00	0.00	0.00	0.00	0.00	0.00	0.00	0.00	0.00	3.81	19.46	22.13	20.96	19.73
11	삼성전자	2.31	2.82	3.05	3.02	0.00	0.88	2.03	3.21	0.00	2.65	12.71	19.00	21.11	15.98
12	제품	4.76	4.19	6.15	5.37	3.09	2.14	2.63	3.82	4.64	3.56	10.27	12.92	12.67	13.42
13	사용	4.62	5.73	4.17	6.21	4.42	4.34	4.11	3.54	2.39	4.64	8.66	8.37	12.68	12.09
14	이용	4.47	2.42	3.13	3.59	3.88	3.48	3.18	3.06	2.37	3.94	9.05	12.40	15.27	13.00
15	LG	0.83	1.55	0.73	1.19	1.35	4.42	0.00	1.49	1.78	1.68	14.67	16.19	16.28	14.13
16	출시	2.42	2.31	2.53	0.00	4.00	3.05	2.28	2.78	3.97	3.90	9.22	11.50	13.08	14.73
17	모바일	0.00	2.75	3.08	3.90	0.00	2.47	0.00	2.42	0.00	3.13	12.51	13.10	11.91	14.45
18	활용	1.62	1.27	0.00	1.83	1.37	2.76	2.31	1.88	2.91	3.12	10.05	12.36	14.70	13.39
19	인터넷	3.61	1.67	2.91	1.72	0.00	1.90	0.00	1.14	1.49	1.55	12.55	12.45	18.13	11.10
20	사업	2.39	3.46	6.25	3.89	0.85	3.33	1.40	3.67	3.23	5.20	12.62	9.81	7.83	7.95
21	업체	6.33	6.13	3.41	4.17	4.01	4.00	2.45	4.62	0.74	2.38	7.36	6.54	8.73	6.24
22	칩	5.66	8.84	6.12	6.93	6.12	4.62	3.40	3.09	5.77	3.33	6.46	3.15	4.16	2.45
23	신용	5.63	7.65	6.78	4.63	4.21	5.52	3.39	2.25	1.21	2.48	3.90	0.00	0.00	1.90
24	폭탄	0.00	5.08	5.11	7.55	5.17	2.76	3.32	0.00	2.67	0.00	1.24	1.73	1.41	0.00
25	메모리	2.93	4.81	5.02	6.92	2.90	0.00	0.00	0.00	2.72	0.00	2.26	3.47	1.76	2.06
26	교통	2.03	4.12	3.61	3.88	9.07	7.01	9.34	4.12	3.16	3.92	7.32	5.39	4.74	3.64
27	한국	0.00	0.00	0.00	0.00	7.86	5.78	9.18	2.54	1.03	2.90	0.00	0.00	0.00	0.00
28	요금	0.00	0.00	2.66	2.14	7.11	3.71	0.00	2.67	3.05	5.40	4.77	5.03	4.94	1.92
29	시티	0.00	0.00	0.00	0.00	0.00	6.81	0.00	3.05	7.21	5.45	9.84	9.82	6.36	6.08
30	마이비	0.00	0.00	0.00	0.00	0.00	6.32	0.00	0.00	0.00	0.00	0.00	0.00	0.00	0.00
31	수수료	0.00	0.00	0.00	1.99	0.00	0.00	7.31	0.00	0.00	0.00	1.16	1.34	2.07	1.43
32	서울시	0.00	0.00	0.00	0.00	4.40	4.72	6.94	0.00	0.00	0.00	0.00	0.00	0.00	0.45
33	파워	0.00	0.00	0.00	0.00	0.00	0.00	2.83	7.80	9.02	15.00	8.64	5.52	5.30	3.91
34	의류	0.00	0.00	0.00	0.00	3.32	0.00	5.49	6.85	6.32	0.00	4.68	2.79	0.00	4.58
35	터치	0.00	0.00	0.00	0.00	0.00	0.00	6.21	2.29	2.19	4.05	4.42	6.64	5.30
36	그리드	0.00	0.00	0.00	0.00	0.00	0.00	0.00	0.00	18.12	16.55	11.84	9.66	9.08
37	외교	0.00	0.00	0.00	0.00	0.00	0.00	0.00	3.52	12.60	1.92	0.00	0.00	0.00
38	에너지	0.00	0.00	0.00	2.103	0.00	0.00	0.00	0.00	1.24	10.22	12.08	8.29	7.59	8.80
39	워크	0.00	0.00	0.00	0.00	0.00	0.00	0.00	0.00	4.33	20.95	15.18	12.62	10.88

40	시대	0.00	0.60	0.00	0.00	0.00	0.095	0.00	0.00	1.59	2.46	11.36	18.18	12.84	9.75
41	앱	0.00	0.00	0.00	0.00	0.00	0.00	0.00	0.00	0.00	0.00	10.00	15.97	19.44	15.32
42	교육	0.87	0.00	0.210	0.00	0.00	0.00	0.00	0.00	0.00	0.00	0.00	11.83	16.38	21.24

2000년 이후의 전체적인 '스마트'와 공기어를 살펴본 결과 '카드', '기기', '스마트 폰', '기술', '서비스', '기능', '시스템', '전자', '개발', '앱' 등의 정보통신기술관련 키워드가 상위순위로 출현하였다. 또한 정보통신기술 이외의 다양한 성격의 키워드를 살펴보기 위해 t-점수 20.0이상의 단어를 살펴보면, '워크', '교육', '고객', '다양', '시티', '교통' 등의 여러 특성의 관련어가 증가추세를 보였다.

2001년도에는 '카드', '칩', '전자', '메모리', '제품' 등의 주로 전자, 기술과 관련 있는 단어늘이 t-점수가 높은 상위 공기어로 나타났으며, 최상위의 t-점수는 아니었지만 증가 추세를 보인 단어로는 '신용', '폭탄', '교통' 등이 포함되었다. 용례검색기를 활용하여 원문을 검색한 결과, '신용'과 '교통'은 해당 연도에 스마트 카드가 도입되면서 기존의 '신용카드', '교통카드' 등의 단어와 함께 많이 사용된 것으로 보이며, 이와 함께 '카드'가 최상위 공기어로 추출되었다. '폭탄'은 미국이 이라크 전쟁에서 사용한 GPS를 장착한 스스로 목표물을 찾아가는 '스마트 폭탄'이란 단어가 기사에서 많이 언급되면서 높은 순위의 공기어로 나타났다.

전년도에 비해 빈도수가 소폭 증가한 2003년도의 '스마트'와 공기어를 분석해 본 결과, '카드', '전자', '폭탄', '칩', '디스플레이', '메모리', '기술' 등이 t-점수가 높은 상위 공기어로 나타났으며 이는 기존 년도의 상위 공기어와는 큰 차이가 없었다. 한편, 새롭게 상위 공기어로 나타난 키워드를 살펴보면, '머니', '결제', '펀드', '현금', '증시' 등의 금융권과 관련된 키워드들이 공기어로 나타났다. '스마트 머니'는 증시시장에서 상황 변화에 따라 발 빠르게 움직이는 자금으로 명확하게 정의된 용어는 아니지만 당시 증시에 '스마트 머니'라는 용어가 자주 등장하였고 기사화된 것으로 보인다.

2000년대 이후, 급격하게 '스마트' 키워드의 빈도수가 증가한 2008년의 공기어인 단어를 분석해 보면, 상위순위의 t-점수의 단어는 '카드', '시스템', '개발', '기술', '정보' 등이 있었고, 상위 순위의 단어 중 높은 상승률을 보인 단어는 '파워', '시티', '의류' 등이 있었다. '스마트 파워'는 2008년 미국 오바마 대통령 정부가 들어서면서 군사력과 경제력 등을 강조한 하드 파워와 문화와 외교 등을 강조한 소프트 파워를 조화시킨 외교 전략으로서 내세웠던 외교기조였기 때문에 해당 연도에 빈번하게 등장하였던 것으로 분석된다. '스마트 시티'는 정보통신기술을 이용해 도시의 공공기능을 네트워크화한 도시를 의미하며 당해 연도에 국내의 대전, 제주 등의 도시뿐만 아니라 해외 '두바이'에도 기술을 투자하는 기사로 높은 출현빈도를 보인 것으로 보인다. 또한 '스마트 의류'는 기존의 의류섬유에 디지털 센서와 컴퓨터 칩 등을 부착하여 인간의 열이나 맥박을 체크하고 옷의 온도를 조절할 수 있는 의류로서 해당 연도에 새롭게 개발된 기술과 함께 신조어가 나타남을 알 수 있다.

2000년대 이후 가장 높은 빈도상승률을 보인 2009년도에는 '그리드', '파워', '외교', '기술', '에너지' 등의 키워드가 상위 순위로 나타났고, 이밖에도 '녹색', '경제부', '행정부', '지식', '인기', '실시간' 등의 단어도 상위권에 나타났다. 공기어의 용례를 분석해 본 결과, 가장 높은 t-점수 값을 나타낸 '스마트 그리드(smart gid)'는 기존의 전력망에 정보통신기술을 더해 전력 생산과 소비 정보를 양방향, 실시간으로 주고받음으로써 에너지 효율을 높이는 차세대 전략망, 지능형 전력망을 뜻하며, 저탄소 국내외에서 스마트 그리드를 유망 성장분야로 간주하고 이를 위한 지원을 한다는 기사가 주를 이루었다. 이 때문에 스마트 그리드와 함께 '에너지', '전력', '전기', '전력망', '지능형' 등의 공기어가 상위권에 나타났다. 또한 '스마트 그리드' 및 '스마트 워크'를 개발함으로써 청정에너지를 사용하여 환경 보전과 경제발전을 동시에 이루는 '녹색성장'을 꾀할 수 있다는 기사내용으로 '녹색'의 공기어가 빈번하게 출현하였다.

그리고 '스마트 파워'를 외교 치침으로 하고 있는 미국 오바마 행정부의 '스마트 외교'에 관한 기사가 다량 제시되었다. 또한 이 시기에는 정부의 지식경제부에서는 '신 성장 동력 스마트 프로젝트'인 ID를 식별하는 시스템인 RFID(Radio-Frequency Identification)분야의 연구개발 프로젝트를 추진 중이라는 신문 기사를 보도하여 '신 성장 동력', '프로젝트' 및 '경제부' 등의 공기어가 상위권에 출현하였다.

전년도에 이어 2010년도에도 '스마트'의 키워드는 신문기사에서 지속적으로 등장하였다. 상위 공기어를 살펴보면 '워크', '스마트 폰', '서비스', '정보', '모바일', '통신', '어플리케이션', '앱', '폰' 등이 있었다. 용례를 분석해 본 결과, 언제 어디서나 정보기술(IT)을 이용해 일할 수 있는 업무환경인 '스마트 워크'를 정부가 공공기관에 추진하면서 가장 높은 t-점수가 나타났다. 한편 2009년 이후에는 국내에 스마트 폰 시장이 급격히 증가하면서 2010년도에는 스마트 폰과 관련된 공기어가 주요 순위를 이루었다. 또한 전년도에 이어 '그리드', '지능형', '카드', '워크' 등의 키워드가 주요 공기어로 나타났다. 이 밖에도 전년도에 나타나지 않았던 공기어로는 '페이퍼', '티브이', '태블릿', '클라우드' 등이 있었고, 용례를 분석해 본 결과 2010년에는 모바일 기기에서 잘 편집된 신문의 콘텐츠를 볼 수 있는 '스마트 뉴스페이퍼' 서비스와 텔레비전과 컴퓨터가 결합된 '스마트 티브이', 그리고 '스마트 태블릿' 등의 기술이 등장하였고 이러한 PC, 스마트 폰, 스마트 TV를 연동한 '클라우드' 서비스가 열풍이 일고 있다는 기사가 많이 나타났다.

2011년도에는 전년도에 비해서는 증가 폭은 낮았지만, '스마트'의 빈도수는 꾸준히 증가하였다. 공기어를 살펴본 결과, '기기', '스마트 폰', '서비스', '앱', '태블릿', '모바일' 등의 스마트 폰과 모바일 서비스와 관련된 키워드가 높은 순위로 나타났다. 2011년에 새롭게 높은 순위의 공기어로 나타난 키워드는 '러닝', '냉장고', '교육' 등이 있었다. 용례 분석 결과, 환경에서 정보기술(IT)을 활용한 '스마트 러닝' 시스템과 양방향으로 소통하는 교육인 '스마트 교육'이 새롭게 부상하였으며, 여러 스마트 기술을 활용한 가전 중 스마트 홈의 중심이 되는 전략제품으로 냉장고, 세탁기, 오븐, 로봇청소기 등 가전제품을 인터넷과 연결시켜 사용하는 제품이 출시됨에 따라 이들의 t-점수가 높게 나타난 것으로 보인다.

2012년도의 '스마트'의 빈도수는 전년도에 비해 완만하게 증가하였고, 공기어를 살펴보면 '기기', '스마트 폰', '서비스', '앱', '기능', '인터넷', '콘텐츠', '기술', '교육' 등이 상위 순위 t-점수로 나타나며 전년도와 크게 다른 상위 순위의 키워드는 출현하지 않았다. 새롭게 나타난 공기어로는 '금융', '수업', '뱅킹', '스쿨' 등이 나타나 스마트 환경이 금융권과 교육 분야까지 확장 된 것이라 볼 수 있다.

3) '스마트'와 관련 키워드를 바탕으로 한 트렌드 분석

앞에서 2000년대의 '스마트'와 관련된 공기어의 키워드를 살펴보고, 특히 빈도수가 크게 증가한 특정 년도의 단어들을 살펴본 결과, 대부분의 상위 순위에는 정보통신기술과 관련된 키워드가 출현하였고, 그 밖에도 사회, 경제, 교육, 문화 등의 여러 분야에서 새롭게 나타난 신용어가 많이 출현하였음을 확인 할 수 있었다. 본 섹션에서는 앞에서 분석한 '스마트'와 관련된 키워드를 바탕으로 사회현상에서 나타난 여러 가지 핵심적인 경향을 살펴보았다. 다음의 〈그림 4〉는 앞에서 분석한 2000년부터 2013년까지의 '스마트'와의 공기어 중 t-점수가 높은 공기어들의 상대빈도를 그래프로 나타낸 것이다.

'스마트'의 공기어 중 t-점수가 높으며 지속적인 증가추세를 보인 키워드는 '시대', '혁명', '파워', '지능형', '직업', '일자리', '부작용' 등이 있

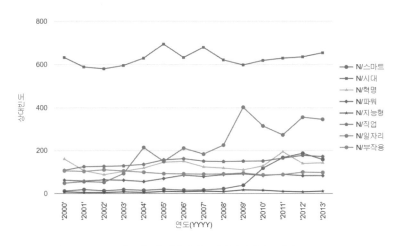

〈그림 4〉 '스마트'와 상위 공기어의 상대빈도 변화

었다. 다음에서는 이들과 관련 있게 나타나는 키워드 중 증가추세를 보이는 것은 어떤 것이 있으며, 그 이유와 사회적인 현상을 분석해 보고자 한다.

(1) 스마트 '시대'와 트렌드

2000년대의 '스마트'의 공기어 중 정보통신기술과 관련하여 10여 년 동안 꾸준히 상위 순위로 출현한 단어는 '시대'와 '혁명'이었다. 이는 현재의 시대를 정보통신기술을 활용한 '스마트 시대', 또는 '스마트 혁명'으로 표현함으로써 상위에 나타난 것으로 보이며 빈도수를 보면 '스마트'와 '시대'는 총 835건, '혁명'은 301건으로 분석되어 '스마트화'의 트렌드를 살펴보기 위한 적절한 용어로 사료되었다.

이를 구체적으로 분석하기 위한 '시대'와 상위 관련어로 추출된 키워드의 빈도추이는 다음과 같다〈그림 5〉.

'시대'와 관련된 단어 중 '조선', '역사', '일제', '동북아' 등의 역사 또는 지리적인 의미의 단어를 제외하고 상위 공기어로 추출된 단어들은 '차세대', '정보화', '융합', '글로벌', '스마트', '모바일', '미디어', '사이버' 등으로 대부분이 정보통신기술과 관련이 있었다. 이들은 대부분 10여 년 동안에 꾸준한 증가추세를 나타내고 있어 2000년대 이후의 시대를 표현할 수 있는 키워드들은 대부분 정보통신기술과 관련이 있음을 알 수 있다. 단어 '스마트'와 '모바일'은 2000년대에는 거의 나타나지 않다가 2010년 이후의 기사부터 상위에 나타나기 시작하였다. 따라서 '스마트 시대'라는 표현은 스마트 폰을 활용한 모바일 서비스가 시작된 2010년

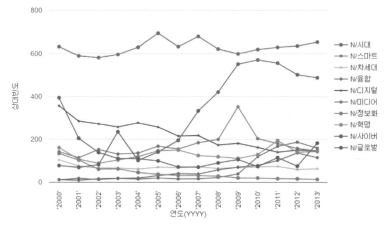

〈그림 5〉'시대'와 상위 관련어로 추출된 키워드의 빈도 추이

이후부터 사회적으로 사용되었고, 이후의 시대를 표현할 수 있는 대표적인 기술 또는 기기임을 알 수 있다.

'차세대'의 관련어를 살펴보면, '기술', '반도체', '디스플레이', '바이오', '스마트', '미래', '정보', '모바일', '의료', '지능형', '친환경' 등이 증가 추세를 보이는 것으로 나타나 2000년대 이후 주력하고 있는 차세대 또는 미래의 산업 및 기술, 연구 분야의 주제가 정보통신기술 분야에 주력하고 있음을 알 수 있다.

'융합'은 2000년대 이후 지속적인 높은 증가추세를 보였으며, 관련된 키워드를 보면 '협력', '결합', '협동', '기술', '과학', '산업', '통신', '방송' 등의 정보통신분야의 단어뿐만 아니라, '교육', '학문', '문화', '인재', '양성' 등의 교육 분야, 그리고 '의료', '생명' 등의 의학 분야의 단어가 증가함을 볼 수 있어, 다양한 분야에서 사용되는 단어임을 알 수 있고 여러 분야의 학문이 결합하고 협력하는 것이 주목을 받고 있는 것이라 보여진다.

단어 '혁명'의 관련어를 살펴보면, '인터넷', '디지털', '정보', '기술',

'산업', '세계' 등 '시대'와 비슷한 경향의 키워드가 주로 증가추세를 보였고, 2010년 이후에는 '스마트'가 높은 증가추세를 보였다. 이 밖에도 '녹색', '통신', '에너지', '미디어', '변화', '주도', '세대' 등의 키워드가 증가추세를 보였다. 이처럼 스마트화로 나타난 사회적, 경제적 변화를 언론에서는 '스마트 시대', '스마트 혁명'이라 일컬으며 정보통신기술의 반전으로 나타난 급격한 사회현상을 강조하며 나타내고 있는 것으로 보인다.

(2) '스마트 시대'의 신조어 트렌드

기존의 '영리한, 깔끔한' 등의 원 의미의 스마트에서 정보통신을 기반으로 한 기기의 새로운 용어로 변화하면서, 이를 활용한 신조어가 지속적으로 등장하고 있다.

2000년대의 4대 신문의 기사에서 '스마트'와 '용어'의 유의어 관계를 분석해 보면, '새로운', '등장', '바꾸다', '개념', '대신', '다양' 등의 단어가 주요 키워드로 나타나 '스마트'와 새로운 조합의 개념이 다양한 분야에서 '신조어'로 등장한 내용의 기사가 많이 나타난 것으로 보인다. 증가추세를 보이는 키워드를 분석해 보면, 증시 및 금융과 관련된 용어 중에는 '스마트 시대', '스마트 혁명', '스마트 머니', '스마트 뱅킹', 기존의 상품 및 제품과의 결합을 나타내는 용어 중에는 '스마트 의류', '스마트 디바이드', 새로운 현상을 나타내는 용어 중에는 휴대전화와 인터넷으로 무장한 똑똑한 군중을 뜻하는 '스마트 몹스(Smart Mobs)', 소프트 파워와 하드 파워를 적절히 결합한 '스마트 파워(smart power)', '스마트 그리드', '스마트 시티', '스마트 산업', '스마트 워크', 스마트(Smart)와 컨슈머 (Consumer)를 합친 '스마트 슈머', '공간 효율성을 최대화한 평면 구조를 뜻하는 '스마트 사이징' 등이 있다. 정보통신기술 발달로 이처럼 '스마트' 란 용어는 점점 증가하고 있고 '똑똑하다'는 긍정적 의미 때문에 각 국 정부와 기업들이 여러 부분에서 사용하며 신조어를 생산하고 있는 것으로 보인다. 『동아일보』의 2012년 11월 19일 기사에 따르면 "국내 특허청에 등록된 '스마트' 또는 'smart'라는 용어를 포함시켜 출원한 상표가 1,000건을 넘어섰다"고 보도하고 있다. 향후에도 '스마트'라는 용어가 제품 및 기술 이외의 여러 부분의 현상 및 기술과 조합하여 새로운 용어로서 사용이 늘어날 것으로 보인다. 하지만, 본 단어의 뜻인 긍정적이고 똑똑한 이미지를 보고 결합 제품이나 용어를 사용하는 이용자들에게 피해가 가지 않도록 용어의 사용 기준 및 규제가 필요할 것으로 보인다. 또한 대부분의 신조어가 외래어의 조합으로 생겨난 것으로, 그 뜻을 이해하고 기억하기 어려운 부분이 있다. 따라서 다른 용어로 대체 불가능하거나 꼭 필요한 용어에만 활용하는 것이 바람직할 것이라 사료된다.

스마트의 공기어 중, 높은 빈도수의 추세를 보인 단어 중 하나인 '파워'는 단어 '스마트'와 결합하여 하드 파워와 소프트 파워를 결합한 외교 용어로 사용되는 것뿐만 아니라 여러 단어 함께 사용되며 그 빈도수는 꾸준히 증가하고 있다(〈그림 6〉).

관련어를 살펴보면, '소프트', '하드', '스마트', '외교', '오바마', '김정은', '군사력' 등의 정치, 군사와 관련된 키워드가 증가추세였다. 또한 '브랜드', '경제력', '마케팅', '만족도', '소비자' 등의 경영 전략과 관련된

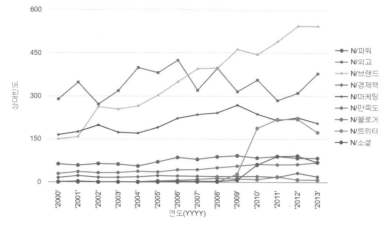

<그림 6> '파워'와 상위 관련어로 추출된 키워드의 빈도추이

단어가 증가 하였으며, '블로거', '트위터', '소셜', '자랑', '과시', '매력' 등
의 온라인, 소셜 마케팅과 관련된 단어도 증가하여 이들이 파워 있는
마케팅 방법으로 부상하고 있음을 알 수 있다. 그리고 '여성', '엘리트'
등의 특정 계층과 관련된 단어도 증가하였다.

부드러움을 뜻하는 '소프트'의 관련어를 보면, '인터넷', '정보', '문화',
'군사력', '산업', '경쟁력', '전략' 등의 다양한 분야에서 연관 지어 사용
되는 것을 볼 수 있어 정치, 경제, 사회, 문화 등의 여러 분야에서 딱딱
한(하드) 방법보다는 부드러운(소프트) 방법이 '브랜드'로서 '매력'있게
적용되고 있다고 해석할 수 있다.

온라인상에서 블로그를 운영하는 사람을 뜻하는 '블로거'의 관련 키
워드로는 '블로그', '파워', '유명', '인터넷', '인기', '글', '마케팅', '영향력'
등의 단어가 증가하여 블로거는 블로그에서 글을 쓰며 유명하고 파워
를 가진 사람임을 뜻하며 '파워 블로거'로 표현되고 있고, 이들은 '요
리', '사진', '홍보', '여행', '리뷰' 등의 여러 활동을 블로그를 통해서 하는
것을 알 수 있다(〈그림 7〉).

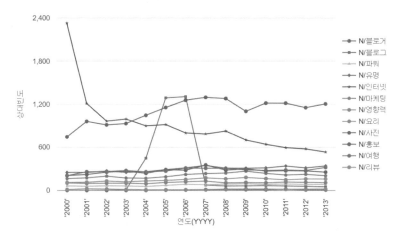

<그림 7> '블로거'와 상위 관련어로 추출된 키워드의 빈도 추이

(3) 스마트화된 지능형 기술

'지능형'과 관련어로 추출된 단어를 살펴보면, '친환경', '도시', '콘텐츠', '의료', '가전' 등의 다양한 주제들이 증가하여 다방면에 지능형 기술을 활용한 연구가 진행 중인 것을 알 수 있으며, '교통', '버스', '자동차', '도로', '차량', '고속도로', '에어백' 등의 단어가 증가하는 것으로 보아 지능형 교통수단 시설에 많은 관심이 쏠리고 있는 것으로 볼 수 있다.

'지능형'에서 가장 상위로 나타나는 공기어는 '로봇'으로서, 현재 인공지능을 기반으로 한 지능형 로봇에 대한 관심이 높아지고 있으며 증가추세를 보이는 관련 키워드는 다음과 같다(〈그림 8〉).

'인공', '지능', '원격' 이외에 '수술', '환자', '의료', '수술용', '노인', '노약자', '치료', '장애인', '고령화' 등의 의학 및 치료용도의 로봇이나, '청소', '가사', '가정', '가정부', '가정용', '홈', '가전' 등의 가정의 일을 대체해 줄 로봇, 또는 '산업용', '군사용' 등 다방면에서 활용될 수 있는 로봇에 대한 연구가 주목을 받고 있는 것으로 보인다. 그리고 '심부름', '오락', '애완

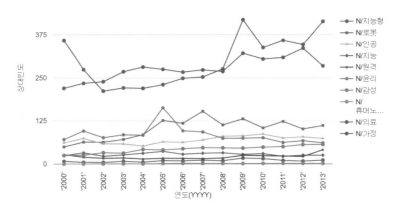

〈그림 8〉 '지능형'과 상위 관련어로 추출된 키워드의 빈도 추이

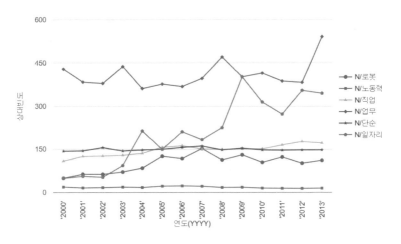

〈그림 9〉 '로봇'과 상위 관련어로 추출된 키워드의 빈도 추이

동물', '친구', '구조' 등의 단어도 로봇과 인간에 관련된 여러 이슈와 관련된 기사와 함께 '휴먼', 인체와 유사한 모양을 가진 '휴머노이드 (Humanoid)', '윤리', '감성', '인간' 등의 공기어도 꾸준히 증가하였다.

단어 '로봇'과 함께 증가추세를 보인 키워드는 '노동력', '직업', '업무', '단순' 등이 있어, 인공지능을 가진 로봇의 일반화에 따른 단순 업무와 노동력과 관련된 인간의 직업의 변화에 대한 관심이 높아지고 있음을 알 수 있다〈그림 9〉.

스마트와 로봇에서 모두 높은 순위의 관련어로 나타나는 '가전'의 시대별 상위 키워드를 보면, 2000년대 초, 중반에는 '냉장고', '세탁기', '청소기', '컴퓨터', '에어컨', '텔레비전', '카메라' 등이 있었고, 2000년대 후반부터는 '스마트 폰', '로봇', '휴대폰', '태블릿', '자동차', '청정기'가 있어 시대별로 가전의 범위와 유행이 변화했음을 알 수 있다. 또한 2000년대 초·중반에는 '전자랜드', '테크노마트', '하이마트', '백화점' 등의 오프라인 판매점이 상위 키워드로 나타났다면, 2000년대 후반부터는 '온라인', '쇼핑몰', '인터넷', '미디어' 등이 상위 키워드로 나타나 가전을 구입하는 상소 또는 매제가 변화하였음을 볼 수 있다.

(4) '일자리' 또는 '직업'의 변화와 전망

앞에서 언급된 스마트화와 로봇의 상용화로 나타났거나 또는 미래에 나타날 수 있는 '일자리', '직업'의 변화는 신문에서 어떻게 반영되었는지 살펴보았다. 2000년대 이후에 '스마트'와 '일자리'의 공기어 빈도 수는 65번, '직업'과는 10번으로 나타났다. 증가추세를 보인 관련 키워드는, '스마트 그리드', '스마트 워크', '스마트 하이웨이', '스마트 타운', '스마트 혁명', '스마트-뉴딜' 등의 기술과 정책과 관련된 것들이었다. 새로운 기술의 발전과 상용화가 되면서 새로운 일자리가 창출될 것이란 기사가 많이 출현한 것으로 보인다. 또한, '스마트'와 '일자리'의 유의어 관계에서는 '육성', '확대', '투자', '새롭다', '성장' 등의 일자리 확대

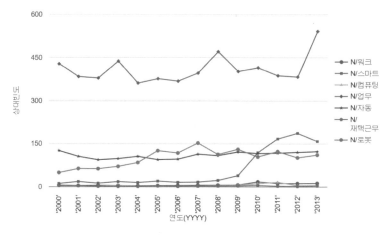

〈그림 10〉 '워크'와 상위 관련어로 추출된 키워드의 빈도 추이

에 대한 단어가 나타났으며, 일자리 육성을 위한 '교육', '센터' 등의 단어와 '중소기업', '산업', '정보', '기술', '서비스' 등 투자 대상에 대한 단어도 찾아볼 수 있었다. 따라서 신문기사에서 나타난 '스마트화'에 따른 일자리 또는 직업의 변화는 정보기술 및 서비스 분야가 창출될 것으로 보이며, 이를 위해서는 중소기업 및 산업 분야에 대한 투자와 교육 및 이를 위한 센터가 필요할 것으로 보인다. 관련 기사의 용례를 살펴보면, 새로운 일자리의 분야로는 광대역 통신망과 헬스 정보기술, 스마트 전력망을 활용한 교육, 의료, ICT 분야가 될 것이라 전망하고 있다. 2012년 11월 26일의 『동아일보』 기사의 예를 보면, "2009년 이후 IT 분야에서만 연간 5,000개 이상의 중소기업이 생겼으며 방송통신산업 상시 종사자는 3년간 1만 7,000여 명 늘어났다"고 기사화하였다.

직업 또는 일자리와도 관련이 있는 단어 '워크(work)'에서 높은 빈도를 나타나는 키워드를 보면, '스마트', '업무', '자동', '스마트 폰', '재택근무', '모바일', '컴퓨팅', '로봇', '정보화' 등으로 나타나 업무의 자동화 스마트화로 인해 모바일, 로봇, 컴퓨팅 작업을 이용하여 언제, 어디서

나 근무할 수 있는 환경이 제공되어 재택근무가 늘어나고 있음을 알
수 있다〈그림 10〉.

(5) '스마트화'에 따른 부작용

정보통신기술을 활용하는 스마트 시대는 인간의 편리와 경제적인
발전을 가져왔지만, 그로 인한 부작용이 있을 수 있다. 이러한 이슈를
조사하기 위해 신문에서 나타난 '스마트'와 '부작용', '우려', '악용', '중
독' 등의 부정적인 작용과 결과에 대한 공기어를 분석해본 결과, '스마
트'와 '부작용'은 26건, '우려'는 65건, '악용'은 5건, '중독'은 35건, '역기
능' 9건이 검색되었다. 좀 더 구체적인 분석을 위해 용례를 분석해 본
결과, 스마트 시대에 도태되거나 이를 악용하여 넷 질서를 해치는 '스
마피드(smart+stupid)', 스마트 기기의 이용으로 생각을 하지 않는 현상
으로 생겨난 '스마트 더머(smart dumber, 스마트한 바보)', 스마트 기기에 대
한 '의존 심화', '스마트 카드'나 '스마트 시계'의 악용으로 인한 개인 정
보의 노출, '디지털 중독', '거북목 증후군', '안구 건조증' 등의 다양한
사회적, 신체적 부작용이 언급되었다. 또한, 스마트화로 높은 주목을
받은 '스마트 워크'는 제3의 장소에서 근무 할 수 있는 장점으로 삶을
풍요롭게 할 것으로 기대를 모았으나, 현실에서는 노동자로서 법적 보
호를 받지 못한 채 열악한 노동조건에 몰리는 부작용의 현상이 나타나
고 있다고 언급되었다. 2011년 4월 5일 『중앙일보』 기사의 예에서는,
"미국 매사추세츠공대(MIT) 셰리 터클(Sherry Turkle, 정보기술사회학) 교수
는 최근 펴낸 책 『다 함께 홀로(Alone Together)』에서 지인의 장례식장에

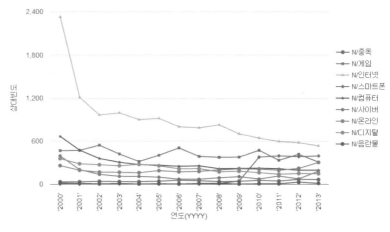

<그림 11> '중독'과 상위 관련어로 추출된 키워드의 빈도 추이

서조차 아이폰을 들여다보며 '자신만의 대화'에 몰두하는 사람을 예로 들면서, (스마트) 기술 탓에 공동체는 점점 더 비인간화되고 있다"며 스마트 중독에 대한 피해를 주장했다. 스마트 시대의 급진전에 따른 우려할 만한 부작용과의 유의어를 분석해 보면, '금융', '교육', 인터넷', '정보' 등의 부분에서 스마트 시대가 도입되면서 이를 이용하는 과정에서 여러 부작용, 악용이 나타나고 있는 것으로 보이며, 이를 '최소화'하고 '줄이'기 위한 노력이 필요할 것으로 보인다.

'중독'과 관련된 키워드를 살펴보면, '게임', '인터넷', '스마트 폰', '컴퓨터', '사이버', '온라인', '디지털', '음란물' 등의 정보통신기술과 관련된 단어가 2000년대 이후 급격하게 증가하여 이러한 기술의 발전이 사회적으로 큰 부작용을 나타내고 있는 것으로 보이며, '약물', '알코올', '니코틴', '담배', '도박' 등의 약물중독에 관련된 단어도 꾸준히 증가하는 추세였다<그림 11>.

앞에서 분석한 2000년대 이후에 4대 신문기사에서 나타난 '스마트'와 관련된 공기어 및 관련 키워드를 살펴보면, 크게 5가지 주제의 트렌드로 설명할 수 있으며, 관련 키워드를 정리하면 다음 〈표 2〉와 같다.

〈표 2〉 2000년대 이후의 '스마트'의 공기어 및 관련 키워드

주제	주요 공기어	관련 키워드
스마트 시대와 트렌드	시대, 혁명, 차세대, 정보화, 융합, 글로벌, 모바일, 미디어, 사이버 등	차세대 : 기술, 반도체, 디스플레이, 바이오, 스마트, 미래, 정보, 모바일, 의료, 지능형, 친환경 등 융합 : 협력, 결합, 협동, 기술, 과학, 산업, 통신, 방송, 교육, 학문, 문화, 인재, 양성, 의료, 생명, 등 혁명 : 인터넷, 디지털, 정보, 기술, 산업, 세계 등
스마트 시대의 신조어 트렌드	스마트 : −몹스, −파워, −그리드, −시티, −산업, −워크, −슈머, −사이징, −시대, −혁명, −머니, −뱅킹, −디바이드 등(−는 복합어)	파워 : 소프트, 하드, 스마트, 외교, 오바마, 김정은, 군사력, 브랜드, 경제력, 마케팅, 만족도 소비자, 블로거, 트위터, 소셜, 자랑, 과시, 매력, 여성, 엘리트 등 소프트 : 인터넷, 정보, 문화, 군사력, 산업, 경쟁력, 전략 등 블로거 : 블로그, 파워, 유명, 인터넷, 인기, 글, 마케팅, 영향력, 요리, 사진, 홍보, 여행, 리뷰 등
스마트화된 지능형 기술	지능형·친환싱, 노시, 콘텐츠, 의료, 가전, 교통, 버스, 자동차, 도로, 차량, 고속도로, 에어백	로봇 : 인공, 지능, 원격, 수술, 환자, 의료, 수술용, 노인, 노약자, 치료, 장애인, 고령화, 청소, 가사, 가정, 가정부, 가정용, 혼, 가전, 산업용, 군사용, 쉼부름, 오락, 애완동물, 친구, 구조, 휴먼, 휴머노이드, 윤리, 감성, 인간, 노동력, 직업, 업무, 단순 등 가전 : 냉장고, 세탁기, 청소기, 컴퓨터, 에어컨, 텔레비전, 카메라, 스마트 폰, 로봇, 휴대폰, 태블릿, 자동차, 청정기, 전자랜드, 테크노마트, 하이마트, 백화점, 온라인, 쇼핑몰, 인터넷, 미디어 등
일자리, 직업의 변화와 전망	스마트 : −그리드, −워크, −하이웨이, −타운, −혁명, −뉴딜	워크 : 스마트, 업무, 자동, 스마트 폰, 재택근무, 모바일, 컴퓨팅, 로봇, 정보화 등
스마트화에 따른 부작용	스마피드, 스마트 더머, 디지털 중독, 거북목 증후군, 안구 건조증	중독 : 게임, 인터넷, 스마트 폰, 컴퓨터, 사이버, 온라인, 디지털, 음란물, 약물, 알코올, 니코틴, 담배, 도박 등

4. 결론

본 연구에서는 국내 4대 종합일간지의 신문기사를 데이터화한 고려대학교 민족문화연구원의 '물결21'의 빅데이터를 활용하여 2000년부터 2013년까지의 '스마트' 키워드를 바탕으로 정보통신기술 분야에 대

한 사회적 이슈와 추이를 분석하였다. 또한 1950년대부터 2000년대까지의 전반적인 '스마트'에 대한 사회적 관심을 살펴보기 위해 '물결21'의 『동아일보』 데이터를 토대로 분석해 보았다.

본 연구의 결과를 바탕으로 스마트화와 정보통신기술과 관련된 전반적인 사회적 관심의 추세를 살펴보면, 1950년도부터의 『동아일보』의 '스마트' 키워드의 사회적 관심은 1990년도까지 완만한 빈도수를 나타내며, 대부분의 의미가 '스마트'의 원 의미인 '똑똑한, 말끔한' 등의 뜻으로 사용되었다. 그리고 1990년대 중반 이후부터 정보통신기술의 발전으로 근대적인 의미인 소프트웨어나 하드웨어와 관련, 지능형으로 고도의 정보 처리 능력을 지닌 기술 및 디지털 기기를 뜻하는 단어로서 '폭탄', '카드' 등과 결합하여 사용되었다. 2000년대부터는 전 세계적으로 각국 정부와 기업들이 여러 부분에서 '스마트'의 기술과 단어를 활용하여 사회적 관심이 높아지면서 빈도수가 지속적으로 증가하고 있다. 특히, 2000년대 후반에 통신기술인 '스마트 폰'의 대중적인 사용으로 인해 스마트 기술에 대한 관심이 급격히 증가하였음을 볼 수 있었다.

'스마트화'의 트렌드를 관련 공기어와 증가 추세를 보이는 키워드를 바탕으로 살펴본 결과, 첫 번째 현상은 '스마트'를 단순한 정보통신기술 또는 제품이 아니라 사회적인 이슈로 보며 '시대' 또는 '혁명'이라 표현하며 이전의 관습이나 제도, 방식을 깨뜨리고 질적으로 새로운 것을 급격하게 세우는 키워드로 사용하였다. 즉 스마트화는 인류의 삶에 있어서 새로운 시대를 열고 국가, 사회, 경제적으로 큰 변화를 가져오는 요소로 본 것으로 보인다. 따라서 공기어도 '미래', '융합', '산업', '세계',

'글로벌', '혁명', '도래', '지식' 등의 미래 지향적인 현상을 설명하는 단어가 주로 나타났다. 두 번째 트렌드는 '스마트'와 결합하여 다양한 신조어가 발생하였으며, 이들은 사회, 경제, 군사, 문화 등 여러 분야의 전문용어와 결합하여 사용된 것을 볼 수 있다. 각 시대에 새로운 기술이나 정책 등에 '스마트'를 결합하여 신조어를 만든 것으로 보아 '스마트'는 그것을 사람들에게 홍보하고 인식시키기 위한 중요한 단어라 볼 수 있다. 세 번째, '스마트화'는 새로운 정보통신기술 및 정책을 활용하여 정보기술 및 서비스 분야의 '일자리', '직업'의 변화에 긍정적인 영향을 미친 것으로 나타났다. 마지막으로 위와 같이 '스마트화'의 장점과 중요한 부분도 있지만 이러한 기술 또는 정책의 사용으로 인해 부작용노 나타났다. 인간은 '스마트화'된 기술 또는 정책의 사용에 대해 중독되거나 남용하여 신체적 또는 정신적 피해를 입게 되었고 또한 발전된 정보통신기술의 발달로 개인 및 사회, 국제적 정보의 노출과 악용의 현생이 나타나게 되었음을 알 수 있었다.

본 연구에서는 국내 4대 일간지의 신문기사 빅데이터를 바탕으로 각 연도별 관심을 받았던 '스마트화'에 따른 정보통신기술의 트렌드뿐만 아니라 사회적 이슈 및 정부와 기업의 정책, 그리고 국제적 추이를 살펴볼 수 있었던 점에 의의가 있다. 본 연구 결과 새로운 기술의 발전은 인간의 사회적, 문화적 성향에도 변화를 줄 수 있으며, 다양한 긍정적인 변화를 가져올 수도 있지만 그에 따른 부정적인 영향과 피해도 야기할 수 있음을 알 수 있었다. 앞으로의 연구에서는 본 연구에서 분석하지 않은 '스마트화'에 따른 새로운 현상 및 발전 부분 또는 새로운 정보통신기술로 인해 발생하는 사회적 현상을 살펴보고, 이에 대한 분석이 필요할 것으로 보인다. 또한 정보 및 기술 분야는 발전 속도의 흐름이 매우 빠르기 때문에 매해 나타나는 현상 및 이슈도 급격히 변할 것이라 보인다. 그러나 본 연구에서는 2000년대 이후의 4대 일간지 신문 데이터 중 2013년까지의 기사 데이터를 분석하였기 때문에 앞으로의 연구에서는 이후부터 2017년 현재까지의 변화를 보는 것이 중요하다고 사료된다.

참고문헌

김찬석, 「과학기술 연구 성과의 뉴스 프레임 연구」, 『한국광고홍보학보』 10(2), 2008.

최봉기, 「신문 텍스트 분석을 통한 신흥기술의 기대 연구」, 서울 : 한국과학기술정보연구원, 2013.

Rogers, E. M., *Diffusion of innovations* (4th ed.), New York : The Free Press, 1995.

'물결21' 코퍼스, http://corpus.korea.ac.kr/

제6장 | 여가餘暇와 그 관련어 분석을 통한 한국 여가문화의 변화 |

1. 들어가며

'여가'는 단어를 구성하는 한자의 의미 그대로 '남는 겨를'이다. 사전적인 의미로 좀 더 구체적으로 정리하면 인간이 가지는 시간 중 생리적인 시간과 일하는 시간(노동시간)을 제외하고 자유롭게 쓸 수 있는 시간이다. 아울러 사회문화적 의미를 덧붙이면 이 시간에 본인의 '자유의지'와 '선택'에 따른 모든 행위를 포함하는 개념이다.

여가의 개념은 동서양을 막론하고 이미 오래전부터 있었던 것이다. 서양의 경우 아리스토텔레스가 이미 여가를 논하고 있다. 그는 '여가가 일보다는 더 좋고 그리고 여가는 일의 목적이며, 따라서 우리는 여가 있는 시간에는 무엇을 해야만 하는가라는 문제가 제기되어야 하는 것'이라고 하였다(아리스토텔레스, 이병길·최옥수 역, 1996, 317쪽).[1] 동양의 경우도 독서하기 좋은 여가시간을 의미하는 '삼여(三餘)'는 이미 중국 고대인 삼국 시대 위(魏)나라 동우(董遇)가 한 말이었다.[2] 우리나라의 경우도 여가는 오래전부터 사용된 것으로 생각되며, 고전에서 확인되는 단어 사용의 용례는 고려시대부터 나온다.[3]

전근대시기의 여가에 하는 행위도 현재와 그렇게 다르지 않다. 술 마시고, 책 읽고, 여행하고, 사회적 봉사를 했다. 그러면 오늘날 우리가 인식하고 이용하는 여가와 전근대시기 여가는 동일한 것인가라고 하면 완전히 틀린 얘기는 아니지만 완전히 옳다고 할 수도 없다. 일에서 벗어나 자유롭게 쓸 수 있는 시간이라는 인식에는 변함이 없고, 여가 시간에 하는 행위들에도 공통된 것이 많지만, 최소한 다음의 두 가지 큰 틀에서 차이가 있다.

첫째는 여가를 누리는 범위이다. 전근대 여가를 향유할 수 있었던 것은 이른바 '유한계층'이라고 불렸던 특권층에 제한되는 측면이 컸다. 우리의 조선시대로 치면 이른바 양반이라는 계층에 해당할 것이다. 일반 '민'들에게 여가가 없었다고 볼 수는 없지만, 노동과 분리되지 않은 상태에서 노동의 일부분으로 간주되거나, 단순한 수동적 휴식 이상의

---

1 아리스토텔레스의 여가 개념과 관련한 학계의 기존 주요 연구로는 신득렬(2005) 및 신종화(2007)를 참조할 수 있다.

2 삼여(三餘)는 학문을 하는 데 가장 좋은 세 가지 여가로, 바로 해의 나머지[歲之餘]인 겨울, 날의 나머지[日之餘]인 밤, 때의 나머지[時之餘]인 음우(陰雨)이다. 삼국 시대 위(魏)나라 동우(董遇)가 "겨울은 한 해의 여가이고 밤은 하루의 여가이고 장마철은 한 철의 여가이므로 독서를 하기에 아주 좋다"라고 한 말에서 비롯되었다(『三國志』卷13, 魏書 王肅傳).

3 한국고전종합DB(db.itkc.or.kr/)에서 '餘暇'를 검색한 결과 가장 이른 시기에 사용한 용례는 현존하는 가장 오래된 문집 중 하나로 1249년 간행된 『南陽詩集』에 나오는 '伏望奏事餘暇'라는 구절이다(『南陽詩集』卷上, 追和先人百合花呈崔承制).

인식은 없었다고 할 수 있다. 아울러 일상적이지 않았을 것이기 때문에 능동적 여가 행위에 대한 인식 자체가 희박했을 가능성이 크다. 오늘날의 일상적이고 모든 계층을 대상으로 하는 대중적인 여가 개념과는 차이가 있었다는 것이다.[4]

둘째는 일(노동)과 여가의 역학관계이다. 근대 산업화에 비례하여 여가는 일과의 구분이 뚜렷해진다. 그것은 상식적이지만 자본주의에서 일이 시간으로 측정되고 거기에 따라 임금을 받기 때문이다. 사실 맑스의 얘기를 빌리지 않아도[5] 근대 사회 이후 자본에 대한 인간의 투쟁은 좀 더 짧은 시간을 일하면서 많은 임금을 받으려는 방향으로 전개되어 왔고, 우리나라의 경우 노동시간 단축 문제는 여전히 큰 사회적 주목을 받는 현재진행형의 이슈이다.[6] 물론 하루 중 일하는 시간이 점점 짧아진다고 해서 그것이 바로 여가로 이어지는 것은 아니다. 처해져 있는 경제적 상황, 좀 더 나은 삶을 위한 노력 등 여러 가지 요인에 의해 그 시간에 추가적인 일을 한다던가, 싫어하는 어학 학원을 다닐 수도 있기 때문이다. 그러나 그렇다고 하더라도 전반적이고 장기적인 추세는 노동시간이 짧아지는 것에 비례하여 여가가 늘어난다는 것을 보여준다. 그리고 통계 수치를 거론하지 않더라도 현재 우리 사회가 보다 열심히 일하기 위한 여가 확보라는 인식에서 벗어나, 보다 양질

---

4 물론 이런 해석에 대해서는 일정한 유보가 필요한 측면이 있다. 일반민들의 일상에 대한 다양한 각도의 추가적 연구가 필요하기 때문이다.

5 맑스는 특유의 역사적 관점에서 기존 자율적 노동이 산업사회의 강제적 노동—맑스의 표현대로는 '소외된 인간'—으로 변화하면서 노동과 여가가 분리·대립하게 되었고, 그가 꿈꾼 '자유의 나라'에서 노동과 여가는 다시 합쳐질 것으로 전망하였다(エルマ―・ブラント・晋田正巳 共編, 1974, 6~7쪽).

6 최근 어느 정치인이 얘기했던 '저녁이 있는 삶'이 사회적 이슈가 되고 있는 것은 단적인 예일 것이다.

의 여가를 즐기기 위해 일하는 사회로 전환되고 있다는 것은 확실해 보인다. 이른바 '여가 사회'의 도래이다.

이 글은 단기간에 급속한 산업화를 경험한 우리 사회 속에서 여가에 대한 인식과 여가 행동, 그리고 그것이 형성한 문화가 어떻게 변화해 왔는지에 대한 본격 연구를 모색하기 위한 일환으로 시론적으로 작성한 것이다. 인식과 행동, 문화의 변화상이라는 것은 역사적 관점을 염두에 두고, 장기적 추세를 볼 때 보다 유의미한 것들을 유추해낼 수 있다. 이를 위해 고려대 민족문화연구원이 웹기반 코퍼스(Corpus) 분석도구로 구축한 『동아일보』 기사 텍스트(1946~2014)라는 빅데이터(『동아일보』 코퍼스)를 이용하여 여가 및 유사어의 사용빈도 추세와 공기어 분석을 통한 관계성 등을 분석한다.[7] 사실 인간의 여가는 더 나은 삶을 위한 생활 자체이고, 인간의 모든 생활은 행동과 언어를 포함하고 있음으로 모든 이론은 반드시 언어라는 현상을 다루어야 한다(정윤하, 2008, 372쪽). 그리고 언어라는 현상을 다루는 가장 효과적인 방법 중 하나가 코퍼스의 활용이다. 따라서 이 글의 시도는 시론적인 수준을 벗어나지 못하지만, 코퍼스를 이용하여 사회적 주요 이슈나 주요 문화현상을 장기시계열의 역사적 관점에서 분석한 연구가 드물다는 점에서 일정하게 연구사적 의미를 가질 것으로 생각한다.[8]

---

7 본 연구는 고려대 민족문화연구원이 현재까지 구축해왔고, 현재도 구축이 진행 중인 웹기반 『동아일보』 코퍼스 분석도구가 어느 정도 유용한지를 역으로 점검하는 작업이기도 하다.
8 '여가' 관련 선행 연구에서 이런 시도를 한 것은 필자가 아는 한 아직 존재하지 않는다. '餘暇史'라고도 부르는 역사적 관점의 '여가'에 대한 분석은 일부 이루어졌으나(김문겸, 1993; 김희재, 1995; 조준호·이충삼, 2006; 송은영, 2013), 현재까지도 여가 연구의 대부분을 차지하는 사회심리학적 연구(행동, 동기, 만족도 조사 등), 정책 연구에 비하면 미미한 수준이고, 빅데이터를 이용한 연구도 최근 나오고 있으나(김용범·조현진·조

2. 여가의 사용빈도 추이

『동아일보』 코퍼스를 통해 여가의 사용빈도를 10년 단위로 확인해 보면 〈그림 1〉과 같다. 여가에 대한 사회적 관심의 추이를 살펴보기 위함이다. 우선 눈에 띠는 것은 경제성장이 본격화된 1960년대 이후 여가에 대한 관심이 증가하고 있다는 사실이다. 좀 더 구체적으로 확인하기 위해 1년 단위의 사용빈도도 확인해 보았는데 〈그림 2〉와 같다.

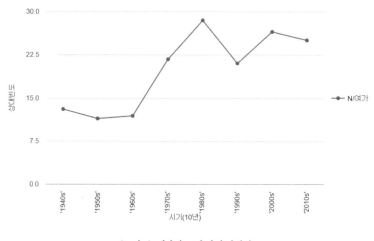

〈그림 1〉 여가의 10년 단위 상대빈도

1960년대 이후 1980년대까지 전반적인 관심도 증가 경향이 지속되고, 1990년대 후반의 급속한 하락과 2000년대 다시 상승의 곡선을 그리는 것은 우리나라의 경제변동과 대체로 일치하는 경향이다. 산업화

광익, 2015), 주로는 현재의 여가 현상에 대한 동향분석에 그치고 있다. 여가연구의 전체적 동향과 관련해서는 이진형·심재명(2009), 황선환·조희태(2016) 참조.

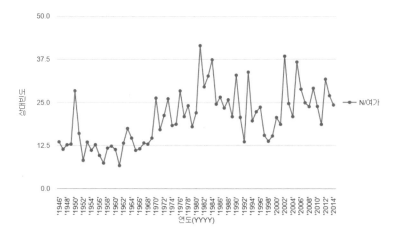

〈그림 2〉 여가의 연도별 상대빈도

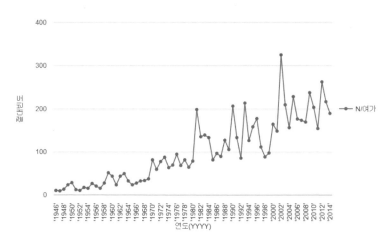

〈그림 3〉 여가의 연도별 절대빈도

과정의 노동과 여가의 밀접한 상관관계를 나타내는 것이라고 할 수 있다. 1970년대 말의 단기하락은 '오일쇼크'와 박정희 대통령 암살로 인한 경제 불황과 혼란, 1990년대 후반의 하락은 이른바 'IMF경제위기'에 따른 변동으로 해석할 수 있을 것이다. 아울러 관심도가 정점을 찌른 1980년대 초반과 2000년대 초반은 주지하듯이 전자의 경우 전두환 정권의 국가 정책에 의거한 프로스포츠, 영화산업 등의 육성과 관련된 것이며, 후자는 '주5일제 근무' 시행에 따른 여가에 대한 관심도 증가를 반영한 것으로 볼 수 있다.

전체적으로 여가는 장기시계열의 측면에서는 해방 후 산업화과정과 긴밀하게 연동되어 있음은 물론이고, 단기 경기변동에도 민감하게 영향을 받고 있음을 알 수 있다. 이런 정황은 〈그림 3〉의 절대빈도 그래프에서 보다 선명하게 확인할 수 있다.

3. 여가 공기어 분석

〈표 1〉은 『동아일보』 코퍼스의 공기어 분석도구를 이용하여 여가의 관련어를 시기별로 정리하여 변화를 살펴본 것이다. 여가에 대한 사회적 인식과 관련 활동, 그리고 그것이 형성한 문화의 변동 추이를 확인하기 위함이다.

〈표 1〉 여가 관련어의 시기별 변화

연대	전체		1950년대		1960년대		1970년대		1980년대		1990년대		2000년대		2010년대	
순위	단어	t-store	단어	t-store	단어	t-store	단어	t-store	단어	t-store	단어	t-store	단어	t-store	단어	t-sto
1	시간	35,445	생활	4,792	선용	7,207	선용	13,813	선용	18,239	시간	16,053	시간	20,177	활동	15.3
2	활동	32,595	이용	3,750	이용	5,378	시간	11,656	시간	16,298	생활	15,070	활동	19,469	문화	13.7
3	생활	32,159	선용	3,730	야	4,764	활동	8,920	생활	14,881	활동	14,692	문화	17,822	생활	13.2
4	선용	28,811	활동	3,350	시간	3,732	주부	8,734	청소년	14,825	문화	13,442	생활	17,510	시간	12.9
5	문화	27,279	몸	3,149	책	3,646	생활	8,215	활동	11,485	선용	12,444	시설	13,731	시설	9.98
6	시설	24,591	교육	2,311	일	3,456	사회	8,206	시설	11,461	활용	11,713	공간	11,024	공간	9.76
7	활용	21,108	시간	2,263	취미	3,404	이용	7,680	주부	10,556	시설	11,557	노인	10,516	가족	7.7
8	청소년	20,625	건강	2,177	스포츠	3,354	교육	6,790	활용	10,213	청소년	10,473	활용	10,308	건강	7.20
9	노인	18,830	사회	2,140	생활	3,282	시설	6,770	노인	9,577	건전	9,475	가족	9,257	활용	6.7
10	공간	173876	주부	2,132	주부	3,073	취미	6,694	교육	9,098	노인	9,194	일	8,871	노인	6.1

취미	173264	노인	2,011	활동	2,570	활용	6,562	건전	8,538	일	9,064	취미	8,671	스포츠	6,141
사회	16,744	책	1,463	시설	2,100	청소년	5,417	취미	8,474	공간	8,267	사회	7,720	취미	5,829
주부	16,504	시설	1,359	활용	2,041	노인	4,969	사회	8,395	사회	7,8099	선용	7,612	일	5,714
가족	16,433	일	1,351	교육	1,402	건전	4,796	스포츠	8,330	가족	7,767	건강	7,597	건전	5,407
건전	15,896	문화	0.000	문화	0.000	일	4,466	문화	7,600	취미	7,645	스포츠	6,966	사회	4,544
이용	14,900	활용	0.000	청소년	0.000	가족	3,934	이용	7,285	주부	7,383	교육	6,802	청소년	4,317
스포츠	14,837	청소년	0.000	노인	0.000	야	3,590	가족	6,821	스포츠	7,076	청소년	6,754	이용	3,667
교육	14,763	취미	0.000	사회	0.000	책	3,374	일	5,988	이용	6,960	건전	5,679	교육	3,456
일	14,732	공간	0.000	공간	0.000	건강	2,649	공간	5,760	건강	6,147	주부	3,717	주부	1,603
건강	13,672	가족	0.000	가족	0.000	문화	2,356	건강	4,740	책	5,461	이용	3,182	몸	0.434
책	7,533	건전	0.000	건전	0.000	스포츠	1,763	책	3,428	교육	5,188	책	1,031	선용	0.000
야	6,873	스포츠	0.000	건강	0.000	공간	0.000	야	2,554	야	1,879	몸	0.318	야	0.000
몸	1,855	야	0.000	몸	0.000	몸	0.000	몸	0.000	몸	0.000	야	0.000	책	0.000

〈표 1〉의 여가 공기어의 사용빈도를 보면, 20세기 후반부터 21세기 초반에 이르는 60여 년의 기간 동안 여가는 여전히 '시간'과 가장 관계가 깊은 단어임을 알 수 있다.[9] 즉 일하지 않는 시간이 '여가 시간'이고, 한자 의미 그대로의 '남는 겨를'이라는 전근대시기 이래의 가장 기본적인 인식이자, 사전적인 첫 번째 의미가 현재까지도 변함없이 유지되고 있음을 보여주는 것이다. 『동아일보』코퍼스의 용례검색 기능을 이용하여 구체적 사례를 몇 가지 제시하면 다음과 같다.

한국관광공사가 최근 전국 28개 도시의 14세 이상 남녀 4천 5백 명을 대상으로 '한국인의 여가생활 의식과 현황'을 조사한 것을 보면 한국인의 평균 여가시간은 평일 3시간 7분, 토요일은 4시간 28분, 일요일은 6시간 17

---

9 '여가' 자체가 단순히 '틈', '짬', '겨를'이라는 의미로 사용되는 용례도 여전히 일상적이다. '○○할 여가가 없는', '○○할 여가도 없이', '○○할 여가가 없다'와 같이 쓰이는 것이다. 예를 들면 '조국통일의 성전에 여가가 없는 우리 국군 장병제 육사단 소속 삼팔팔칠부대에서는', '그 누가 제안, 결정하였는지 물어볼 여가도 없이', '발전개량에 연구 노력할 여가가 없었던 것이다'와 같은 형식이다. 『동아일보』코퍼스의 용례검색 기능을 이용하여 '여가'를 검색해 보면 이렇게 단순히 '짬'이나 '겨를'을 의미하는 용례는 시대가 올라갈수록 보다 광범위하게 사용되고 있음을 알 수 있다.

분이며 여가를 위한 비용은 월평균 3만 4천 5백 16원으로 나타났다.[10]

한국인의 1주일 평균 여가시간은 1981년 19시간 15분에서 1999년 24시간 6분으로 늘었다. 그러나 TV 보는 시간을 빼면 4시간 26분에서 3시간 18분으로 줄었다.[11]

LG경제연구원은 통계청의 최근 10년간(1999~2009)의 '생활시간 조사 결과'를 분석한 '한국인들의 하루 24시간' 연구 보고서에서 '30 40세대의 무미건조한 삶'과 '가족 중심의 생활'을 주요 특징으로 꼽았다. 보고서에 따르면 연령대별 생활시간에서 여가시간은 30대가 하루 평균 3시간 51분으로 가장 짧았고 40대가 4시간 2분으로 뒤를 이었다.[12]

여가로 얻은 시간에 하는 행위라는 의미로서의 생활, 활동 등의 단어 역시 전시기에 걸쳐 변함없이 여가의 긴밀한 관계어이다.

전시 하 피난 생활에서 학생들이 글을 배울 교실도 부족한데, 그런 오락 시설을 운하는 것은 잠꼬대라고 비난하는 사람들도 있으나, 참된 인격교육은 학문수득에만 있는 것이 아니오, 건전한 여가생활의 최대한 기회를 제공하는 것이 더 한층 중요한 것이니, 간단히 말하자면 학문만을 배운 악인보다 학문은 좀 부족하더라도 선인을 양성하는 것이 그 해당학생에게나

---

10 『동아일보』, 1986. 1. 28.
11 『동아일보』, 2005. 1. 4.
12 『동아일보』, 2010. 6. 14.

사회에게나 더 한층 요구되는 바이오 또 반드시 행복한 일일 것이다.[13]

우리들이 향유할 수 있는 여가 즉 자유시간을 이용하여 활동하는 것은 생활양식으로서의 민주주의의 요람이며 실천장인 동시에 준비장이 되는 것이다.[14]

그러나 정부는 무의면 해소책을 병행시켜 무의 지역에 최소한의 의사를 집어넣음으로써 만족할 것이 아니라 진료시설 의약품공급, 거처, 여가활동 등 다방면에 걸쳐 뒷받침을 해주어야 할 것이며 이런 지역에 대한 의료 혜택을 계속 넓혀나가야 할 것이다.[15]

현대 사회문제연구소가 몇 해 전 서울시민을 대상으로 조사한 여가활동 행태를 보면 TV 시청이 46.3%로 가장 많았고, 다음은 독서(20%), 음악감상(13%), 가족놀이(8.9%), 집안일(5.4%), 잠자기(3.4%)였다.[16]

이런 사실로 해방 후 현재에 이르는 반세기가 넘는 시간 동안 여가는 일하고 남는 시간이자, 이 시간에 이루어지는 다양한 활동, 생활이라는 사회적 인식이 변함없이 유지되고 있음을 확인할 수 있다.

그러나 여가 관련 공기어들을 세부적으로 살펴보면 사회적 변화와 연관 지을 수 있는 주목되는 관련어의 변동도 확인할 수 있다. 가장 주

---

13 『동아일보』, 1953.4.18.
14 『동아일보』, 1962.6.5.
15 『동아일보』, 1972.3.14.
16 『동아일보』, 1990.1.29.

목되는 관련어는 '선용'이다. '여가 선용'은 여가를 올바르게 이용하자는 것으로, 주로는 산업화시기 국가에 의해 동원된 이데올로기적 성격을 갖는다. 다시 말해 내일 더 열심히 일하기 위해, 또는 보다 높은 질의 노동력 제공—자기개발, 숙련, 전문화—을 위해 여가에 '도덕성'을 부여하는 것으로 근대 여가에서 노동에 종속된 여가의 전형을 보여주는 상징적인 단어이다. 다음의 『동아일보』 기사는 이와 같은 '여가 선용'의 사회적 분위기를 잘 보여준다.

여가를 잘 이용하지 못함으로써 우리의 몸의 건강을 유지하지 못한다면 우리의 사회는 그만큼 건강하지 못한 것이 되므로 사람마다 누구나 여가를 선용하라는 소리를 부르짖게 되는 것이다. (…중략…) 보다 좋은 노동을 위해서는 우리들은 더욱 잘 놀아야 한다. 근대적인 사회경제조건하에서는 노동은 좋고 나쁘거나 할 것 없이 하지 않을 수가 없는 것이다. 기계는 언제나 윤활유가 필요한 것과 같이 노동에 '레크리에이슌'은 결여될 수 없는 요소의 하나인 것이다. 우리들이 생활에 넉넉함이 없을수록 일이 바쁘면 바쁠수록 적은 여유라도 충분히 이것을 이용하여 밝게 즐겁게 아름답고 건설적인 생활을 보내고 싶다.[17]

〈표 1〉을 보면 선용의 사용빈도는 1950년대에 이미 3위의 빈도수를 보이고 있고, 국가주도 산업화가 본격화된 1960년대부터 1위에 올라 1980년대까지 부동의 1위 관련어였다. 여가가 '보다 좋은 노동을 위한'

---

17 『동아일보』, 1956.4.20.

것이며, 이를 위해 '선용'해야 한다는 인식문화는 1950년대 중반의 기사인 위 인용문에서 여가의 동의어처럼 쓰인 '레크리에이슌', 정확한 국어사전적 표기로 '레크리에이션(recreation)'이라는 외래어를 통해서도 표상된다. 사실 후술하겠지만 여가의 영어 동의어는 '레저'이고, 이 단어는 1960년대 말이 되어서야 이 땅에 도입되었다. '레크리에이션'은 '피로를 풀고 새로운 힘을 얻기 위하여 함께 모여 놀거나 운동 따위를 즐기는 일'로 정의된다. 잘못된 외래어 표기이기는 하지만 '레크레이션', '레크리에이슌', '레크레이슌'으로도 표기된 이 단어는 그 자체가 '회복하다', '새롭게 하다'라는 의미의 라틴어 '레크레아사오'에서 유래되었고, 작업 중심 사회를 배경으로 한 수단적 의미의 개념, 즉 '보다 나은 작업을 위해서'라는 생각이 바탕에 있다. 결국 1950년대 중반 여가 관련 외래어로 '레크리에이션'의 도입은 국가에 의해 동원되고 노동에 강력하게 종속되어 있는 근대여가를 상징적으로 보여주는 단어이다. 레크리에이션, 레크레이션, '레크리에이슌', '레크레이슌'을 『동아일보』 코퍼스를 이용해 사용빈도를 측정해보면 아래의 〈그림 4〉와 같은데, 1950년대 후반 도입되어 집중적으로 사용되었고, '양질의 노동을 위한 여가의 선용'이라는 국가 이데올로기적 동원이 한창이었던 1970~80년대에 사용빈도가 가장 높아 시대적 분위기를 반영하고 있음을 확인할 수 있다.[18]

여가 선용에 대한 국가이데올로기적 동원이 정점에 이르렀던 1970~80년대는 '선용되지 않는 여가'에 대해 격렬히 비난하는 사회계몽적

---

18 '레크리에이슌'이나 '레크레이슌'은 사용빈도가 잡히지 않는다.

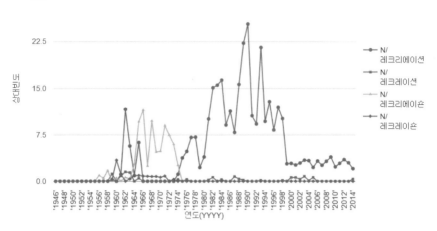

<그림 4> '레크리에이션', '레크레이션', '레크리에이숀', '레크레이숀'의 사용 빈도

분위기도 동전의 양면처럼 함께 조성되었다. 조금 긴 인용이지만 「밝은 내일을 위한 새 생활 캠페인―폐습, 탈선 놀이」라는 제목의 다음 기사는 동원된 여가선용 이데올로기의 전형을 보여준다.

봄 가을 여름 없이 깊은 산골짜기 흐르는 시냇가마다 술 취한 아낙네들의 '니나노' 장구소리, 술에 엉망이 된 어른들이 악쓰듯 불러대는 유행가 합창소리, 그리고 온몸을 비틀고 흔들어대는 십대 남녀의 트위스트와 고고가 어느새 근대화 한국의 새로운 풍속도가 되어버렸다. (…중략…) 더우기 밤이면 텐트족들의 아우성이나 이웃방의 소란쯤은 귓전으로 흘려 넘겨야 하는 얄궂은 세태가 되어버렸다. (…중략…) 그 옛날 우리네 조상들의 산놀이 물놀이에도 으레 술이 따랐다. (…중략…) 그러나 장유유서의 엄한 유교윤리가 질서를 지켰고 탈선을 막았다. (…중략…) 청유(淸遊)니 풍류(風流)니 하는 옛말이 시사하듯 놀이에 관한한 상층사회의 정신적 귀족주의가 그런대로 놀이의 방향을 잡아주었다. 일제하에서도 일본의 풍속과 함께 서구의 바람이 밀려왔지만 오랜 전통사회의 저항감과 배타성이 이를 막았다(이대 崔常洙 교수·한국 민속학회장). (…중략…) 그러나 해방과 六·二五 전란이 염치나 분수라는 우리 고유의 덕목을 많이 숨죽인 데다 六〇년대를 넘어서면서 다소의 경제적 안정과 함께 이른바 '레저'라고 불리는 '여가'가 대중 앞에 불쑥 나타났다. 각종 매스콤이 앞장서 떠들고 부채질했다. (…중략…) "우리나라 사람들은 불안정한 사회생활 불합리한 인간관계 그리고 각박한 생활 템포로 해서 선진 외국인들보다 긴장도가 높은 편인데다"(서울사대 李相周 교수·교육사회학), '술 먹은 개망나니'에 대한 사회적인 관용 풍조까지 곁들여 야외에서의 음주 탈선이 심해질 수밖에 없다는 것이다. (…중략…) 그러나 보다 근본적인 원인은 어딘가 잘못된 우리네 교육 방향과 비뚤어진 사회풍조에 그 원인이 있는 것으로 봐야 할 것 같다. (…중략…) 서울사대 陳元重 교수는 "서구의 경우 근대화 단계에서는 '선(善)의 모럴'이, 소비가 미덕인 복지사회에서는 '즐거움의 모럴'이 지배했다. 바꾸어 말하면 '일하기 위해 노는 단계'에서 '놀기 위해 일하는 단계'로 바뀌어져 왔다. 그러나 우리는 아직 복지사회의 단계에 이르지 못하고 있음에도 흡사 선진국 국민들 같이 여가를 즐겨야 하는 것처럼 사회 분위기를 오도해온 데 근본적인 잘못이 있다"고 진단했다. 말하자면 오늘의 시대에 알맞는 새로운 놀이의 행태, 여가에 대한 새로운 인식이 확립되지 않은 채 "너나없이 물량주의 상업주의 감각주의의 회오리 바람 속에 놀이를 즐기도록 내몰리고 있는 셈"(성대 崔禎鎬교수)이다. (…중략…) '탈선 놀이'가 함축하는 사회적 배경의 그늘을 씻어내기에는 그 힘이 너무도 미약하다. 앞으로 다가올 '여가 시대'에 대처할 국민적인 새로운 생활양식 새로운 생활관의 형성이 오늘처럼 아쉬운 때도 일찌기 없었을 것이다.[19]

지식인들을 동원하여 만든 위 기사의 논리는, '선용되지 않는 여가'는 '탈선'이며, 그 근원은 '서구 바람'과 '일본 풍속'인데, 일제시기까지는 전통의 유교윤리로 막았으나, 해방과 한국전쟁의 혼란으로 이 전통(유교 덕목하의 염치와 분수)이 위축되었다고 보았다. 그리고 이런 상황에서 1960년대 이후 경제발전과 함께 '여가'가 대중 앞에 불쑥 나타났고, 이에 대한 교육도 제대로 되지 않은 상태에서 각박한 생활로 인한 스트레스와 관용적 음주문화가 결합하면서 '탈선 놀이'가 심해지고 있다는 것이다. 서구 사회는 '일하기 위해 노는 단계'에서 '놀기 위해 일하는 단계'로 시대적 전환이 이루어지고 있으나, 그것은 복지사회 단계에 이른 선진국의 경우임으로, 아직 그 단계가 아닌 우리는 선진국 국민들 같이 여가를 즐기면 안된다는 논리이다. 개발독재의 시대에 전통시대 유교 덕목인 '염치'와 '분수'를 호출하여 근대 여가선용의 이데올로기와 결합시킨 것은 인상적이라 할 것이다.

그런데 선용의 사용빈도는 1990년대 이후 그 지위가 급격히 하락하기 시작하였고, 2000년대 이후에는 급속하게 여가 관련어의 지위를 상실하고 있음을 확인할 수 있다.[20] 이것은 1990년대를 기점으로 노동생산성 강화를 위한 여가의 이용이라는 국가 차원의 이데올로기적 동원이 점차 사라지고, 개인, 가족, 지역, 관계망 등 다양한 주체단위의 여가에 대한 인식변화를 토대로 다양한 여가 활동이 이루어지기 시작했다는 것을 의미한다. '노동', '일'과 연계되지 않는 여가 자체에 대한 중시이자, '동원된 성실한 삶'에서 '자의에 의한 즐기는 삶'으로의 변화로

19 『동아일보』, 1972.9.26.
20 비슷한 용례로 사용되었을 '건전' 역시 '선용'과 비슷한 추세를 보인다.

정리할 수 있을 것이다.[21]

　동일한 분석은 관련어 중 '문화'의 지위 변화를 통해서도 뒷받침된다. 〈표 1〉에서 보듯이 문화는 1960년대까지 여가와 전혀 관련이 없는 단어였다. 그러나 1970년대부터 여가의 관련어로 조금씩 나타나기 시작하여 1990년대에는 핵심어로 자리를 잡았고 2000년대 이후에는 더욱 그 지위를 높이고 있는 것이 확인된다. 문화가 여가의 관련어로 쓰인다는 것은 여가의 다양한 행위들이 사회적으로 일반화되었고, 노동과의 관련성에서 벗어나 여가 자체가 사회가 주목하는 하나의 문화로 구축되어 인식되고 있다는 의미이다.[22] 『동아일보』 코퍼스의 용례검

21　1990년대 이후 여가에 대한 사회적 인식변화는 「젊은 세대(世代)의 의식 왜곡(歪曲) 우려 된다」라는 세태 하의 나눔과 같은 『동아일보』 기사에서도 잘 드러난다.(강조-인용자) "동아일보와 한국사회학회가 本報 창간 70주년 기념으로 실시한 '세대 문제' 여론조사 결과를 보며 가져보는 의문은 한없이 이어진다. 15세 이상 1천 2백 명을 개별 면접한 이 조사에서 "좀 적게 벌더라도 여유 있는 생활을 즐겨야 한다"고 여가 우선의 가치관을 내세운 응답자가 54.3%인 데 비해 "덜 놀더라도 열심히 일해 돈을 벌어야 한다"고 응답한 사람은 41.7%였다. 기성세대보다 젊은 세대들이 여가를 중시한다(70%)고 응답한 이 여론조사 결과는 젊은 세대에 급격한 의식전환이 진행되고 있으며, 그들이 기성세대가 되었을 때를 대비하는 국가 사회경제의 경영전략을 지금부터 준비할 필요가 절실함을 일깨우고 있다. 그렇게 의식이 변하는 원인은 어디 있는 것인가. '좀 적게 벌더라도'라는 '적게'의 개념은 어떤 것인가. 표본조사이니 국민 전체의 의식 실상과는 다소 거리가 있을 것이라 여겨 무시하고 넘어가도 좋을 것 같지는 않다. 일과 여가의 비중이 뒤바뀌는 이 같은 의식전환은 개인으로서든 국가 단위로서든 근면과 성실과 검약만이 장래의 보다 나은 생활과 장래의 보다 높은 보람과 자존심과 장래의 보다 강한 국가를 보장한다는 동서고금의 진리에 역행하는 변환이라 여겨지기 때문이다. (…중략…) 일보다는 마시고 춤추기를 좋아하며 개인과 가족, 地, 혈연 등 작은 집단의 이해에는 철저하되 큰 집단인 국가 공동체 차원의 긴 경영에는 눈이 밝지 못하며, 물질과 편함만으로는 계량되지 않는 것 가운데 더 많은 自尊幸福의 열쇠가 있다는 것을 아는 철학윤리 차원의 가치관이 약한 탓인가. 세대 간에 의식전환이 빠르게 진행되는 것을 사실로 받아들이고 그 의식전환의 원인을 다각도로 분석하는 연구가 따라야 할 듯하다." 『동아일보』, 1990.6.4.

22　"다시 말해서 대중화, 서구화의 물결에도 불구하고 전통적인 사회관계나 문화요소를 상당히 지키면서 우리 나름대로의 여가문화를 형성하고 있는 일종의 적응과정이 눈에 띈다고 보는 것이 좋을 것 같다. (…중략…) 다음으로 여가활동에서 나타나는 부분문화의 성격에 관해서 생각해본다." 「한국문화의 현주소-여가활동 오락면에 치우쳐」, 『경향신문』, 1978.11.17.

색기를 통해 여가의 공기어인 문화가 '여가를 통해 구축된 문화'라는 의미로 사용되고 있는지 확인해 보면 1980년대부터 이런 의미의 용례가 확인됨을 알 수 있다. "직장마다 꽃피는 社員 '여가문화'"라는 제목의 기사 내용은 "여름 들어 바캉스 기분에만 들떠 조금은 뜸해졌던 각 회사 직원들의 여가문화 활동이 날씨가 조금 선선해지면서 점차 활발해지고 있다. 낚시, 등반, 독서, 테니스, 축구, 야구, 사이클, 바둑, 수석, 사진, 미술, 서예 등 직장의 각종 동호인 모임이 가을 기지개를 켜고 있는 것"이라고 하였다.[23] 그리고 1990년대에는 여가가 만들어낸 문화라는 의미가 보다 일상화되고, '여가문화'라는 복합명사도 일반적으로 사용되고 있음을 확인할 수 있다.[24]

1990년대를 기점으로 '선용'의 하락과 '문화'의 상승은 이 시기에 여가의 인식과 행위에 대한 사회 차원의 변화가 있었음을 보여준다고 할 수 있다.

여가에 할 수 있는 다양한 행동과 관련한 관련어의 변화도 주목되는 부문이다. 우선 오늘날 여가의 주요 양태인 스포츠, 취미는 1950년대에는 관련어에 없었던 것이 여가에 대한 관심이 본격화되는 1960년대부터 일거에 주요한 지위를 차지하는 것이 확인된다. 관련어 중 여가 활동의 인프라라고 할 수 있는 시설, 공간 등의 지위가 상승하는 것도 동일한 의미로 해석할 수 있다. 반면 관련어 '책'은 전근대 이래로 여가 행동의 대표적 사례 중 하나였던 독서를 의미하는 것인데, 〈표 1〉에서

---

23 『동아일보』, 1984.8.25.
24 「여가문화 개선을 촉구」(『동아일보』, 1993.3.2), 「한국의 여가문화」(『동아일보』, 1993.3.23), 「여가문화 분야의 지도자를 양성」(『동아일보』, 1993.9.18), 「주부들의 건전한 여가문화」(『동아일보』, 1993.9.20).

보듯이 관련어로서의 지위가 점차 하락하여 2010년대에는 지위를 상실하고 있다. 이것은 물론 시대의 흐름에 따라 여가 행위에 변화가 감지되는 것을 의미한다.

4. 여가 유사어의 탄생과 변화― 레저|leisure|의 사례

우리 사회 속에서 여가에 대한 인식과 행동, 그리고 그것이 형성한 문화가 어떻게 변화해 왔는지를 살펴보는데 있어서 여가 유사어의 탄생과 변화를 살펴보는 것도 중요한 의미를 갖는다. 여기서는 시론적으로 여가의 사전적 동의어인 '레저'를 분석해 보았다.

'레저'는 여가의 영어 동의어이다. 여가 연구 관련 연구서, 논문, 개설서들은 '여가(leisure)'로 표기하거나 '영어로 leisure라고 하는데' 등으로 언급한다. 여가와 레저는 역사적 측면에서도 동일한 개념인 것처럼 서술하기도 한다. 다음의 여가 관련 연구서의 인용문은 이런 사실을 잘 보여준다.

한자어로 '남을 여(餘)'와 '겨를 가(暇)'로 구성된 여가의 사전적 정의는 '일이 없어 남는 시간'이다. 순수한 우리말로는 '틈'이나 '겨를'에 해당된다. 즉 어떤 일을 하고 남는 시간 또는 일과 일 사이의 한가로운 시간을 뜻한다. 여가는 영어로 'leisure'라고 하는데, 이는 그리스어의 'schole'과 라틴어의 'licere'에서 유래되었다. 여기서 'schole'은 학교(school)나 학자(scholar) 또는 학자들의 토론을 위한 장소를 뜻하며, 'licere'는 조용함(quietness)이나 평화(peace) 또는 남는 시간(spare time)이나 자유시간(free time) 등을 의미한다. 그러므로 여가란 동서양을 막론하고 '일'이 배제된 '자유시간'을 의미하고 있으며 (…후략…)(오순환, 2015, 15~16쪽)

그러나 역사적으로 보면 우리 사회에서 레저라는 말은 이렇게 동일 개념의 단어로 취급할 수 있을까 하는 의문이 있다. 서양에서 역사적으로, 그리고 현재적 의미에서도 레저가 동양의 여가 내지 우리 사회의 여가 개념과 가장 유사하다고 할지라도, 실제 우리 사회에 유입되었을 때, 레저라는 단어는 원래 있던 우리 사회의 여가 개념과는 상당히 다른 의미로 사용되었기 때문이다. 우선 레저라는 말이 이 땅에 언제 들어와 주요한 용어로 사용되었는지를 살펴보면 〈그림 5〉와 같다. 레저의 사용빈도를 여가와 비교한 것인데, 레저는 1960년대까지도 우리 사회에서는 거의 생소한 말이었던 것이 1970년대 이후 급격하게 사

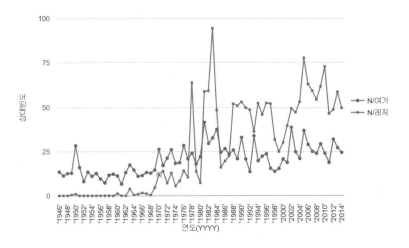

〈그림 5〉 레저와 여가의 사용 빈도 비교

키워드, 공기어, 그리고 네트워크—신문 빅데이터가 보여주는 것

용빈도를 높여가기 시작했고, 불과 10년 정도 지난 1980년대 이후에는 기존 여가보다 빈번하게 사용되며 해가 갈수록 그 격차를 벌리고 있음을 알 수 있다.

그런데, 홍미로운 사실은 레저에 의해 여가가 대체되는 것이 아니라 여가 역시 레저의 사용빈도가 상승하는 1970년대 이후 동일하게 상승하고 있으며, 레저의 사용빈도가 추월한 이후에도 꾸준히 빈도수를 유지한다는 것이다. 이런 사실은 사전적 개념으로 동일한 두 단어가 실제 우리 사회에서 사용하는 용례에 차이가 있음을 보여주는 것이다. 1970년대 이후 사용이 일반화된 레저가 우리 사회에서 어떤 식으로 인식되어 사용되어 왔는지를 보기 위해 레저 관련어의 시기별 변화를 공기어 분석을 통해 살펴보았다. 그 결과는 〈표 2〉와 같다.

2) 레저 관련어의 시기별 변화

순위	전체 단어	전체 t-store	1970년대 단어	1970년대 t-store	1980년대 단어	1980년대 t-store	1990년대 단어	1990년대 t-store	2000년대 단어	2000년대 t-store	2010년대 단어	2010년대 t-store
1	스포츠	45.945	정보	9.000	스포츠	19.426	스포츠	24.109	관광	29.223	스포츠	20.462
2	관광	45.087	산업	8.445	타운	17.550	관광	21.750	스포츠	26.481	관광	20.433
3	시설	40.199	붐	7.013	관광	15.065	시설	21.337	시설	24.207	해양	18.283
4	산업	34.739	등산	6.884	명성	14.449	용품	15.630	단지	22.811	시설	18.030
5	개발	29.180	관광	6.722	시설	14.343	타운	15.411	산업	21.165	산업	17.269
6	단지	29.022	용품	6.201	용품	13.526	산업	14.677	해양	20.840	문화	14.734
7	사업	29.017	시설	6.146	건설	11.934	종합	13.844	개발	19.550	조성	14.294
8	타운	28.729	스포츠	4.244	산업	11.679	개발	13.826	사업	19.521	복합	13.559
9	해양	28.718	개발	3.808	개발	9.000	사업	13.243	조성	18.957	사업	13.283
10	문화	27.785	호텔	2.952	종합	8.453	문화	12.665	문화	18.264	도시	13.017
11	용품	26.680	여행	2.657	계획	8.377	여행	12.451	도시	18.215	단지	12.101
12	조성	25.879	타운	2.625	사업	8.164	건설	12.270	복합	15.903	개발	11.822
13	도시	23.406	계획	2.388	붐	8.087	정보	12.232	골프장	14.343	호텔	9.613
14	건설	22.507	골프장	2.183	등산	7.413	단지	11.151	타운	14.319	골프장	9.102
15	복합	22.298	문화	1.899	호텔	7.322	골프장	10.910	용품	13.080	용품	8.362
16	골프장	21.754	건설	1.779	골프장	7.316	호텔	9.938	여행	12.898	계획	8.090

17	종합	21.155	종합	1.434	단지	5.752	조성	8.670	계획	12.265	타운	8.0
18	여행	19.848	사업	1.288	도시	5.336	계획	7.217	종합	12.149	건설	7.6
19	호텔	19.539	도시	1.135	문화	5.127	등산	7.067	건설	12.122	여행	6.69
20	계획	18.124	단지	0.000	조성	4.258	복합	6.749	호텔	11.109	종합	5.5
21	정보	16.372	명성	0.000	여행	4.011	해양	6.356	등산	6.222	등산	4.9
22	명성	14.944	복합	0.000	정보	3.666	봄	5.219	정보	4.351	정보	0.4
23	등산	14.668	조성	0.000	복합	2.583	명성	4.597	봄	3.515	봄	0.0
24	봄	12.939	해양	0.000	해양	2.317	도시	3.727	명성	0.000	명성	0.0

레저라는 단어가 본격 사용된 것이 1970년대 이후였기 때문에 관련어로서의 공기어들도 1960년대까지는 신출할 수 없다. 1970년대 이후 2010년대까지 주요 관련어의 전체적 분포를 보면 스포츠, 관광, 시설, 산업, 개발 등이다. 〈그림 6〉은『동아일보』코퍼스의 공기어 비교기능을 이용하여 여가와 레저의 공기어를 비교한 것인데, 확연한 차이가 있음을 알 수 있다.

시간, 활동, 생활, 선용, 청소년, 노인으로 이어지는 여가의 주요 관련어는 인간 개인을 중심에 둔 인문사회학적인 개념으로 여가라는 단어가 주로 사용되었음을 보여준다. 반면, 건설, 호텔, 타운, 스포츠, 관광, 시설, 산업, 개발로 이어지는 레저는 정적인 의미의 '활동', 그리고 버금가게 인간의 여가 행위 확산이 발생시키는 경제 현상, '비지니스'의 의미로 사용되고 있음을 확인할 수 있다. 조금 거칠게 정리하면 '여가에 레저, 또는 레저활동을 한다'라는 개념으로 두 단어가 병렬적으로 사용되는 것으로 보아도 무방할 것이다.[25] 같은 단어라는 사전적 의미와 달리 우리 사회에서 통용되는 두 단어의 용례는 여가가 보다 포괄적이며, 레저는 여가를 소비하는 형태의 하나로, 그리고 레저가 확산

---

25 "토요일 또는 법정 공휴일에 국내외 여행 스포츠 레저 등 각종 여가활동을 즐기다."(『동아일보』, 1996.7.23)

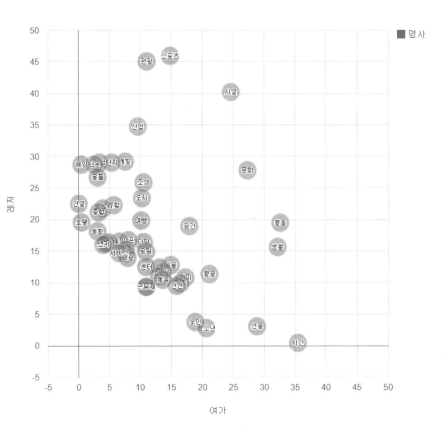

〈그림 6〉 여가와 레저의 공기어 비교

되고 일반화되면서 새롭게 나타나는 경제적 의미의 각종 비즈니스와
관련되어 쓰이고 있는 것이다. 우리가 '레저산업'에는 익숙하지만 '여
가산업'이라는 용어에는 상대적으로 생경함을 느끼는 것이 이러한 역
사적 인식축적이 결과한 개념에 의거한 것이라 할 것이다.

　레저라는 말이 이 땅에 소개될 즈음에 어떤 지식인은 레저가 "듣기
거북한 어색한 외래어로 여가나 휴가라는 말로 충분하다"고 했지만 이
후 이 외래어는 급속하게 사용되었고, 여가의 동의어이자 여가보다 높
은 빈도수로 사회에서 사용하는 말이 되었다. 레저라는 외래어가 주는

"어딘지 하이카라하고 들뜬 것 같은 인상이 소비를 촉구시키는 역할을 다하였기 때문"이라는 이 지식인의 해석이 이후 그대로 적중한 때문일지도 모르겠다.[26]

한편 〈표 2〉를 보면 초기에 '붐'이라는 말이 레저의 공기어에서 높은 빈도수를 보인 것은 1970년대를 전후한 시기에 '레저 붐'이라는 용어가 한 단어처럼 사용되어 여가 활동에서 하나의 '걱정스런 유행'으로 인식되었기 때문이다.[27] 그러나 이후 급속한 경제성장을 배경으로 여가 활동으로서의 레저 역시 점차 일상화되면서 '붐'이라는 표현은 급격히 자취를 감추었으며 현재는 거의 쓰지 않는 말이 되었음도 알 수 있다.

레저를 즐기는 다양한 행위들 중 '해양'의 비중이 현재로 올수록 급격히 높아지는 것도 하나의 특징이다.[28] 초기 레저의 관련어 중 구체적인 행위와 관련한 관계어는 등산이었으나, 그 빈도수는 점차 감소한 반면, 해양은 1970년대의 경우 레저 관계어에서 없었고, 1980년대부터 나타나기 시작해서 현재는 스포츠, 관광 다음의 빈도수를 보이고 있다. 레저의 공기어로서의 빈도수 증가와 동일하게 해양이라는 단어의

---

26 작가인 康信哉가 『동아일보』에 '어색한 외래어'라는 제목으로 기고한 글로 다음과 같은 내용이다.
    "외래어를 사용하는 그것 자체는 별로 나무랄 일도 아니지만 경우에 따라서는 듣기 거북한 것이 없지 않다. (…중략…) '레저'나 '레저 붐'이라는 말도 그 하나이다. 그들 자신도 말하듯이 여가나 휴가라는 말로써 충분할 것이다. 그러나 '레저'나 '레저 붐'이라는 외래어가 주는 어딘지 '하이카라'하고 들뜬 것 같은 인상이 소비를 촉구시키는 역할을 다하였던 것이다."(『동아일보』, 1963.8.22)
27 "미성숙 단계의 우리나라에도 이미 레저 붐이 불어 스포츠는 반직업화, 낚시회도 60개가 훨씬 넘고 바둑 인구는 1백만, 관광·골프 인구와 시설도 폭주 상태".(『동아일보』, 1967.7.18)
28 "바닷속에 부존되어 있는 해양자원을 조사하고 해양생물의 생태와 서식 상황을 연구하는 등의 학술적 의의를 갖고 있고 레저로서도 흥미로운 것".(『동아일보』, 1979.7.24)
    "해양은 보다 다양하고 깊이 있는 인류의 새로운 레저공간으로 각광받게 될 것이 틀림없다."(『동아일보』, 1992.9.1)

자체 사용빈도도 1980년대 후반 이후 폭발적으로 증가하고 있음을 확인할 수 있다. 〈그림 7〉은 이런 상황을 잘 보여준다. 비단 해양에 대한 관심은 여가 소비의 한 측면인 레저활동에만 있는 것은 아니고, 해양 자체에 대한 사회 관심이 1980년대 말부터 급속하게 높아졌음을 보여주는 것이다.

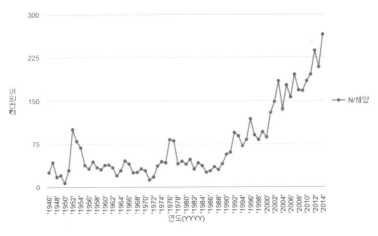

〈그림 7〉 해양의 사용빈도

5. 결론과 전망

이 글은 일제 식민지에서 해방된 이후 현재에 이르기까지 70년에 가까운 세월 동안 한국인에게 있어서 '여가'라는 개념이 어떻게 인식되었고, 변화해 왔는지를 『동아일보』 코퍼스라는 빅데이터 도구를 이용하여 살펴본 것이다. 흥미로운 작업이었으나, 익숙하지 않은 연구방법에 적응하기 급급했던 감도 있다. 그러나 그럼에도 불구하고 몇 가지 사실은 본 연구를 통해서 확인이 가능했다고 생각한다.

우선 여가에 대한 관심은 경제성장이 본격화된 1960년대 이후 증가하고 있다. 앞서의 인용문처럼 여가가 대중 앞에 불쑥 나타난 것이다. 여가에 대한 관심과 향유는 이후 현재까지 경기변동과 관련 정책에 따라 민감하게 조응하며 변화하였다. 1970년대 말 석유위기, 1997년의 'IMF경제위기'는 대표적으로 여가에 대한 관심을 크게 위축시켰고, 1980년대 프로스포츠의 등장, 2000년대 초반 주5일제 근무 시행은 여가에 대한 관심을 증폭시켰다.

여가의 사용빈도와 용례를 보면, 여가는 여전히 '시간'과 가장 관계가 깊은 단어임에 변함이 없었다. 일하지 않는 시간이 '여가 시간'이고, 한자 의미 그대로의 '남는 겨를'이라는 전근대시기 이래의 기본적인 인식이자, 가장 기본적인 사전적 의미가 현재까지도 변함없이 유지되고 있음을 알 수 있다.

여가 공기어 분석과 관련해서는 사회적 변화와 연관 지을 수 있는 주목되는 관련어의 변화가 있었음을 확인하였다. '선용'이 그것인데, 선용의 사용빈도는 1950년대에 이미 3위의 빈도수를 보이고 있고, 국가주도 산업화가 본격화된 1960년대부터 1위에 올라 1980년대까지 부동의 1위 관련어였다. '여가 선용'은 여가를 올바르게 이용하자는 것으로, 주로는 산업화시기 국가에 의해 동원된 이데올로기적 성격을 갖는다. 선용되지 않는 여가는 '탈선'으로 규정되었다. 내일 더 열심히 일하기 위해, 또는 보다 높은 질의 노동력 제공을 위해 여가에 '도덕성'을 부여한 것이며, 선용은 근대 여가에서 노동에 종속된 여가의 전형을 보여주는 상징적인 단어이다.

선용의 사용 빈도는 1990년대 이후 그 지위가 급격히 하락하기 시작하여 2000년대 이후에는 여가 관련어의 지위를 상실하였다. 여가에 대한 사회적 인식과 문화가 1990년대를 기점으로 근본적인 변화가 있음을 알 수 있다. 1990년대는 '동원된 성실한 삶'에서 '자의에 의한 즐기는 삶'으로의 변화의 시작점으로 여가와 관련한 역사적 시기구분의 중요한 기점임을 강조해 둔다. 그리고 이것은 역으로 경제성장과 함께 여가에 대한 관심도 높아졌음에도 불구하고, 1980년대까지 여가는 전형적인 근대 여가로 노동에 종속되고, '양질의 노동과 생산성 유지을 위해 선용해야 하는 여가'의 문화적 세계였다는 의미를 함축한다.

여가의 영어 동의어인 '레저'에 대한 분석도 우리 여가 문화의 특징을 보여준다. 여가가 시간, 활동, 생활, 선용, 청소년, 노인으로 이어지는 주요 관련어를 가지며, 인간 개인을 중심에 둔 인문사회학적인 개념으로 사용되었다면, 레저는 건설, 호텔, 타운, 스포츠, 관광, 시설, 산업, 개발로 이어지는 정적인 의미의 '활동', 그리고 버금가게 인간의 여가 행위 확산이 발생시키는 경제 현상, '비지니스'의 의미로 사용되고 있음을 확인할 수 있었다. 같은 의미라는 사전적 정의와 달리 우리 사회에서 통용되는 두 단어에 대한 인식은 여가가 보다 포괄적이며, 레저는 여가를 소비하는 형태의 하나이자, 경제적 의미가 보다 강한 단어로 사용되고 있는 것이다.

몇 가지 밝혀낸 사실을 정리해 보았으나, 이 주장을 보다 구체화시키고, 명확히 하기 위해서는 추가적인 연구가 이루어져야 할 것이다. 『동아일보』 코퍼스 자체가 좀 더 정밀해질 필요가 있으며, 이를 좀 더 효율적으로 이용할 수 있는 방법도 고민해야 한다. 그리고 코퍼스를 가지고 장기시계열의 관점에서 여가와 관련된 다양한 사회·문화 현상들에 대한 보다 구체적인 사례 분석이 필요하다. 이후의 과제이다.

참고문헌

김문겸, 『여가의 사회학 ― 한국의 레저문화』, 한울, 1993.

김용범·조현진·조광익, 「빅데이터를 활용한 국내 여가활동 동향 분석」, 『관광연구저널』 29-9, 한국관광연구학회, 2015.

김희재, 「생활관심의 변화를 통해서 본 여가의 변화과정」, 『사회조사연구』 10-1, 부산대 사회조사연구소, 1995.

송은영, 「1960년대 여가 또는 레저 문화의 정치」, 『한국학논집』 51, 계명대 한국학연구원, 2013.

신득렬, 「아리스토텔레스와 듀이의 여가 개념」, 『교육철학』 27, 한국교육철학회, 2005.

신종화, 「여가 개념의 지평과 대안적 정의」, 『한국학논집』 35, 계명대 한국학연구소, 2007.

아리스토텔레스, 이병길·최옥수 역, 『정치학』, 박영사, 1996.

오순환, 『한국인의 여가와 축제』, 大旺社, 2015.

이진형·심재명, 「우리나라 관광학술지의 여가연구 경향에 대한 내용분석」, 『관광학연구』 33-2, 한국관광학회, 2009.

정윤하, 「근거이론방법론으로 본 중년남성의 여가」, 한국여가문화학회 편, 『현대 여가연구의 이슈들』, 한울출판사, 2008.

조준호·이충삼, 「일제하 우리 민족의 여가 역사 연구」, 『한국여가레크리에이션학회지』 30-4, 한국여가레크리에이션학회, 2006.

황선환·조희태, 「여가학 분야의 최근 연구 동향」, 『체육과학연구』 27-1, 한국스포츠개발원, 2016.

エルマー・ブラント・晋田正巳 共編, 『余暇社會の到來』, 有信堂, 1974.

네이버 국어사전, http://krdic.naver.com/

네이버 지식백과(두산백과), http://terms.naver.com/

한국고전종합DB, db.itkc.or.kr/

『조선일보』, 『동아일보』, 『중앙일보』, 『한겨레신문』을 중심으로

1. 서론

특정 주제에 대한 신문 및 미디어 매체에 관한 비교 연구가 활발히 진행되고 있다. '유전자 연구'(정재철, 2004), '과학지면의 특성'(이화행, 2007), '북한주민의 생활 실태'(하승희·이민규, 2012), '고령화 사회'(정순둘·박현주·김보경, 2011), '사회면 기사'(정일권, 2010), '일간지의 교육섹션 비교'(조수선, 2010), '용산 사태'(임양준, 2010) 등이 그것이다.

기존의 신문 비교 연구는 다음과 같이 크게 세 가지의 과정을 거친다. 첫째, '대상 선정 단계'로서 신문사 선정, 기간, 면종 및 섹션 선정, 표본 추출 등의 과정을 거쳐 조사 대상 텍스트를 선정한다. 둘째, '키워드 선정 및 기사 검색 단계'로서 연구하고자 하는 주제에 대한 적절한

키워드를 선정한 후 기사를 검색하여 해당 키워드를 포함한 기사를 추출하고 수집하는 과정이다. 여기에는 수집한 기사들의 주제 관련성에 따라 별도의 선별 과정이 포함되기도 한다. 셋째, '분석 단계'로서 프레임 유형, 취재원, 기사 작성자 유형 등을 신문사 별로 조사 및 분석한다. 취재원, 기사 작성자의 유형은 기사 외적인 요소에 속한다.

최근의 연구를 살펴보면, 기사의 내적인 요소 즉, 내용 분석을 위해서는 프레임 유형을 비교·분석하는 연구가 주를 이룬다. 프레임의 유형을 분석하려면 연구자가 직접 기사를 읽고 미리 정한 프레임의 유형에 따라 각각의 기사를 분류하는 작업을 해야 한다. 이러한 연구 방법론은 자칫하면 연구 기간과 인력의 제약으로 인해 충분한 양의 자료 조사를 기반으로 하지 못한 채 단편적 연구에 그칠 수 있다.[1]

본 글에서는 주제, 대상, 사건 등에 따라 신문별로 견해, 이념성향, 논조 등이 다를 수 있으며, 이 차이는 기사의 텍스트에 직접적으로 반영될 것이라고 가정한다. 이러한 유사성 또는 차이점을 텍스트의 정량적인 분석 방법을 통해 확인해 보고자 하는 것이 이 연구의 출발점이다.

신문에서 다루는 특정 주제, 대상, 사건 등은 텍스트에 등장하는 어떤 키워드(단어)로 표현된다. 그러나 단순히 텍스트에 출현하는 키워드의 빈도 차이만으로 주제에 대한 성향을 비교하는 것은 큰 의미를 찾기 어렵다. 빈도는 해당 키워드에 대한 관심의 정도를 반영하는 데에는 유용한 지표가 될 수 있지만(강범모, 2011), 키워드를 바라보는 글쓴

---

[1] 분석의 대상이 기사의 본문이 아닌 헤드라인에 한정된다거나(정일권, 2010), 조사 대상 자료의 시기의 격차가 매우 큰 경우가 이러한 예에 속한다고 할 수 있다. 이화행(2007)의 연구는 1994년과 2004년 5~6월에 게재된 과학지면을 분석 대상으로 삼고 있다.

이의 견해, 성향 등을 파악하는 것은 불가능하다. 이를 위해서는 얼마나 자주 키워드가 등장하는가보다는 키워드를 어떻게 표현하고 설명하고 있는지를 파악해야 한다. 보다 구체적으로는, 키워드가 어떤 단어들과 함께 텍스트에 언급되고 있는지를 살펴보아야 한다.

본 글에서는 키워드의 공기어(co-occurrence word)를 분석함으로써 신문별 비교 연구를 수행하고자 한다. 두 단어가 같은 문맥[2]에서 함께 나타날 때 이 두 단어가 공기한다고 말한다. 이 연구는 키워드의 공기어를 살펴봄으로써 여러 신문사들 간의 키워드에 대한 유사도를 비교하는 정량적인 분석 기법을 제안하고 그 결과를 제시하는 것을 목적으로 한다.

2. 신문별 유사도 비교

본 연구에서 제안하는 신문사별 유사도 비교 과정은 다음과 같이 세 단계로 이루어진다.

첫째, 신문사별로 기사에서 문맥 내에 함께 나타나는 모든 두 단어(대상어-공기어)의 쌍을 추출하고 색인한다. 이 과정에서 개별 단어의 빈도와 대상어-공기어 쌍의 빈도를 저장하고, 이들을 사전 순으로 정렬하여 빠르게 찾을 수 있도록 색인한다.

둘째, 각 신문별로 모든 단어[3]에 대한 공기 벡터(co-occurrence vector)

---

2 문맥은 문장, 문단 등 다양한 크기의 언어 단위 중 하나가 될 수 있다. 본 글의 모든 실험에서는 문맥의 단위로 문장을 사용하였다.
3 본 연구에서는 대상어를 명사로 한정하였다.

를 생성한다. 공기 벡터에 대해서는 1항에서 자세히 설명한다.

셋째, 동일한 단어에 대한 두 신문사의 공기 벡터들을 대상으로 유사도를 계산한다. 이러한 과정은 모든 신문사의 쌍에 대해 수행되어야 한다. 공기 벡터 간의 유사도 계산에 대해서는 2항에서 자세히 설명한다.

1) 공기 벡터

공기 벡터는 주어진 키워드(대상어)와 같은 문맥에서 함께 나타난 단어들로 이루어진 벡터이다. 모든 키워드는 자신의 공기 벡터를 가지며, 벡터 공간상의 한 점으로 대응된다.

공기 벡터를 표현하는 가장 단순한 방법은 이진 벡터(binary vector)로 표현하는 것인데, 이는 벡터의 원소가 0 또는 1의 값을 갖는 벡터로서 특정 원소의 위치에 해당하는 단어가 공기 관계가 있으면 1, 아니면 0의 값을 갖는 것이다. 이 방법은 단지 공기 관계의 유무만을 기록할 뿐 대상어와 공기어 사이의 연관도(associativeness)를 무시하는 것이다.

그러나 어떤 대상어에 대해, 자주 공기한 단어와 단 한번 공기한 단어의 연관도가 같을 수는 없다. 본 연구에서는 대상어와 공기어 간의 연관도를 반영한 실수 벡터(real-valued vector) 형태로 공기 벡터를 표현한다. 그렇다면 연관도를 어떻게 구해야 할까? 연관도를 계산하기 위한 가장 기본적인 가정은 같은 문맥 내에서 두 단어가 우연히 함께 나타날 빈도보다 실제로 함께 나타난 빈도가 높을수록 강한 공기 관계가 성립한다는 것이다. 이를 위해 기존의 연어(collocation) 연구에서 많이

사용되는 척도를 응용할 수 있다.[4]

다음 절들에서는 공기 관계의 연관도를 측정하기 위해 본 글에서 사용한 여러 가지 척도를 설명하고자 한다. 이에 앞서 다음을 정의해 두고자 한다. 두 단어 A와 B 사이의 연관도를 구한다고 가정하자. $f(A)$는 전체 코퍼스에 나타난 단어 A의 빈도, $f(B)$는 전체 코퍼스에 나타난 단어 B의 빈도, $f(A,B)$는 단어 A와 B의 공기 빈도(함께 나타난 빈도), N은 코퍼스의 크기(단어의 토큰 수)를 나타낸다.

(1) 공기 빈도

공기 빈도를 이용하는 방법은 단순히 대상어와 자주 공기하는 단어일수록 연관도가 높다고 가정하는 것이다. 여기서는 $f(A,B)$를 벡터의 값으로 사용한다. 대부분의 연관도 척도가 이 값만을 사용하지는 않으나 본 글에서는 다른 척도와의 비교를 위해 사용하고자 한다.

(2) 다이스 계수(Dice coefficient)

앞에서 살펴본 공기 빈도는 그 편차가 매우 크다. 단순히 공기어 자체의 빈도가 매우 높아서 우연히 대상어와의 공기 빈도도 높을 수도 있으나 이러한 점은 반영되지 않는다. 이를 보완하기 위해 다음과 같

---

4 전산학적 관점에서 연어는 서로 인접한 둘 이상의 단어를 의미한다. 반면 공기어는 반드시 두 단어의 인접 여부와는 관계없이 한 문맥 안에 함께 등장하는 경우를 대상으로 한다. 따라서 공기어가 연어보다 더 확장된 개념이라고 볼 수 있다.

이 공기 빈도를 개별 단어 빈도의 합으로 나누어 0과 1 사이의 값으로 정규화하는 효과를 얻을 수 있다.[5]

$$Dice\,(A,B) = \frac{2f(A,B)}{f(A)+f(B)}$$

(3) t-점수

t-점수는 연어 연구에서 가장 많이 사용된 척도 중 하나이다(Church et al., 1991; Stubbs, 1995; Manning and Schüze, 1999; 강범모, 2003).

단어 A가 대상어, 단어 B가 공기어일 때의 t-점수는 다음 식과 같이 구한다.

$$t(A,B) = \frac{O-E}{\sqrt{O}}$$

여기서, O는 관측 빈도로서 두 단어가 동일한 문맥에서 함께 나타난 빈도 즉, $f(A,B)$이고, E는 예상 빈도로서 우연히 두 단어가 같은 문맥에서 함께 나타날 빈도를 의미하며, 다음과 같이 계산한다.

$$E = \frac{N_A \times f(B)}{N}$$

5　본래의 다이스 계수는 두 이진 벡터 간의 유사도를 계산하기 위해 사용되는 방법이나 본 글에서는 수식이 유사하다는 이유로 다이스 계수라고 부르기로 한다.

N_A는 단어 A가 나타난 전체 문맥의 크기(문맥에 포함된 단어의 수)이다. 이 수식이 의미하는 것은 크기가 N인 전체 코퍼스 내에서 단어 B의 출현 횟수가 $f(B)$일 때, 단어 A가 출현한 문맥 내에서 단어 B가 출현할 횟수를 산술적으로 계산한 수치이다.

t-점수는 관측 빈도 O가 예상 빈도 E보다 클수록 값이 커지게 된다. 그러나 단순히 관측 빈도가 높다고 해서 t-점수가 커지는 것은 아니다. 관측 빈도와 예상 빈도가 모두 높을 수 있기 때문이다.

t-점수는 본 글에서 사용한 다른 척도와는 달리 대칭적이지 않고 방향성이 있다. 다시 말해, 대상어와 공기어가 서로 바뀌면 값이 달라진다. 대상어가 B인 경우에 예상 빈도 E는 다음과 같이 계산한다.

$$E = \frac{N_B \times f(A)}{N}$$

(4) 상호정보(Pointwise mutual information)

상호정보(Church et al., 1991; Manning and Schüze, 1999)는 Shannon의 정보이론에 기초한 척도로서 다음의 수식과 같다.

$$MI(A,B) = \log_2 \frac{P(A,B)}{P(A)P(B)}$$

두 확률 A와 B가 서로 독립이라면 공기 확률(결합 확률) $P(A,B)$는 개별 확률의 곱 $P(A) \times P(B)$와 같게 된다. 이때 상호정보(MI)의 값은

0이 된다. MI는 공기 확률이 개별 확률의 곱보다 크면 양의 값을, 작으면 음의 값을 갖게 된다.

확률값은 다음과 같이 상대빈도를 이용하여 구한다.

$$P(A) = \frac{f(A)}{N}, \quad P(B) = \frac{f(B)}{N}$$
$$P(A,B) = \frac{f(A,B)}{N_2}$$

여기서, N_2는 코퍼스에 나타난 모든 대상어-공기어 쌍의 수(단어쌍의 토큰 수)를 의미한다.

(5) 공기 벡터의 예

지금까지 살펴본 여러 척도들을 이용하여 실제로 벡터를 생성한 결과의 예를 보이고자 한다. 〈표 1〉은 『조선일보』에 나타난 대상어 '발전'에 대한 상위 10개의 공기어를 각 척도별로 보여준다.

〈표 1〉에서 다른 척도에는 등장하지 않고 해당 척도에만 등장하는 단어는 음영으로 표시하였다. 공기 빈도에 의한 상위 공기어 중에는 '말'이 등장한다. 사실 '말'은 빈도가 매우 높은 단어로서, 공기 빈도만으로는 많은 단어들의 상위 공기어가 된다. 그러나 '말'은 의미적으로 변별력 있는 단어는 아니다. 실제로 공기 빈도를 제외한 다른 척도에서는 '말'이 상위 공기어에 포함되지 않는다.

공기빈도		Dice		t-점수		MI	
공기어	값	공기어	값	공기어	값	공기어	값
지역	12,770	균형	0.127	지역	90.70	풍력	7.290
말	8,956	산업	0.089	산업	73.24	수력	6.999
경제	8,382	지역	0.078	경제	71.88	남동	6.932
산업	7,012	풍력	0.077	균형	69.82	비약적	6.927
한국	6,391	태양광	0.066	국가	59.93	균형적	6.849
국가	5,821	경제	0.066	기술	54.07	유니슨	6.837
균형	5,130	기금	0.066	풍력	51.67	태양광	6.805
계획	4,951	기여	0.065	기금	49.97	유통산업	6.635
사업	4,870	국가	0.059	기여	48.81	조력	6.562
정부	4,636	기술	0.056	도시	48.23	균형	6.517

다른 척도에 없는 단어가 가장 많이 발견된 척도는 MI로서 다른 척도로부터 얻은 상위 공기어들과는 양상이 다름을 알 수 있다. 다이스계수와 t-점수는 서로 가장 유사한 결과를 보이고 있다. 전체적으로 살펴볼 때, 척도마다 최대값과 최소값의 범위 및 구간 값의 차이의 정도가 매우 상이함을 알 수 있다.

2) 벡터 간 유사도 비교

신문별로 모든 단어에 대한 공기 벡터가 생성되었고, 어떤 키워드의 신문별 유사도를 비교한다고 가정하자. 비교할 신문사가 둘이라면 해당 키워드에 대한 두 신문의 공기 벡터를 서로 비교하면 된다. 그런데 신문사의 수가 셋 이상이라면 이렇게 둘씩 짝지을 수 있는 조합의 수만큼 비교해야 한다.

여기서, 두 공기 벡터를 어떻게 비교할 것인가 하는 의문이 남는다. 이를 위해 다음 절들에서 코사인 유사도와 피어슨 상관계수라는 척도를 각각 설명한다.

(1) 코사인 유사도(cosine similarity)

코사인 유사도는 벡터 간 유사도 계산에 가장 흔히 이용되는 척도 중 하나이다. 정보검색, 데이터 마이닝 등에 사용되며, 두 벡터 간의 각 (angle)을 계산한다.

단어 A와 B의 공기 벡터를 각각 $\vec{a}$와 $\vec{b}$라 할 때, 두 벡터의 코사인 유사도는 다음과 같이 구한다.

$$\cos(\vec{a}, \vec{b}) = \frac{\vec{a} \cdot \vec{b}}{|\vec{a}||\vec{b}|} = \frac{\sum_{i=1}^{n} a_i b_i}{\sqrt{\sum_{i=1}^{n} a_i^2} \sqrt{\sum_{i=1}^{n} b_i^2}}$$

분자는 두 벡터의 내적(inner product)이고, 분모는 두 벡터의 크기의 곱으로서 이 수식을 통해 정규화된 값을 얻을 수 있다.

공기 벡터의 경우는 원소가 음의 값을 갖지 않으므로, 코사인 유사도는 0의 최소값과 1의 최대값을 가질 수 있다. 또한 벡터의 크기에는 민감하지 않은 특징이 있다. 이 값이 클수록 두 벡터가 서로 유사하다는 것을 의미한다.

(2) 피어슨 상관계수(Pearson product-moment correlation coefficient)

피어슨 상관계수는 두 변수 사이의 선형적 관련성을 나타내는 수치로서 다음 수식과 같다.

$$r = \frac{\sum_{i=1}^{n}(a_i - \overline{a})(b_i - \overline{b})}{\sqrt{\sum_{i=1}^{n}(a_i - \overline{a})^2 \sum_{i=1}^{n}(b_i - \overline{b})^2}}$$

여기서, $\overline{a}$는 벡터 $\vec{a}$의 평균값을 의미한다.

상관계수의 범위는 -1에서 1이다. -1인 경우는 완전한 음적 선형 관계가 있음을, 1인 경우는 완전한 양적 선형 관계가 있음을 의미한다.

3. 분석 결과

1) 분석 대상

본 연구에서 사용한 신문 코퍼스는 2000년부터 2011년까지의 『조선일보』, 『동아일보』, 『중앙일보』, 『한겨레신문』의 모든 지면기사를 수집한 것으로서 그 규모는 약 5억 어절에 이른다. 〈표 2〉는 이 코퍼스의 통계를 보여준다. 이 원시 코퍼스를 형태소 분석기 KMAT(Lee and Rim, 2009)를 이용하여 형태소 분석을 하였다.

신문	기사 수	어절 수
『조선일보』	675,560	141,566,783
『동아일보』	543,509	123,551,002
『중앙일보』	530,152	123,646,690
『한겨레신문』	518,747	114,379,170
합계	2,267,968	503,143,645

본 연구에서는 비교 대상이 4개 신문사이므로 총 6가지 조합의 신문사 쌍에 대한 유사도를 구하였다(조선-동아, 조선-중앙, 동아-중앙, 조선-한겨레, 동아-한겨레, 중앙-한겨레).

2) 모든 단어에 대한 벡터 간 유사도 비교

전반적인 신문사별 유사도를 비교하기 위해, 전체 명사에 대한 각 신문사별 코사인 유사도의 평균을 구하였다.

〈표 3〉은 31,754개의 명사[6]의 공기 벡터에 대한 신문사 간의 평균 유사도를 보여준다. 이 표에서 'C'는 『조선일보』, 'D'는 『동아일보』, 'J'는 『중앙일보』, 'H'는 『한겨레신문』을 의미한다. 공기 벡터의 연관도는 공기 빈도, 다이스 계수, t-점수, 상호 정보에 의해 구하였고, 각 행마다 유사도의 평균이 가장 작은 값을 고딕체로 표시하였다.

---

6 각 신문사의 전체 기사에서 30회 이상 등장한 명사만을 대상으로 하였다.

〈표 3〉 신문사별 평균 코사인 유사도(전체 공기어)

	C-D	C-J	D-J	C-H	D-H	J-H
공기빈도	0.833	0.828	0.828	0.796	0.803	0.796
Dice	0.688	0.686	0.695	0.632	0.649	0.645
t-점수	0.736	0.729	0.734	0.692	0.703	0.697
MI	0.568	0.562	0.574	0.519	0.538	0.534

유사도가 가장 낮은 두 신문은 『조선일보』와 『한겨레신문』(C-H)이다. 특히, 『한겨레신문』은 『중앙일보』, 『동아일보』와도 낮은 유사도를 보임을 알 수 있다. 4가지의 척도 모두에서 동일한 결과를 얻었다. 높은 유사도를 보이는 신문 쌍은 사용된 척도에 따라 조금씩 다른 결과를 보임을 알 수 있다.

〈표 3〉의 결과는 공기 벡터를 생성할 때, 공기 빈도가 30 이상이고, t 점수가 양수인 모든 공기어를 사용하였다. 그런데 〈표 2〉에서 살펴본 바와 같이 신문사 별로 텍스트 크기에 차이가 있다. 『조선일보』의 기사량이 가장 많고, 『한겨레신문』의 그것이 가장 적다. 텍스트가 클수록 함께 나타나는 단어의 수가 많을 가능성이 높으므로 텍스트 크기의 차이가 공기어의 수에 영향을 미칠 수 있다는 점을 고려할 필요가 있다고 판단되어, 동일한 수의 공기어를 사용하여 공기 벡터를 생성해 보았다. 연관도 순으로 상위 100개의 명사만을 공기 벡터에 포함한 유사도 결과는 〈표 4〉에 있다.

〈표 4〉 신문사별 평균 코사인 유사도(상위 100개 공기어)

	C-D	C-J	D-J	C-H	D-H	J-H
공기빈도	0.832	0.827	0.826	0.792	0.800	0.793
Dice	0.684	0.682	0.692	0.627	0.644	0.641
t-점수	0.738	0.732	0.736	0.692	0.701	0.696
MI	0.518	0.513	0.533	0.461	0.489	0.487

상위 100개의 공기어를 사용하여 계산한 유사도는 모든 공기어를 사용했을 때에 비해 수치상으로 약간 낮아짐을 알 수 있다. 그러나 유사도 수치의 약간의 차이만 있을 뿐 〈표 4〉의 결과도 〈표 3〉의 결과와 동일한 양상을 보여주고 있다. 역시 『조선일보』와 『한겨레신문』이 가장 낮은 유사도를 보이며, 가장 낮은 유사도 순으로 나열했을 때 한겨레신문이 항상 포함된다는 것을 알 수 있다. 게다가 어떤 연관도 척도를 사용하는지와 관계없이 일관된 결과를 보이고 있다.

이번에는 코사인 유사도 대신 피어슨 상관계수를 이용하여 벡터 간 유사도를 구하였다. 〈표 5〉는 전체 공기어를 공기 벡터에 포함한 결과이고, 〈표 6〉은 상위 100개의 공기어만을 포함한 결과이다.

〈표 5〉 신문사별 평균 상관계수(전체 공기어)

	C-D	C-J	D-J	C-H	D-H	J-H
공기빈도	0.763	0.747	0.753	0.703	0.718	0.707
Dice	0.645	0.639	0.653	0.582	0.602	0.598
t-점수	0.566	0.554	0.562	0.509	0.522	0.514
MI	0.244	0.239	0.252	0.203	0.220	0.217

〈표 6〉 신문사별 평균 상관계수(상위 100개 공기어)

	C-D	C-J	D-J	C-H	D-H	J-H
공기빈도	0.742	0.733	0.733	0.688	0.699	0.688
Dice	0.616	0.616	0.627	0.554	0.573	0.571
t-점수	0.511	0.507	0.510	0.459	0.469	0.464
MI	0.145	0.151	0.158	0.130	0.140	0.142

피어슨 상관계수로 유사도를 구한 〈표 5〉와 〈표 6〉에서도 『한겨레신문』의 차별성이 두드러지게 나타남을 확인할 수 있다. 상호정보(MI)를 사용한 유사도는 대체로 매우 낮은 값을 보이고 있으나, 상대적인

유사도의 순위에 있어서는 차이가 없다.

지금까지 전체적인 신문사 간의 차별성과 유사성을 수치로 알아보았다. 〈표 3〉에서 〈표 6〉의 결과를 종합해 보면 "전체적으로『한겨레신문』이 다른 신문들과의 유사도가 가장 낮다"라고 말할 수 있다.

다음으로는 개별 키워드를 주목하여 살펴보고자 한다. 특정 신문이 다른 신문들에 비해 유사도가 낮은 키워드를 찾고자 하였다. 6가지 조합의 유사도 값들 중에서 가장 유사도가 낮은 3개의 조합에 하나의 특정 신문사가 포함되어 있는 명사의 수를 조사해 보았다. 이러한 단어를 본 글에서는 '차별적 단어'라고 부르기로 한다. 〈표 7〉부터 〈표 10〉까지는 신문사별 차별적 단어의 수를 조사한 결과이다. 〈표 7〉과 〈표 8〉은 코사인 유사도를, 〈표 9〉와 〈표 10〉은 피어슨 상관계수를 이용하였고, 〈표 7〉과 〈표 9〉는 공기어 전체를 이용한 결과이고, 〈표 8〉과 〈표 10〉은 상위 100개의 공기어를 이용한 결과이다. 표의 마지막 열의 '나머지'는 차별적 단어에 속하지 않는 단어의 수를 의미한다.

〈표 7〉 차별적 단어의 수(코사인; 전체 공기어)

	『조선일보』	『동아일보』	『중앙일보』	『한겨레신문』	나머지
공기빈도	2,291	1,737	2,762	11,822	13,142
Dice	3,646	2,253	2,442	10,810	12,748
t-점수	2,022	1,110	1,747	14,602	12,273
MI	2,420	1,069	1,454	11,552	15,259

〈표 8〉 차별적 단어의 수(코사인; 상위 100개 공기어)

	『조선일보』	『동아일보』	『중앙일보』	『한겨레신문』	나머지
공기빈도	2,323	1,765	2,734	11,537	13,395
Dice	3,709	2,291	2,468	10,373	13,058
t-점수	2,116	1,263	1,848	12,949	13,578
MI	3,466	1,154	1,396	9,469	16,269

<표 9> 차별적 단어의 수(상관계수; 전체 공기어)

	『조선일보』	『동아일보』	『중앙일보』	『한겨레신문』	나머지
공기빈도	2,229	1,499	3,316	11,342	13,368
Dice	3,584	2,098	2,452	10,462	13,158
t-점수	2,012	1,141	2,211	13,486	12,904
MI	2,874	1,340	1,709	9,272	16,559

<표 10> 차별적 단어의 수(상관계수; 상위 100개 공기어)

	『조선일보』	『동아일보』	『중앙일보』	『한겨레신문』	나머지
공기빈도	2,372	1,846	3,159	11,245	13,132
Dice	3,745	2,368	2,479	9,782	13,380
t-점수	2,296	1,506	2,100	12,704	13,148
MI	3,054	1,690	1,718	5,831	19,461

조사 결과에 의하면, 차별적 단어의 수는 다른 신문에 비해 한겨레신문에서 압도적으로 많이 발견되었다. 이러한 현상은 연관도 척도, 유사도 척도, 공기 벡터에 포함된 공기어의 수에 관계없이 동일한 양상을 보이고 있다.

3) 연도별 키워드에 대한 벡터 간 유사도 비교

앞 항의 조사 결과는 전체 기간(2000~2011)에 대한 전체 단어의 평균 유사도 및 차별적 단어의 수를 비교한 것이다.

특정 주제나 사건을 다루는 성향의 비교를 위해서는 키워드 별로 조사해야 한다. 또한 특정 기간에 이슈화된 사건을 분석하기 위해서는 전체 기간을 대상으로 한 조사보다는 그 기간에 해당하는 기사만을 대상으로 조사하는 것이 바람직하다.

김일환·이도길(2011)에서는 대규모의 신문 기사로부터 자동으로 키워드를 추출하여 제시하였다. 본 글에서는 임의로 키워드를 선정하고 그것들의 유사도 차이를 비교하기 보다는 김일환·이도길(2011)에서 제시한 연도별 키워드 중에서 2005년부터 2009년까지의 키워드를 신문별 유사도 비교를 위해 사용하고자 한다. 연도별 키워드는 〈표 11〉에 수록하였다.[7]

〈표 11〉 김일환·이도길(2011)에 따른 연도별 키워드

연도	키워드
2005	도청 줄기 세포 독도 열린우리당 일본 교수 테이프 인권 국정원 부동산 황우석 청계천 난자 박주영 교황 연정 감청 혁신 지진 대사 과거사 광복 유전 행담도 배아 고이즈미 역사 교과서 논술 박지성 라이스 판교 동북아 적립식 사학 회담 참배 한류 투기 지휘권 김치 서울대 윤리 도시 해일 연구 방폐장 본프레레 토지 허리케인 여당 독간 MBC 결산 삼성 조류 야스쿠니 헌법 위안화 본고사 수첩 수사권 특별법 논문 휴대 공공 일제 맥아더 기생충 다케시마 이사국 드라마 재건축 경수로 반일 개발 뉴올리언스 내용 행정 중국 강정구 중국산 안기부 추위 체세포 복제 소나무 두산그룹 시효
2006	열린우리당 실험 논술 제재 론스타 북한 미사일 외환은행 발사 독일 토고 총리 월드컵 현대차 한국 환수 양극화 상품권 아베 판교 사학 유엔 이란 통제권 집값 인도 스위스 부동산 지방 안보리 논문 여당 이승엽 레바논 아이 선거 중국 워드 안보 부총리 아드보카트 의장 도하 급식 사행성 헤즈볼라 오락실 요미우리 작전권 장관 프랑스 대포동 박지성 김근태 전시 분양가 정책 출총제 야스쿠니 참배 내정자 응원 이종석 위폐 대법원장 축구 연합뉴스 황우석 지단 코드 펀드 청약 재판관 괴물 개성 대북 사회 사람 저출산 후보자 경품용 좌파 결의안 작전 이야기 베어백 루니
2007	후보 대선 이명박 경선 신당 범여권 대통합 탈레반 논술 인질 캠프 정동영 펀드 박근혜 주자 탈당 지지율 검증 아베 브리핑 손학규 와인 통합 발인 개헌 민주 내신 로스쿨 기자실 지사 동영상 서브 대학 사르코지 엄마 협상 사람 석방 단일화 취재 프라임 등급 아프간 협정 신정 평창 선거인단 이해찬 회담 홍보처 김경준 열린우리당 납치 외교 상한제 논제 공약 중국 팀장 친노 문국현 글로벌 대표 부친상 청장 위안부 학력 세계 총장 온난화 디자인 의혹 피랍자 여수 경선 유치 아이 사진 네거티브 해외 교육부 도곡동 가점제 코스피 타결 실장 피랍 텐트 변호사 소설 동국대 이해 학위 혁신

---

7   〈표 11〉의 목록은 김일환·이도길(2011)에서 제시한 연도별 키워드 중에서 1음절 단어 및 '올해'와 같이 변별력이 없는 단어를 제외한 것이다.

	2008	이명박 쇠고기 오바마 올림픽 촛불 당선 위기 광우병 공천 금융 베이징 영어 미국산 에너지 매케인 정부 인수위 물가 친박 재정부 대표 수입 집회 독도 운하 환율 펀드 힐러리 글로벌 시위 식품 규제 재협상 선진 숭례문 완화 해양부 시위 공기업 직불금 가격 프라임 금메달 고유가 원자재 디자인 서브 버락 기름 당선자 국토 침체 티베트 비준 유가 대운하 청와대 전형 경제 대통령직 달러 세계 종부세 민영화 수첩 미국발 비례 코스피 구제 친환경 태양광 원내 강만수 곡물 그루지야 특검 공부 복당 자전거 페일린 교육감 와인 공화당 상원 소통 대한민국 농림 기술부 건국 로스쿨 성장 한우 흑인 사진 태안 진보
	2009	오바마 위기 신종 세종 자전거 플루 글로벌 녹색 이명박 전형 일자리 발사 학생 쌍용차 노조 버락 친환경 에너지 공부 금융 인플루엔자 지원 성장 디자인 사업 교과 미디어 하토야마 재정부 다문화 성적 입학 기후 비정규직 로켓 서거 사정 외고 국토 해양부 탄소 김연아 관제 막걸리 회복 온실 추기경 도시 사교육 브랜드 용산 인턴 학습 백신 광장 진행 철거민 보금자리 영어 불황 소통 선발 의료 세계 수학 후보자 원안 면접 안전 부 석면 태양광 수업 침체 전임자 센터 기술부 학원 고용 효과 프로젝트 노총 취업 접종 인재 과학 해고 개성 창출 학교 정규직 대법관 가스 다양 법안 체험 나로호

연도별 유사도 비교를 위해서 공기어의 연관성 척도로는 t-점수를, 벡터 간 유사도 척도로는 코사인 유사도를 이용하였고, 공기 벡터 생성 시 t-점수 순으로 상위 100개의 공기어를 사용하였다.

먼저, 연도별 키워드 중에서 각 신문사별 차별적 단어의 수를 조사하였다(〈표 12〉 참고).

〈표 12〉 연도별 키워드의 차별적 단어의 수

	『조선일보』	『동아일보』	『중앙일보』	『한겨레신문』	나머지
2005	2	7	4	31	46
2006	4	3	5	33	42
2007	5	6	12	26	44
2008	8	3	5	47	33
2009	1	1	3	54	37

앞서의 결과와 마찬가지로 한겨레신문에서 가장 많은 차별적 단어의 수가 발견되었다. 그러나 차별적 단어라고 해서 반드시 유사도의 차이가 큼을 의미하는 것은 아니다. 수치상으로는 유의미한 차이가 없을 가능성이 있다. 따라서 특징적인 단어를 찾기 위해서는 차별적 단

어 중에서 유사도의 차이가 큰 것을 찾는 것이 중요하다. 본 연구에서는 유사도 차이가 큰 단어를 찾는 하나의 방법으로, 차별적 신문이 포함되지 않은 유사도 값들의 평균과 차별적 신문이 포함된 유사도 값들의 평균의 차가 큰 단어의 순서대로 나열해 보았다.

차별적 단어들 중에서 가장 두드러진 단어는 2005년과 2008년의 키워드인 '수첩'이었다. 『한겨레신문』과 다른 신문들을 비교하였을 때, 2005년과 2008년 기사에 나타난 '수첩'의 유사도가 매우 두드러진 차이를 보임을 알 수 있다〈표 13〉 참고).

〈표 13〉 2005년과 2008년 '수첩'의 신문사별 유사도

	C-D	C-J	D-J	C-H	D-H	J-H
2005	0.825	0.743	0.750	0.373	0.205	0.246
2008	0.850	0.852	0.851	0.302	0.316	0.293

이 '수첩'은 주로 MBC의 시사보도 프로그램인 〈PD수첩〉을 언급할 때 나타났다. 2005년에는 황우석 교수 문제로 인해, 2008년에는 광우병 문제로 인해 PD수첩의 보도가 사회적 파장을 일으킨 것이다. 『한겨레신문』이 유난히 다른 양상을 보인 이유는 PD수첩에 대한 신문사의 이념성향의 차이에 따른 기사 내용상의 차이라기보다는 표기의 차이에 의한 것임을 알아냈다. 『한겨레신문』에서는 'PD수첩' 대신 '피디수첩'으로 표기함으로써 생긴 차이였다.[8]

〈표 14〉는 2008년 기사에 나타난 '수첩'(『조선일보』, 『동아일보』, 『중앙일보』의 경우)과 '피디수첩'(『한겨레신문』의 경우)의 공기어를 각 신문사별로

---

8 형태소 분석에 있어서, 'PD수첩'은 'PD'와 '수첩'으로 분리되는 반면, '피디수첩'은 하나의 단어로 분석되기 때문이다.

<표 14> 2008년 '수첩'(조선, 동아, 중앙) 및 '피디수첩'(한겨레)에 대한 공기어 및 벡터값(상위 10개)

『조선일보』		『동아일보』		『중앙일보』		『한겨레신문』	
공기어	t-점수	공기어	t-점수	공기어	t-점수	공기어	t-점수
광우병	23.09	광우병	17.75	광우병	16.56	수사	15.06
MBC	20.23	MBC	15.73	보도	13.68	광우병	15.05
보도	18.61	보도	14.74	MBC	13.22	문화방송	14.53
방송	16.76	방송	11.61	방송	11.87	보도	14.29
왜곡	14.26	왜곡	11.53	왜곡	10.32	검찰	13.95
검찰	13.17	쇠고기	10.99	검찰	9.92	방송	12.89
소	12.01	소	10.61	빈슨	8.81	언론	10.86
쇠고기	11.62	수사	10.02	소	8.35	쇠고기	9.48
수사	11.19	검찰	9.49	수사	8.27	왜곡	8.57
내용	10.44	관련	9.14	쇠고기	8.05	제작진	8.30

조사한 것이다.

〈표 15〉는 '수첩'(『조선일보』, 『동아일보』, 『중앙일보』의 경우)과 '피디수첩'(『한겨레신문』의 경우) 유사도를 비교하고 있는데, 유사도의 차이가 〈표 13〉과 같이 크지 않음을 알 수 있다.[9] 따라서 〈표 13〉의 결과는 내용상의 차이가 아닌 단순한 표기에 의한 차이였음을 알 수 있다.

〈표 15〉 2005년과 2008년 '수첩'(조선, 동아, 중앙) 및 '피디수첩'(한겨레)의 신문사별 유사도

	C-D	C-J	D-J	C-H	D-H	J-H
2005	0.825	0.743	0.750	0.756	0.773	0.693
2008	0.850	0.852	0.851	0.737	0.721	0.737

다음으로는 실제 내용 분석에 있어서 차이를 보일 만한 단어를 사례로 들어보고자 한다. 2008년의 키워드인 '친환경'도 한겨레신문에 의해 차별적 단어에 속한다. 2008년에 사용된 '친환경'에 대한 신문별 유사도를 살펴보면 〈표 16〉과 같다.

---

9 2008년의 '수첩' 및 '피디수첩'은 『한겨레신문』에 의해 차별적 단어에 속한다.

<표 16> 2008년 '친환경'의 신문별 유사도

신문사	C-D	C-J	D-J	C-H	D-H	J-H
유사도	0.793	0.795	0.806	0.668	0.687	0.642

실제로 어떤 이유에서 '친환경'이 차별적 단어가 되었는지를 확인하려면 각 신문별 공기 벡터를 살펴보아야 한다. 〈표 17〉은 '친환경'에 대한 신문별 공기어와 벡터값을 보여준다.

<표 17> 2008년 '친환경'에 대한 공기어 및 벡터값(상위 10개)

조선일보		동아일보		중앙일보		한겨레신문	
공기어	t-점수	공기어	t-점수	공기어	t-점수	공기어	t-점수
에너지	13.95	에너지	13.36	에너지	11.22	농산물	8.80
도시	13.25	농업	12.50	농업	10.38	에너지	8.40
농산물	12.13	농산물	12.10	개발	9.82	급식	7.89
농업	11.96	개발	10.77	사업	9.20	상품	7.70
환경	11.64	인증	9.22	제품	9.16	농업	7.26
개발	11.63	환경	9.17	농산물	8.82	학교	7.05
조성	9.96	기술	9.10	도시	8.72	개발	6.82
기술	9.78	제품	8.80	환경	8.68	자동차	6.73
제품	9.74	도시	7.82	생산	8.49	환경	6.57
단지	9.46	사용	7.76	기술	8.40	제품	6.50

공기 벡터에 포함된 공기어의 순위나 벡터값의 차이가 두드러질수록 그 키워드에 대한 신문별 유사도의 차이는 커진다. 『조선일보』, 『동아일보』, 『중앙일보』의 경우는 모두 '에너지'라는 단어를 가장 높은 순위의 공기어로 삼는 반면, 『한겨레신문』의 최상위 공기어는 '농산물'이다. 또한 『한겨레신문』은 상위 10개의 공기어 중 4개('급식', '상품', '학교', '자동차')의 자신만의 공기어를 포함하고 있다. 이러한 분석을 통해 『한겨레신문』과 다른 신문들 사이의 '친환경'에 대한 인식의 차이가 있다는 것을 짐작할 수 있다. 이후에 기존의 비교 연구에서 수행한 프레임

유형 분석 등의 분석을 시도함으로써 더 자세한 연구를 진행할 수 있으나 이러한 내용은 본 글의 주제 범위를 벗어나므로 다루지 않으나 향후 연구로 다루어 볼만하다.

4. 결론

본 글은 보수 성향으로 분류되는『조선일보』,『동아일보』,『중앙일보』와 진보 성향으로 분류되는『한겨레신문』을 대상으로 이들 간의 키워드에 대한 유사도를 비교할 목적으로, 각 신문들에 대해 전체 명사에 대한 평균 유사도와 '차별적 단어'의 수를 조사하였다. 또한 연도별 키워드에 대한 신문별 유사도를 비교하였고 사례를 제시하였다. 분석 결과에 의하면, 4개 신문사 중『한겨레신문』이 가장 두드러진 차별성이 있음을 알 수 있었다. 이 과정에서 단지 하나의 척도에 의해 얻은 결과로부터 결론을 도출하지 않고, 다양한 연관도 척도와 벡터 간 유사도 척도를 도입하여 적용하였으며, 이로부터 일관성 있는 결과를 얻었다는 점에 의의가 있다.

본 연구에서 제안하는 신문 비교 방식을 역으로 해석해 보면, 유사도의 차이는 키워드에 대한 공기 벡터의 차이로 인함이고, 공기 벡터의 차이는 대상어(키워드)와 공기어의 연관도의 차이 때문이고, 연관도의 차이는 공기 빈도, 즉 대상어와 함께 사용되는 단어의 빈도가 가장 큰 영향을 미치는 요소이다. 결국 키워드가 어떤 단어와 함께 더 자주 사용되느냐가 신문사마다 다르다는 것이고, 실제로 이념 성향이 다른 신문일수록 이러한 차이가 더 크다는 것을 알 수 있었다.

본 연구의 의의는 다음과 같다. 신문사들 간의 유사도를 정량적인 지표를 통해 비교해 볼 수 있다. 이 과정을 연구자의 주관이나 정성적인 평가 대신 컴퓨터를 이용하여 자동으로 수행할 수 있다. 신문 간의 이념 성향을 비교하는 기존 연구는 기간, 면종, 기사범위 등의 제약을 통해 연구 대상을 한정하거나 현실적인 연구 자원의 한계로 인해 단편적인 면만을 부각할 수도 있는 단점이 있으나 본 글에서 제안하는 방법은 이러한 문제에서 벗어난다. 물론 주제나 사안에 따라서 전체 기간이 아닌 특정 시기별로 또는 모든 기사가 아닌 주제 분류에 따라 대상을 선정한 후에 분석을 할 수 있다는 점에서 오히려 다양한 차원의 분석을 시도해 볼 수 있다.

내용상의 차이점을 살펴보려면, 대상어와 그 공기어들을 직접 살펴보고, 그들이 실제 기사에서 어떻게 함께 사용되고 있는지를 관찰하여야 하고, 나아가 프레임 유형 분석과 같은 심층적인 분석이 필요하다. 본 연구를 기존의 연구와 병행하는 방법으로 활용할 수 있다. 제안하는 방법에 의해 차별적 단어로 판정된 키워드를 우선적으로 연구의 대상으로 삼고, 차별적 단어가 된 이유를 알아내기 위해 각 신문별 공기 벡터를 비교해 보고, 실제 기사의 용례를 살펴보면서 본격적인 연구 가능성을 미리 타진 또는 모색해 볼 수 있다.

기존의 연구가 관심 있는 키워드를 미리 선정한 후 조사하는 방식이었다면, 제안하는 방법을 통해 유사도 차이가 큰 단어를 선별하여, 해당 단어에 대한 심층적인 분석을 시도하는 방식으로 연구 방법론상의 패러다임의 변화를 가져올 수도 있다. 또한 신문별로 차이를 보일 것으로 쉽게 예상할 수 있는 키워드에서 벗어나 예상하지 못했던 키워드를 발견할 수도 있다.

참고문헌

강범모, 『언어, 컴퓨터, 코퍼스언어학』, 고려대 출판부, 2003.

강범모, 「명사 빈도의 변화, 사회적 관심의 트렌드 - 물결 21 코퍼스(2000~2009)」, 『언어학』 제61호, 한국언어학회, 2011.

김일환·이도길, 「대규모 신문 기사의 자동 키워드 추출과 분석 -t-점수를 이용하여」, 『한국어학』 제53권, 한국어학회, 2011.

이화행, 「일간지 과학지면의 특성과 보도 경향 비교 연구 - 1994년과 2004년의 조선, 중앙, 동아일보를 중심으로」, 『언론과학연구』 제7권, 제1호, 한국지역언론학회, 2007.

이현정, 「1991~2010년 신문기사 분석을 통해 살펴본 한국 우울증 담론의 변화와 그 문화적 함의」, 『한국문화인류학』 제45권, 제1호, 한국문화인류학회, 2012.

임양준, 「용산사태에 대한 일간신문의 뉴스보도 비교연구 - 조선일보, 한겨레신문, 한국일보를 중심으로」, 『한국언론학보』 제54권, 제1호, 한국언론학회, 2010.

조수선, 「중앙일간신문의 교육섹션 비교분석 - 조선, 중앙, 동아, 한겨레를 중심으로」, 『동서언론』 제13호, 동서언론학회, 2010.

정순둘·박현주·김보경, 「'고령화 사회(Aging society)'에 관한 인식과 대책 - 신문기사를 통해 본 동향 분석」, 『한국사회복지학』 제63권 제4호, 한국사회복지학회, 2011.

정일권, 「사회면 기사 분석(1998~2009)을 통해 본 뉴스 미디어의 현실구성」, 『한국언론정보학보』 제50호, 한국언론정보학회, 2010.

정재철, 「한국신문의 유전자 연구 프레임 비교 분석 - 조선일보, 국민일보, 한겨레신문을 중심으로」, 『한국언론정보학보』 제25호, 한국언론정보학회, 2004.

하승희·이민규, 「북한주민 생활 실태에 관한 국내 신문보도 프레임연구 - 조선일보, 동아일보, 한겨레, 경향신문을 중심으로」, 『한국언론정보학보』 제58호, 한국언론정보학회, 2012.

Church, K. · W. Gale · P. Hanks · D. Hindle, "Using Statistics in Lexical Analysis", U. Zernik ed., *Lexcial Acquisition —Exploiting on-line resources to build a lexicon*, Hilldale : Lawrence Erlbaum, 1991.

Lee, Do-Gil · Hae-Chang Rim, "Probabilistic Modeling of Korean Morphology", *IEEE Transactions on Audio, Speech, and Language Processing* vol.17 no.5, July 2009.

Manning, C. · H. Schüze, *Foundations of Statistical Natural Language Processing*, Cambridge,

Mass : The MIT Press, 1999.

Stubbs, Michael, "Collocations and Semantic Prosodies—On the cause of the trouble with quantitative studies", *Foundations of Language* 2-1, 1995.

| '대선' 관련어의 추이 분석과 전망 |

16~18대 대선을 대상으로

1. 도입

이 연구는 주요 일간지(『조선일보』, 『동아일보』, 『중앙일보』, 『한겨레신문』, 발간 연도순)의 어휘 사용 양상을 기반으로 '대선' 관련어의 변화 추이를 분석하고 이를 통해 향후 '대선' 관련어의 변화 양상을 전망해 보는 데 목적이 있다. 신문은 당시의 사회적 관심사와 주요 이슈들을 반영하고 있는 매체라는 점에서 대규모의 기사를 장기적으로 분석함으로써 사회 문화적 변화 추이를 분석하는 데 좋은 자료가 된다. 특히 '대선'과 같은 중요한 사건과 관련해서는 신문사마다 다양한 분석과 전망이 담긴 기사를 쏟아낸다는 점에서 신문에 사용된 대선과 관련한 어휘 사용 양상 분석은 의의가 있다.

2. 연구 방법과 대상

1) 공기어와 관련성 계량

'대선' 관련어를 추출하기 위해서 이 연구에서는 대상어(target word) 와 공기어(co-occurrence word) 정보를 활용하였다. 대상어는 분석 대상 이 되는 단어를 가리키며, 공기어는 대상어와 한 문장에서 유의미하게 함께 출현한 단어로 규정된다. 이때 공기어의 관련성이 통계적으로 유 의미한지 판정하기 위해 t-점수를 도입하였는데(강범모, 2010; 김일환·이 도길, 2011; Manning & Schütze, 1999 등) 그 계산식은 다음과 같다.[1]

$$t점수 = \frac{O-E}{\sqrt{O}}$$ (O는 출현빈도, E는 기대빈도)

이때 t-점수가 높으면 관련성이 높다고 할 수 있으며 그 수치는 절대 적이라기보다는 해당 대상어와 공기어 사이의 관련성에 대해서만 유 의미하다는 점에서 상대적이다. 이 연구에서 관련어는 대상어와 한 문 장 안에서 유의미하게 함께 출현하는 공기어로 정의하고 대상어의 관 련어를 선정한다.

---

[1]   구체적인 계산 과정은 강범모(2010), 김일환(2011)을 참조할 수 있다.

2) 연구 대상

고려대학교 민족문화연구원에서는 신문 텍스트 기반의 장기간의 사회 문화적 변화 추이를 분석하고 전망하기 위한 '물결21' 사업을 2008년부터 수행해 왔으며 현재까지 2000년부터 2011년까지의 신문 기사(『조선일보』, 『동아일보』, 『중앙일보』, 『한겨레신문』)에 대한 기초적인 분석을 완료한 바 있다. 이번 연구에서는 2000년대에 치러진 16~18대 대선에 해당하는 기사들만을 대상으로 하였는데, 대선일 직전 3개월 치를 분석 대상으로 선정하였다. 이러한 기간 설정은 대선이 치러지기 3개월 전부터는 사회적인 관심이 대선에 본격적으로 집중되기 시작하면서 각 신문에서도 이와 관련한 다양한 기사가 양산될 것이라는 가정을 반영한 것이다. 구체적인 분석 대상 기사는 다음과 같다.

① 16대 대선 관련어 : 분석 기간 2002.9.20~2002.12.19(대선일 직전 3개월치)

② 17대 대선 관련어 : 분석 기간 2007.9.20~2007.12.19(대선일 직전 3개월치)

③ 18대 대선 관련어 : 분석 기간 2012.9.1~2012.10.30[2]

한편 각 분석 기간의 신문(4개 신문 통합) 기사의 어절 수는 다음과 같다.

---

[2] 이 연구는 18대 대선 운동이 진행 중인 2012년 12월에 수행된 결과임을 밝힌다.

① 16대 대선 기사 : 11,037,655 어절

② 17대 대선 기사 : 10,939,614 어절

③ 18대 대선 기사 : 5,236,951 어절

3. 빈도와 대선

선거에서 주요 후보들의 당선 가능성을 논하는 과정에서 가장 쉽게 참조할 수 있는 것이 빈도 정보이다. 즉 선거일 직전에 언론에서 출현한 빈도와 당선 결과와의 상관성을 가정해 보는 것이다. 그러나 2000년대에 치러진 대선 결과를 살펴보면 이러한 가정을 그대로 수용하기에는 한계가 있어 보인다. 〈표 1〉은 대선 후보의 4개 신문사 출현 빈도 (대선 직전 3개월치)와 득표수를 정리해 본 것이다.

〈표 1〉 2000년대 주요 대선 후보와 출현 빈도

구분	선거일	정당명	기호	성명	빈도	득표수	득표율
제16대	2002.12.19	한나라당	1	이회창(李會昌)	4,395	11,443,297	46.58%
제16대	2002.12.19	민주당	2	노무현(盧武鉉)	4,372	12,014,277	48.91%
제17대	2007.12.19	민주신당	1	정동영(鄭東泳)	3,991	6,174,681	26.14%
제17대	2007.12.19	한나라당	2	이명박(李明博)	9,187	11,492,389	48.67%
제18대	2012.12.19	새누리당	-	박근혜(朴槿惠)	3,038	-	-
제18대	2012.12.19	민주통합당	-	문재인(文在寅)	2,547	-	-
제18대	2012.12.19	무소속	-	안철수(安哲秀)	3,546	-	-

〈표 1〉에 의하면 17대에서는 빈도에서 압도적인 우위를 보인 이명박 후보가 실제 대선에서도 승리하였으므로 빈도와 대선 결과가 상관성이 있는 것으로 보인다. 그러나 16대에서는 낙선한 '이회창'의 빈도

가 실제 당선자인 '노무현'보다 높았다는 점에서 당선 여부와 출현 빈도의 상관성이 강해 보이지는 않는다. 하지만 16대에는 노무현 후보와 정몽준 후보의 후보 단일화가 이루어졌다는 점을 고려한다면 23번의 빈도 차이는 크게 의미가 있어 보이지는 않는다. 한편 18대에서는 무소속 후보인 '안철수'의 빈도가 가장 높은 것으로 조사되었다. 그러나 이러한 단순한 빈도만으로 결과를 예측하는 데에는 분명 한계가 있다.

4. 대선 키워드의 관련어 분석

대신 키워드를 산출하기 위해 각 선거별로 '대선'과 공기하는 단어들을 추출하였다. '대선'의 관련어를 유의도 t-점수를 기준으로 상위 50개씩 정리하면 다음과 같다.

〈표 2〉 '대선'의 주요 관련어(관련성 상위 50개)

구분	관련어	t-점수	구분	관련어	t-점수	구분	관련어	t-점수
2002대선	N/후보	62.45	2007대선	N/후보	83.62	2012대선	N/후보	67.38
2002대선	N/선거	29.81	2007대선	P/한나라당	45.56	2012대선	P/안철수	28.26
2002대선	P/민주당	26.11	2007대선	P/이명박	37.18	2012대선	P/박근혜	27.53
2002대선	P/한나라당	25.93	2007대선	N/신당	32.14	2012대선	N/출마	25.48
2002대선	N/대통령	23.68	2007대선	N/총재	31.24	2012대선	P/새누리당	25.22
2002대선	N/의원	22.40	2007대선	P/이회창	30.41	2012대선	N/민주	23.65
2002대선	P/이회창	21.91	2007대선	N/출마	29.78	2012대선	N/통합당	23.49
2002대선	N/공약	21.34	2007대선	N/대통합	28.81	2012대선	N/대통령	22.93
2002대선	N/연대	20.12	2007대선	N/민주	28.76	2012대선	P/문재인	20.35
2002대선	P/노무현	19.96	2007대선	N/선거	28.03	2012대선	N/경선	20.06
2002대선	N/정책	19.94	2007대선	N/대통령	26.81	2012대선	P/민주당	19.98
2002대선	N/출마	19.53	2007대선	N/자금	24.90	2012대선	N/선거	19.38
2002대선	N/유권자	19.16	2007대선	P/정동영	24.68	2012대선	N/무소속	18.03

2002대선	N/정치	19.14	2007대선	P/민주당	23.79	2012대선	N/공약	18.00
2002대선	N/국민	19.07	2007대선	N/수사	23.51	2012대선	N/단일화	17.85
2002대선	P/정몽준	18.13	2007대선	N/경선	22.27	2012대선	N/캠프	16.41
2002대선	N/토론	17.62	2007대선	N/정치	20.20	2012대선	N/원장	16.23
2002대선	N/통합	17.60	2007대선	N/의원	20.03	2012대선	N/정치	15.58
2002대선	N/단일화	17.33	2007대선	N/공약	19.98	2012대선	N/선언	15.38
2002대선	N/정당	16.08	2007대선	N/의혹	19.58	2012대선	N/정책	15.18
2002대선	N/당	15.92	2007대선	N/당	19.54	2012대선	N/야권	14.83
2002대선	N/구도	15.42	2007대선	N/총선	19.04	2012대선	P/공화당	14.81
2002대선	N/자금	14.12	2007대선	N/단일화	18.99	2012대선	N/주자	14.68
2002대선	N/투표	13.89	2007대선	P/BBK	18.93	2012대선	N/의원	14.13
2002대선	N/지지	13.45	2007대선	P/노무현	18.85	2012대선	N/당	13.97
2002대선	N/토론회	13.43	2007대선	N/지지율	18.71	2012대선	N/민주화	13.86
2002대선	N/정치권	13.04	2007대선	N/국민	18.22	2012대선	N/국민	13.56
2002대선	N/선언	13.02	2007대선	N/정책	17.85	2012대선	P/서울대	12.88
2002대선	N/승리	12.89	2007대선	N/검찰	17.81	2012대선	N/승리	12.51
2002대선	N/여론	12.47	2007대선	N/정국	17.50	2012대선	N/대학원장	12.16
2002대선	N/운동	12.37	2007대선	N/사건	17.40	2012대선	N/선출	12.15
2002대선	N/대결	12.28	2007대선	N/선언	17.19	2012대선	N/융합	12.07
2002대선	P/자민련	12.22	2007대선	N/승리	17.16	2012대선	N/지지율	11.40
2002대선	N/주요	12.15	2007대선	N/구도	17.10	2012대선	N/경제	11.35
2002대선	N/대표	11.64	2007대선	N/대표	16.91	2012대선	N/유력	10.97
2002대선	N/정국	11.47	2007대선	N/범여권	16.89	2012대선	N/여야	10.76
2002대선	N/정권	11.30	2007대선	N/지지	16.81	2012대선	N/기획단	10.73
2002대선	N/당선	11.14	2007대선	N/여론	16.68	2012대선	N/정치권	10.68
2002대선	N/합동	11.08	2007대선	N/정당	15.87	2012대선	P/노무현	10.60
2002대선	P/김대중	11.06	2007대선	N/등록	15.73	2012대선	P/이명박	10.54
2002대선	N/경선	10.92	2007대선	P/이인제	15.66	2012대선	N/토론	10.13
2002대선	N/공개	10.90	2007대선	N/무소속	15.50	2012대선	N/투표	9.85
2002대선	N/단체	10.76	2007대선	N/주자	15.46	2012대선	N/정당	9.67
2002대선	N/개혁	10.67	2007대선	N/조사	15.38	2012대선	N/여론	9.56
2002대선	N/진영	10.60	2007대선	N/유권자	15.35	2012대선	N/정국	9.54
2002대선	N/공조	10.59	2007대선	N/불법	14.69	2012대선	N/위원	9.52
2002대선	N/참여	10.54	2007대선	N/세력	14.42	2012대선	N/회견	9.50
2002대선	P/권영길	10.54	2007대선	P/문국현	14.00	2012대선	N/확정	9.49
2002대선	N/투표율	10.39	2007대선	N/당선	13.78	2012대선	N/지지	9.46
2002대선	P/민주노동당	10.33	2007대선	N/토론회	13.16	2012대선	N/유권자	9.40

〈표 2〉를 통해서 우리는 대체로 '대선'과 어떤 단어가 가장 관련이
높게 쓰였는지 가늠해 볼 수 있다. 먼저 주목할 수 있는 것은 정당명이

나 후보명이 '대선'과 관련성이 높을수록 선거에서 승리하였다는 점이다. 2002년에는 '민주당'이, 2007년에는 '한나라당', '이명박'의 관련성이 상대 후보보다 높게 나타났다. 이에 비해 2012년에는(아직 대선까지 1개월이라는 시간이 남아 있는 시기라는 점을 늘 염두에 두길 바란다) '안철수', '박근혜'가 정당명보다 더 관련성이 높은 데 비해 '문재인'은 '민주통합당'보다 관련성이 떨어진다. 이는 무소속 후보인 '안철수'가 대선의 주요 후보로 부각되면서 당보다는 인물 중심의 대결이 언론의 관심을 받아서일 수도 있다.

이 외에 '공약', '선거', '단일화' 등과 같이 높은 관련성을 보이는 단어들을 중심으로 논의를 진행해 보자.

1) 공약

대선별 '공약'의 공기어를 관련성 순위로 정리하면 다음과 같다.

〈표 3〉 '공약'의 주요 상위 관련어(30위까지)

대상어	관련어	t-score	대상어	관련어	t-score	대상어	관련어	t-score
2002공약	N/후보	38.92	2007공약	N/후보	36.98	2012공약	N/후보	23.85
2002공약	N/정책	21.39	2007공약	N/정책	21.15	2012공약	N/대선	18.05
2002공약	N/대선	21.29	2007공약	N/대선	19.88	2012공약	N/복지	14.42
2002공약	N/이전	16.74	2007공약	N/교육	15.48	2012공약	N/정책	13.48
2002공약	P/한나라당	16.37	2007공약	P/이명박	14.36	2012공약	N/경제	13.30
2002공약	N/선거	16.26	2007공약	P/한나라당	13.88	2012공약	N/민주화	11.43
2002공약	P/민주당	16.04	2007공약	N/발표	12.86	2012공약	N/발표	11.03
2002공약	N/제시	15.59	2007공약	N/선거	12.79	2012공약	N/선거	10.94
2002공약	N/대통령	14.89	2007공약	N/제시	12.40	2012공약	N/국민	10.85
2002공약	P/노무현	13.73	2007공약	N/경제	12.17	2012공약	P/새누리당	9.56

2002공약	N/행정수도	12.72	2007공약	P/정동영	11.11	2012공약	P/박근혜	9.25
2002공약	P/이회창	11.74	2007공약	N/유권자	10.01	2012공약	N/일자리	8.83
2002공약	N/실현	11.34	2007공약	P/대운하	9.98	2012공약	N/제시	8.83
2002공약	N/유권자	11.11	2007공약	P/한반도	9.92	2012공약	N/대통령	8.72
2002공약	N/발표	10.90	2007공약	N/대통령	9.82	2012공약	N/총선	8.08
2002공약	N/수도	10.78	2007공약	N/일자리	9.75	2012공약	N/개혁	8.01
2002공약	N/국민	10.72	2007공약	N/복지	8.93	2012공약	N/재벌	7.99
2002공약	N/충청권	10.43	2007공약	N/신당	8.78	2012공약	N/위원회	7.96
2002공약	N/분야	10.42	2007공약	N/대표	8.77	2012공약	N/위원장	7.96
2002공약	N/행정	10.25	2007공약	N/대통합	8.51	2012공약	P/문재인	7.63
2002공약	N/평가	10.21	2007공약	N/실현	8.47	2012공약	N/실현	7.51
2002공약	N/폐지	9.62	2007공약	N/민주	8.43	2012공약	N/재원	7.51
2002공약	N/경제	9.07	2007공약	N/비판	8.21	2012공약	N/여야	7.41
2002공약	N/당	8.95	2007공약	N/핵심	8.04	2012공약	P/안철수	7.30
2002공약	N/예산	8.85	2007공약	N/분야	7.96	2012공약	N/민주	7.16
2002공약	N/교육	8.79	2007공약	N/구체적	7.83	2012공약	N/행복	7.15
2002공약	N/정치	8.76	2007공약	N/건설	7.74	2012공약	N/통합당	7.08
2002공약	N/통합	8.75	2007공약	N/평가	7.71	2012공약	N/구체적	6.91
2002공약	N/지방	8.64	2007공약	N/입시	7.37	2012공약	N/정치권	6.80
2002공약	N/약속	8.20	2007공약	P/권영길	7.34	2012공약	N/추진	6.72

'공약'과 관련하여 2002년 대선에서는 '노무현', '행정수도', '이전'의 관련성이 상대 후보보다 높게 나타났고, 2007년에는 '이명박', '교육', '경제', '대운하' 등이 그러한 양상을 보였다. 즉 당선자의 공약과 관련된 공기어가 상대 후보의 것보다 관련성이 높게 나타나는 양상을 보였다. 즉 공약과 관련한 담론에서 우위를 점하는 후보가 선거에서 승리할 것이라는 점이 관련어의 양상에서도 그대로 드러난다. 2012년에는 '복지', '경제', '민주화', '일자리'가 공약의 주요 관련어로 등장하고 있는데 이들은 세 후보 공히 주요 공약 속에 포함시키고 있다는 점에서 공약과 관련하여 특정 후보의 우위를 논하기는 어려워 보인다. 단, '새누리당', '박근혜'가 다른 후보 진영보다 관련성이 높다는 점은 주목할 만하다.

2) 선거

<표 4> '선거'의 주요 관련어(상위 30개)

대상어	관련어	t-score	대상어	관련어	t-score	대상어	관련어	t-score
2002선거	N/후보	48.17	2007선거	N/후보	48.76	2012선거	N/후보	30.98
2002선거	N/대통령	47.46	2007선거	N/대통령	39.03	2012선거	N/대통령	23.00
2002선거	N/운동	35.15	2007선거	N/운동	30.27	2012선거	N/대선	19.42
2002선거	N/대선	30.09	2007선거	N/대선	28.12	2012선거	N/위원회	17.91
2002선거	P/민주당	28.24	2007선거	N/위원회	24.97	2012선거	N/의원	16.58
2002선거	N/위원회	23.92	2007선거	N/관리	19.71	2012선거	N/대책	16.51
2002선거	P/한나라당	23.40	2007선거	N/대책	19.29	2012선거	N/운동	16.30
2002선거	N/지방	22.86	2007선거	N/중앙	18.82	2012선거	N/캠프	14.31
2002선거	N/정치	22.60	2007선거	N/의원	18.41	2012선거	N/정치	13.97
2002선거	N/유권자	21.75	2007선거	N/경선	18.41	2012선거	N/비용	13.95
2002선거	N/정당	21.42	2007선거	P/한나라당	18.35	2012선거	N/정당	13.08
2002선거	N/정책	21.40	2007선거	N/투표	17.62	2012선거	N/보궐	12.54
2002선거	N/국민	21.06	2007선거	N/정치	17.49	2012선거	N/자금	12.41
2002선거	N/국민	20.49	2007선거	N/유권자	16.74	2012선거	N/국민	12.22
2002선거	N/관리	20.30	2007선거	N/동원	16.65	2012선거	N/중앙	12.19
2002선거	N/선관위	20.28	2007선거	N/정당	16.42	2012선거	N/출마	11.81
2002선거	N/중앙	20.08	2007선거	N/정책	16.01	2012선거	N/투표	11.76
2002선거	N/투표	20.02	2007선거	N/지방	15.99	2012선거	N/총선	11.70
2002선거	N/의원	16.96	2007선거	N/출마	15.40	2012선거	P/민주당	11.19
2002선거	N/선거법	16.90	2007선거	N/불법	14.94	2012선거	P/새누리당	11.10
2002선거	N/여론	16.87	2007선거	N/신당	14.90	2012선거	N/공약	10.90
2002선거	N/자금	16.69	2007선거	N/실시	14.88	2012선거	N/관리	10.77
2002선거	N/부정	16.62	2007선거	N/선관위	14.59	2012선거	N/지방	10.37
2002선거	P/노무현	16.56	2007선거	P/이명박	13.99	2012선거	N/당	10.21
2002선거	N/공약	16.51	2007선거	N/후보자	13.93	2012선거	N/본부장	10.09
2002선거	N/출마	16.34	2007선거	N/방송	13.93	2012선거	N/당선	9.80
2002선거	N/후보자	16.11	2007선거	N/국민	13.71	2012선거	N/위원장	9.74
2002선거	N/토론	16.10	2007선거	N/당	13.66	2012선거	N/정책	9.72
2002선거	N/미디어	15.85	2007선거	N/조직	13.65	2012선거	N/단일화	9.54
2002선거	N/방송	15.85	2007선거	N/보궐	13.35	2012선거	N/선관위	9.36

2002년 선거에서는 '미디어', '방송', '여론'뿐 아니라 '개혁', '돼지저금통', '부재자', '사이버', '공조' 등이 주요 관련어에 포함되어 있다. 2007

년에는 '불법', '동원'에 이어 '모바일', '네거티브', '무소속', '범여권', '신당', '오렌지' 등이 포함되었다. 2012년에 이르러는 '단일화'가 부각되었으며 이어 '개헌', '진보'가 상대적으로 높은 관련성을 보였다.

한편 '선거'에 더하여 '투표율', '지지도', '지지율', '유권자'를 대상으로 한 관련어를 살펴보면 유권자 분류의 '탈지역화'라는 특성이 나타나고 있는 것으로 보인다.

〈표 5〉 '선거, 투표율, 지지도, 지지율, 유권자'의 관련어(괄호 안의 숫자는 관련성 순위)

대상어	2002년	2007년	2012년
'선거'	지방(9)	지방(23), 경남(94)	지방(30), 서울(60), 서울시(84), 부산(85)
'투표율'	지방(15), 젊다(17), 연령별(54), 대학생(49), 전국(71)	지역(8), 광주(12), 전남(28), 전북(55), 세대별(30)	시간(4), 젊다(26)
'지지도'	호남(38), 지역(40), 충청권(51), 충청(54), 지역별(78), 연령별(82), 영남(97), 수도권(106)	전국적(80), 호남(92), 전국(110), 지역(132)	호남(18)
'지지율'	호남(47), 충청권(65), 경남(73), 지역(89), 충청(151)	호남(36), 수도권(57), 경북(97), 대구(121), 충청권(126)	호남(22), 전국(60), 충청(103), 지역(124), 경남(135)
'유권자'	충청권(50), 수도권(63), 충청(76)	호남(30), 수도권(39)	전국(51), 호남(69)

즉 '투표율'의 관련어에는 2002년 대선에서 '지방', '전국'에 더하여 '젊다', '연령별', '대학생'과 같은 지지층과 관련된 단어들이 높은 관련성 순위를 차지하였던 데 비해 2007년 대선에서는 지역과 관련한 단어들이 많이 포함되어 있다는 특징이 있다. 한편 2012년에는 지역에 대한 관심이 상대적으로 적으며 대신 '젊다', '시간'과 같이 젊은 계층의 투표율과 관련한 단어들이 주된 관심을 받았다. 그 밖에 '지지도', '지지율', '유권자' 등의 관련어를 보면 대체로 지역에 대한 관심이 줄어들고 있음을 확인할 수 있다.

3) 단일화

'단일화'는 2000년대 대선에서 가장 중요한 화두로서 소위 '단일화 프레임'을 구축하는 데 성공하느냐가 대선의 결정적인 변수로 작용해 왔다.

〈표 6〉 '단일화'의 대선별 주요 관련어

대상어	관련어	t-score	대상어	관련어	t-score	대상어	관련어	t-score
2002단일화	N/후보	82.54	2007단일화	N/후보	58.87	2012단일화	N/후보	52.19
2002단일화	P/민주당	37.02	2007단일화	N/범여권	23.72	2012단일화	N/야권	24.87
2002단일화	N/의원	36.21	2007단일화	N/신당	21.35	2012단일화	P/안철수	19.98
2002단일화	N/국민	32.06	2007단일화	P/민주당	20.90	2012단일화	P/민주당	19.04
2002단일화	P/정몽준	31.24	2007단일화	P/정동영	19.26	2012단일화	N/대선	18.10
2002단일화	P/노무현	30.23	2007단일화	N/대선	19.12	2012단일화	P/문재인	17.74
2002단일화	N/통합	29.49	2007단일화	P/문국현	17.94	2012단일화	N/논의	17.35
2002단일화	N/여론	25.66	2007단일화	N/대통합	16.50	2012단일화	N/정치	15.81
2002단일화	N/조사	24.28	2007단일화	N/통합	16.17	2012단일화	N/원장	12.95
2002단일화	N/협상	23.53	2007단일화	N/민주	16.15	2012단일화	N/통합당	12.90
2002단일화	N/탈당	22.13	2007단일화	P/이인제	16.05	2012단일화	N/국민	12.84
2002단일화	N/추진	21.79	2007단일화	N/지지율	14.58	2012단일화	N/여론	12.74
2002단일화	N/합의	20.79	2007단일화	N/논의	13.96	2012단일화	N/민주	12.60
2002단일화	N/후단협	19.88	2007단일화	N/협상	12.15	2012단일화	N/무소속	12.30
2002단일화	N/협의회	19.35	2007단일화	N/국민	12.14	2012단일화	N/방식	11.74
2002단일화	N/경선	18.46	2007단일화	N/여론	12.06	2012단일화	N/조사	11.26
2002단일화	P/한나라당	18.24	2007단일화	N/합당	11.83	2012단일화	N/캠프	10.67
2002단일화	N/논의	17.76	2007단일화	P/이명박	11.30	2012단일화	N/협상	10.59
2002단일화	N/대선	17.44	2007단일화	N/당	11.14	2012단일화	N/지지층	10.25
2002단일화	P/이회창	17.14	2007단일화	N/토론	11.13	2012단일화	N/경선	10.18
2002단일화	N/대통령	16.25	2007단일화	N/세력	10.94	2012단일화	N/과정	10.12
2002단일화	N/토론	15.85	2007단일화	P/노무현	10.94	2012단일화	N/정권	10.04
2002단일화	N/방식	14.76	2007단일화	N/가능성	10.88	2012단일화	N/출마	10.02
2002단일화	N/대표	14.63	2007단일화	P/정몽준	10.44	2012단일화	N/교체	9.95
2002단일화	N/세력	13.73	2007단일화	N/조사	9.73	2012단일화	P/노무현	9.90
2002단일화	N/지지율	13.67	2007단일화	P/한나라당	9.45	2012단일화	P/정몽준	9.86
2002단일화	N/주장	13.53	2007단일화	P/이회창	9.42	2012단일화	N/선거	9.74
2002단일화	N/명분	13.47	2007단일화	N/제안	9.27	2012단일화	N/등록	9.43
2002단일화	N/가능성	13.40	2007단일화	N/연대	9.27	2012단일화	N/쇄신	9.39
2002단일화	N/성사	12.81	2007단일화	P/창조한국당	9.27	2012단일화	N/지지율	9.33

'단일화 프레임' 구축에서 가장 중요한 요소는 아마도 '누가 단일화하는가' 하는 점일 것이다. 2002년에는 단일화의 대상인 '노무현', '정몽준' 후보의 관련성이 특히 높게 나타났다는 점을 주목할 수 있다. 이에 비해 2007년은 단일화 대상이 누구인지 관련성 지표만으로는 확인하기 어렵다. 오히려 주목되는 것은 '범여권'이다. 즉 단일화에서 중심이 되는 인물 위주의 '단일화'가 아닌 '범여권' 차원의 '단일화'가 관심을 받았다. 결과적으로 '범여권의 단일화'는 대선 실패라는 결과를 낳았다.[3] 이에 비해 2012년의 '단일화'는 우선 단일화 대상이 '안철수, 문재인'이라는 점이 관련성 지표로 명확히 드러난다는 점에서 2002년의 단일화와 유사한 양상을 보인다.

2002년과 2012년의 '단일화'에서 주목할 만한 관련어로는 다음을 더 들 수 있다. 2002년에는 '거부', '명분', '야합'이, 2007년에는 '결렬', '극적', '무산', '기대'가, 2012년에는 '담판', '민심', '승리', '열망'이 다른 대선에 비해 높은 관련성을 보였다. 특히 '야합'은 16대와 18대 대선에서 높은 관련성을 보이는 것으로 나타나 이 시기에 '단일화'에 대한 상대 진영의 거친 반응이 표출된 것으로 보인다. 16대에는 '야합'과 관련한 노무현 후보 측이 결과적으로 승리한 바 있다는 점을 고려할 때 18대의 선거 결과가 자못 궁금해진다. 그러나 18대의 '단일화'에는 16대의 '단일화'에서 보였던 '단풍'(단일화 열풍), '노풍'과 같은 흥행에는 아직 이르지 못한 것으로 보인다. 이는 앞으로 남은 대선 기간에서 주목할 만한 이슈가 될 것임에 틀림없다.

---

3 범여권의 단일화는 '실패'(55위), '결렬'(126위) 등의 부정적인 단어와 높은 관련성을 보였다. 선거 이전부터 단일화가 성공적이지 못했음을 보여주는 것으로도 해석할 수 있다.

5. 대선 후보의 관련어 분석

1) 대선 주요 후보의 관련어 분석

(1) 16대 대선

〈표 7〉 16대 대선 주요 후보의 상위 관련어

대상어	관련어	t-score	대상어	관련어	t-score
노무현	N/후보	78.68	이회창	N/후보	78.26
노무현	P/민주당	49.34	이회창	P/한나라당	49.19
노무현	P/정몽준	36.43	이회창	P/노무현	34.20
노무현	P/이회창	34.19	이회창	N/대통령	30.02
노무현	N/대통령	30.61	이회창	P/민주당	29.21
노무현	N/단일화	30.05	이회창	P/정몽준	22.64
노무현	P/한나라당	29.10	이회창	N/의원	21.84
노무현	N/국민	27.47	이회창	N/대선	21.68
노무현	N/통합	26.14	이회창	N/지지	18.32
노무현	N/의원	22.97	이회창	P/권영길	17.69
노무현	N/대선	19.67	이회창	N/단일화	16.87
노무현	P/권영길	17.99	이회창	N/토론	15.63
노무현	N/지지	17.15	이회창	N/의혹	15.36
노무현	N/토론	15.86	이회창	N/조사	15.15
노무현	N/선거	15.86	이회창	N/병역	14.79
노무현	N/여론	15.55	이회창	N/지지율	14.66
노무현	N/대표	14.74	이회창	N/국민	14.57
노무현	N/정책	13.93	이회창	N/대결	14.05
노무현	N/정치	13.76	이회창	N/통합	14.05
노무현	N/공약	13.62	이회창	N/정치	13.77
노무현	P/민주노동당	13.50	이회창	N/선거	13.33
노무현	N/조사	13.23	이회창	N/여론	13.21
노무현	N/유세	12.78	이회창	N/구도	12.85
노무현	N/지지율	12.41	이회창	P/민주노동당	12.79
노무현	N/대결	11.60	이회창	N/정책	12.33
노무현	N/경선	11.35	이회창	N/주장	11.85
노무현	N/구도	11.18	이회창	N/공약	11.64
노무현	N/정권	11.16	이회창	N/토론회	10.87

노무현	N/세력	10.54	이회창	P/김대업	10.86
노무현	N/이전	10.40	이회창	N/수사	10.55
노무현	N/단일	10.15	이회창	N/유세	10.24

〈표 7〉을 보면 두 후보의 상위 주요 관련어에 '단일화'가 모두 포함
되어 있다(각 6위, 11위). 이는 단일화 주체인 '노무현', '정몽준' 후보 진영
뿐 아니라 이회창 후보 진영에서도 '단일화'의 관련성이 높게 나왔다는
점에서 노무현 진영이 '단일화 프레임'을 통해 이회창 진영의 담론을
모두 흡수한 결과가 되었다. 결과적으로 '이회창' 후보의 '단일화' 이외
의 주요 관련어로 남은 것은 '병역' 관련어뿐이다. 이에 비해 노무현 후
보는 '행정수도 이전'이라는 거대한 공약을 추가로 관련어에 포함시킴
으로써 전반적인 분위기를 가져올 수 있었던 것으로 보인다.

(2) 17대 대선

〈표 8〉 17대 대선 주요 후보의 상위 관련어

대상어	관련어	t-score	대상어	관련어	t-score
정동영	N/후보	75.09	이명박	N/후보	104.47
정동영	N/신당	42.33	이명박	P/한나라당	58.87
정동영	N/대통합	37.72	이명박	P/이회창	40.58
정동영	N/민주	37.42	이명박	N/대선	36.82
정동영	P/이명박	31.73	이명박	P/BBK	33.16
정동영	P/이회창	25.46	이명박	P/정동영	31.80
정동영	N/대선	24.33	이명박	N/신당	28.78
정동영	P/문국현	22.08	이명박	N/지지율	26.18
정동영	P/한나라당	20.88	이명박	N/대통령	25.17
정동영	N/단일화	19.11	이명박	N/의혹	24.29
정동영	P/이인제	19.06	이명박	N/대통합	24.13
정동영	N/경선	17.10	이명박	N/검찰	23.95
정동영	P/민주당	16.84	이명박	N/민주	23.94
정동영	N/지지율	15.99	이명박	N/지지	23.88

정동영	P/손학규	15.86	이명박	N/대표	23.00
정동영	N/대통령	15.42	이명박	N/총재	21.63
정동영	P/권영길	15.42	이명박	P/김경준	21.48
정동영	P/이해찬	15.02	이명박	N/사건	19.76
정동영	N/통합	15.01	이명박	P/박근혜	19.54
정동영	N/무소속	13.98	이명박	N/수사	19.06
정동영	N/조사	13.76	이명박	N/무소속	19.04
정동영	N/여론	12.44	이명박	N/조사	18.73
정동영	N/범여권	12.40	이명박	N/의원	18.38
정동영	N/지지	12.20	이명박	N/주장	17.95
정동영	N/선거	11.69	이명박	N/조작	17.75
정동영	P/노무현	11.65	이명박	N/주가	16.30
정동영	P/창조한국당	11.10	이명박	N/여론	15.66
정동영	N/공약	11.01	이명박	N/정권	15.28
정동영	P/민주노동당	10.75	이명박	N/출마	15.25
정동영	N/의원	10.24	이명박	P/문국현	14.99

17대 대선의 후보자별 상위 관련어 양상만 보면 16대 대선의 그것과 양상이 유사하다는 점을 발견할 수 있다('정동영' 후보와 '단일화'의 높은 관련성, '이명박' 후보와 'BBK', '주가 조작'과 같은 부정적 단어와의 높은 관련성이 그러하다). 그럼에도 불구하고 결과는 16대와 반대이다. 이것은 관련어의 양상으로는 설명할 수 없을까? 우선 16대와 17대의 두드러진 차이는 '단일화'에 대한 관심의 차이에 있다. 즉 정동영 후보는 '단일화'와 높은 관련성을 보였지만(10위) 이명박 후보는 '단일화'에 대한 관련성이 상대적으로 높지 않았다(61위). 이는 16대의 경우와 비교할 때 현격한 차이라 할 만하다. 따라서 정동영 후보 측에서는 '단일화' 프레임으로 상대 후보를 압박하지 못했다고 볼 수 있다.

또한 다른 관련어를 보더라도 정동영 후보와 관련성이 높은 것으로는 '무능', '반발', '부패', '반부패', '불법', '행복' 등이 포함된 데 비해 이명박 후보의 관련어에는 '경제', '독주', '자신감', '운하', '프레임' 등이 포함되어 있다는 점이 대조를 보인다. 도덕성이 중요한 이슈임에는 틀림없으나 자신만의 공약이나 색채를 강하게 드러내지 못한다면 이는 그리 큰 문제가 되지 않을 수 있다는 점을 보여주는 상징적인 사건이라 할 만하다.

(3) 18대 대선

〈표 9〉 18대 대선 주요 후보의 상위 관련어

'문재인'의 관련어	t-score	'박근혜'의 관련어	t-score	'안철수'의 관련어	t-score
N/후보	54.51	N/후보	53.96	N/후보	52.85
N/민주	30.63	P/새누리당	36.82	P/문재인	29.78
N/합당	30.46	N/대선	27.32	N/무소속	28.26
P/안철수	29.71	P/안철수	23.49	N/대선	28.12
N/대선	24.16	P/문재인	22.93	P/박근혜	23.54
P/박근혜	22.89	N/대통령	20.25	N/단일화	19.79
P/민주당	17.63	N/합당	13.87	N/민주	19.44
N/단일화	17.49	N/민주	13.86	N/합당	19.25
N/무소속	16.92	P/정수장학회	13.38	P/서울대	19.17
N/대통령	16.23	N/대결	12.82	P/새누리당	17.98
P/새누리당	15.39	P/박정희	12.01	N/융합	17.59
N/야권	12.92	N/의원	11.65	N/대학원장	17.56
N/경선	12.76	N/캠프	11.45	N/정치	17.46
P/노무현	12.67	N/지지율	11.11	N/과학	16.66
N/캠프	12.35	N/무소속	11.02	N/출마	16.37
N/정치	11.04	N/조사	10.89	N/기술	15.78
N/대결	10.18	N/위원장	10.77	P/민주당	15.71
N/지지율	10.07	N/양자	9.73	N/캠프	15.50
N/여론	8.71	P/민주당	9.73	N/원장	14.64
N/조사	8.48	N/이사장	9.58	N/야권	13.70
N/민주화	7.76	N/야권	9.53	N/현상	12.82
N/지지	7.59	N/국민	9.23	N/생각	12.40
N/정책	7.57	N/공약	9.08	N/대통령	12.19
N/선대위	7.44	N/여론	8.98	N/선언	11.27
N/공약	7.41	P/인혁당	8.97	N/지지율	11.20

N/양자	7.27	N/과거사	8.75	N/교수	11.09
P/손학규	7.21	N/지지	8.73	N/대결	10.55
N/경쟁	7.15	N/사과	8.59	N/정책	10.47
P/호남	7.02	N/회견	8.52	N/국민	10.18
N/개혁	7.01	N/민주화	8.26	N/여론	10.07

18대 대선의 경우 결과를 알지 못 한 상태에서 자료를 모으고 분석을 시도하였기 때문에 이 연구에서의 기술은 제한적인 의미를 가질 수밖에 없다. 먼저 18대 대선에서도 '단일화'가 중요한 담론으로 부상하였다. 앞선 두 번의 대선에서 '단일화 프레임'에 성공한 16대에서는 '노무현' 후보가 승리한 반면 그렇지 못한 17대에서는 '이명박' 후보가 승리하였다. 18대 대선에서는 '단일화' 프레임이 어떻게 작동하고 있는지 살펴보자. 우선 단일화의 두 당사자인 '문재인', '안철수' 후보와 '단일화'는 높은 관련성을 보이는 것이 당연하다(각 8위, 6위). 문제는 '박근혜' 후보가 이 프레임을 얼마나 극복하느냐 하는 점일 것이다. 현재 '박근혜' 후보와 '단일화'의 관련성은 33위에 올라 있다. 16대에서는 6위와 11위, 17대에서는 10위, 61위에 위치한 점을 고려할 때 18대 대선의 '단일화' 프레임은 17대보다는 성공적인 것으로 보인다. 앞으로의 변화 추이가 기대된다.

한편 어느 누구도 상대 후보의 약점을 비판하는 '네거티브'와 거리를 두고 있다는 점도 흥미롭다. 박근혜 후보의 경우 '과거사'와 관련된 단어들이 주요 관련어로 등장하는 데 비해, 상대 진영인 '문재인, 안철수' 후보의 관련어에는 이러한 유형의 공기어가 두드러지게 나타나지 않는다. 지난 두 번의 대선에서 얻은 교훈의 결과인지는 모를 일이다.

세 후보의 팽팽한 긴장은 공약에서도 드러난다. '공약'과 높은 관련성을 보이는 공기어가 어느 후보에 속한 것이냐가 이전 선거에서는 중요한 이슈였는데 18대 대선의 공약은 세 후보가 서로 약속이나 한 듯이 유사한 공약을 내걸고 있다(경제민주화, 복지, 일자리). 이렇게 되면 '공약'의 관련어가 차별성을 보이지 않게 되므로 결과적으로 공약과 관련한 섣부른 전망은 하지 못하게 될 것이다.

2) 관련어를 통해 본 전망

지금까지 '대선'과 관련한 '공약', '선거', '단일화'에 이어 대선별 주요 후보의 관련어를 통해 당선 결과와 관련어의 상관성을 유추해 보았다. 공기어의 높은 관련성이 실세계와 얼마나 부합할 것인지는 또 다른 문제이므로 본고의 유추는 단어 사용 양상에 기반을 둔 결과일 뿐 논리적인 인과 관계를 객관적으로 따지는 데에는 한계가 있다. 그럼에도 불구하고 몇몇 단어들에서 보이는 강한 상관성은 단어 사용 양상과 실세계의 연결을 무시할 수만은 없는 것으로 보게 한다. 이 절에서는 위에서 살펴본 관련어와 당선 결과와의 상관성 가운데 일부 특징적인 양상을 좀 더 자세히 살펴보기로 한다.

(1) '희망'과 '행복', 대선 결과와 관련 있을까?

2002년 대선에서 '돼지저금통'을 앞세워 '희망'을 외친 노무현 후보는 선거에서 승리하였다. 한편 2007년 17대 대선에서는 '행복'을 공약

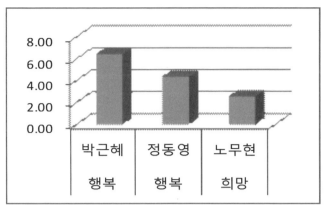

〈그림 1〉 18대 대선 후보와 '희망, 행복'의 관련성

으로 내세운 정동영 후보는 패배하였다. 2012년의 다른 두 후보와 달리 박근혜 후보는 '행복'과 높은 관련성을 보이고 있다. 그 결과는 어떻게 될까?

(2) 네거티브, 언급할수록 밑지는 장사

지난 대선의 관련어를 통해 볼 때 상대 후보의 부정적인 면만을 집중적으로 언급하는 것은 오히려 결과적으로 나쁘게 작용해 왔다. 16대 대선에서는 이회창 후보의 '병역' 관련 문제가 큰 이슈가 되었음에도 불구하고 '노무현' 후보와 '병역'의 관련성은 거의 나타나지 않았다. 이에 비해 17대 대선에서는 '정동영' 후보와 'BBK'(51위), '의혹'(43위)가 밀접한 관련성을 보였고 선거에서 패배하였다. 두 번의 경우만 갖고 예측하긴 어렵지만 긍정적이든 부정적이든 상대 진영에 주로 초점을 두고 자신의 목소리를 내지 못하는 후보는 선거에서 이기기 어렵다는 예측을 해 볼 수 있다. 2012년에는 이러한 양상이 어떻게 나타날 것인지 지켜보는 것도 흥미로울 것이다.

(3) '대세론', 승리의 방정식?

2002년 대선에서는 '이회창' 후보와 '대세론'이 높은 관련성을 보였다(상위 42위, t-점수 9.38). 이에 비해 '노무현' 후보와 '대세론'의 관련성은 매우 약하게 나타났으나(306위, 3.00) 실제 대선 결과는 이와 반대로 나타났다. 2007년에도 '대세론'이 관련어로 등장하였는데, '정동영'과 '대세론'의 관련성 94위(5.39)였으며, '이명박' 후보는 55위(11.54)였고 결과는 이명박 후보의 승리였다. 2012년 대선에서도 여전히 '대세론'은 후보들과 관련성을 보인다. 문재인 170위(3.01), 박근혜 118위(4.11), 안철수 269위(2.60).

(4) '개혁'을 외친 후보들의 결과는?

16대 대선에서 '노무현', '이회창' 두 후보는 '개혁'과 높은 관련성을 보였다(35위, 58위). 17대 대선에서는 '정동영' 후보만이 '개혁'과 높은 관련성을 보였다. 그리고 그 결과는 두 후보 모두 '개혁'과 높은 관련성을 보인 선거에서는 더 강한 관련성을 보인 후보가 승리하였고, 한 후보만이 '개혁'과 관련성이 높을 경우 그 후보는 패배하였다. 2012년 대선에서는 '안철수', '문재인' 후보와 '개혁'이 높은 관련성을 보일 뿐 '박근혜' 후보와는 그렇지 않다는 점에서 17대 대선과 유사한 양상을 보이고 있다.

3) 주요 후보의 관련어 네트워크 분석

네트워크 분석은 관계성의 형태나 구성원 사이의 상호작용을 분석하고 그 특성을 시각화하는 방법론이다(김용학, 1987). 네트워크 분석의 특징은 구성원 사이의 특정한 연계 전체의 특성으로 연계에 포함된 구성원의 행위를 설명하려는 점에 있다. 즉 각 구성원들의 전체 관계망 구조의 형태 분석 및 이를 통한 하위 집단들에 대한 비교 분석을 할 수 있다. 이밖에 각 군집에 속한 구성원들 사이에서 형성되는 관계의 분석도 가능하다(손동원, 2002). 이를 분석하기 위한 방법으로 다수의 노드와 이를 연결하는 선으로 구성된 망에 대한 사회과학적 통계적 분석이 이용된다. 언어 현상을 네트워크로 나타낼 경우 신문 기사에 나타나는 단어가 노드로 표시되고 문맥 내에서 대상어와 함께 나타나는 정도는 연결선의 진하기나 굵기로 표시된다.

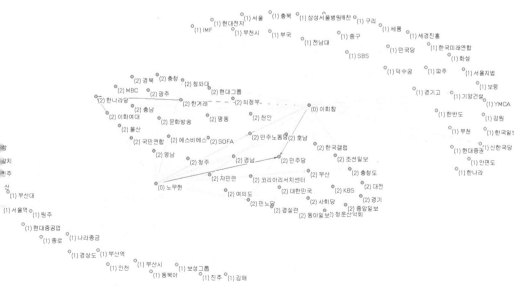

〈그림 2〉 2002년 대선 후보자 관련 고유명사

2002년 대선 후보자들이 기사에서 기술될 때 각 후보자의 소속에 관련된 당명, '한나라당', '민주당'이 자주 언급되는데 이는 네트워크에서 연결선의 진하기로 표시된다. 관련어 가운데 고유명사를 살펴보면 두 후보자가 선거 유세를 하는 지역의 분포를 알 수 있다. 노무현 후보의 경우 경남 지역이 다수 언급되고 있으며 참모진의 비리와 관련된 기업명도 눈에 띈다.

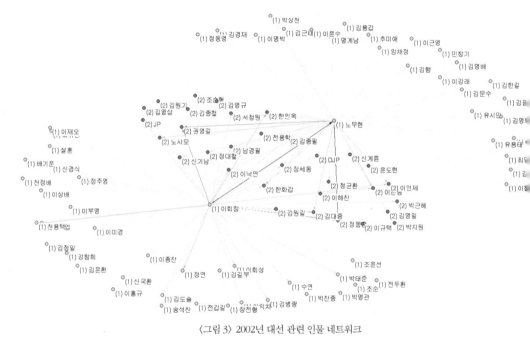

〈그림 3〉 2002년 대선 관련 인물 네트워크

2002년 대선 후보자와 관련된 인물의 경우 공통적으로 나타나는 관련어는 각 후보자를 지지하는 정치인, 경쟁 정치인, 그리고 지지단체 등으로 나타난다. 한 후보자에만 나타나는 배타적 관련어는 당내 정치인, 상대편 정당 인물, 친인척 또는 북풍과 관련된 인물들로 구성된다.[4]

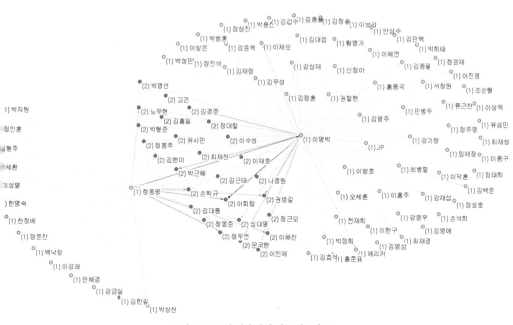

〈그림 4〉 2007년 대선 관련 인물 네트워크

　　2007년 대선 후보자들의 인물 관계도는 〈그림 4〉로 나타난다. 정동
영후보자와 배타적으로 연결된 인물들은 민주당 경선에 함께 나온 사
람들이며 이명박 후보자의 경우 한나라당 의원과 BBK 관련 인물들로
구분될 수 있다. 이명박 후보와 정동영 후보 모두 연결된 사람들은 상
대방 후보들의 선거 측근 참모들로 구성되어 있다.

　　2007년 대선 후보자의 관련어 가운데 명사만 추출하여 네트워크로
시각화하면 다음과 같다.

4　이 연구에서 대상어의 관련어 가운데 여러 대상어에 출현하는 경우 공유 관련어라 하고
　　하나의 대상어에만 나타나는 단어를 배타적 관련어라고 한다.

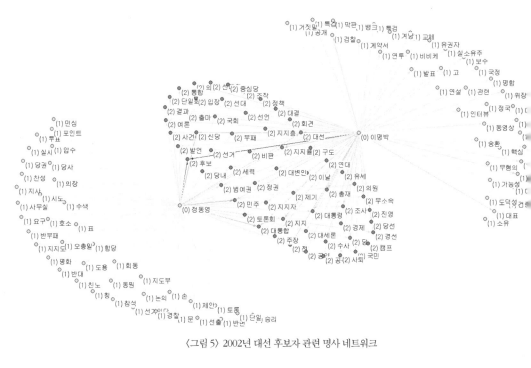

〈그림 5〉 2002년 대선 후보자 관련 명사 네트워크

각 후보의 공유 관련어는 선거운동과 관련된 용어('연대', '구도', '출마', '지지율', '진영', '당선', '캠프', '지지'), 각자의 주장('정책', '선언', '공약', '대통합', '경제' 등)이나 상대방에 대한 비판('조작', '부패', '사건' 등)에 대한 단어들이 발견된다. 정동영 후보에 배타적으로 연결된 관련어는 대부분 당내 경선과 관련된 명사('당권', '합당', '회동', '지도부', '선출', '단일', '승리' 등)이다. 이명박 후보의 경우 BBK 의혹과 관련된 용어('뱅크', '계약서', '비비케이', '특검', '검찰', '동영상', '실소유주', '거짓말' 등)가 선거를 앞두고 많이 기술되었다.

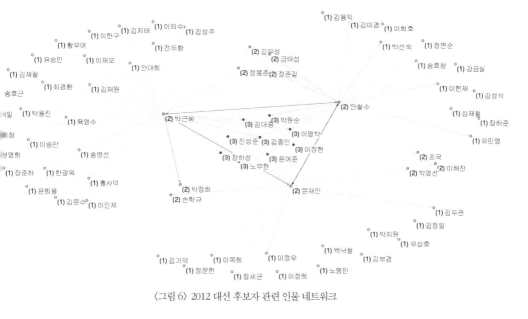

〈그림 6〉 2012 대선 후보자 관련 인물 네트워크

2012년 대선 후보자의 관련 인물 네트워크를 살펴보면 각 후보를 지지하는 인물, 친인척, 또는 후보자에 대한 화제를 만든 사람들을 알 수 있다. 배타적 관련어의 경우 각 후보와 상대적으로 빈번히 한 문장 내에서 출현되는 인물들이 제시된 네트워크에 나타난다.

6. 결론−제언과 의의

이 연구는 주로 지난 16~18대 대선 이전의 3개월치 신문 기사를 키워드와 관련어를 통해 분석한 것으로 18대 대선이 치러지기 전에 시행되었다. 대선 직전 1개월이 가장 중요할 수 있는데 기사 수집과 연구의 진행에 있어 이 기사들이 분석 대상에서 제외되었으므로 18대 대선의 특성을 온전히 파악하는 데에는 한계가 있다. 그러나 지금까지 드러난 키워드와 공기어의 관련 양상을 통해 몇 가지 사항을 조망할 수 있었다.

대선을 앞두고 각 대선 후보들은 본격적인 프레임 경쟁에 나서며 그 경쟁에서 주도권을 갖는 후보가 선거에서 유리한 입장에 서게 된다. 먼저 박근혜 후보 진영의 경우 과거의 부정적인 이미지에서 벗어나야 한다는 것은 너무도 자명하므로 다시 언급할 가치가 없어 보인다. 이것은 마치 2002년 대선에서 이회창 후보 진영에서 '병풍'의 프레임 속에 갇혀 패배하게 된 상황과 유사하다. 중요한 것은 상대의 프레임 속에 휘말리지 않기 위한 구체적인 대안을 모색해야 한다는 것이다. 2002년 상황을 보면 이회창 후보는 '공약'에서는 '행정수도 이전'에, 대선 관련어로는 '단일화'에 휩싸임으로써 자신의 목소리를 드러내는 데 실패했고 이는 선거에서의 패배로 이어졌다. 박근혜 후보 진영에서는 과거의 이미지 탈피도 중요하지만 더욱 중요한 것은 상대 후보의 '단일화' 프레임을 어떻게 극복할 것이냐 하는 점이다. 이에 대한 대안은 17대 이명박 후보의 경우처럼 '대운하'와 같은 거창한 '공약'이 될 수도 있고 아니면 '범여권'의 '결집'이 될 수도 있다. 활로를 어떻게 찾을 것인가가 중요한 포인트가 될 것이다.

한편 문재인, 안철수 진영의 경우 '단일화' 프레임을 가장 중요한 슬로건으로 내세우고 있다. 지금까지 나타난 관련어의 양상을 보면 이 프레임은 비교적 강력하게 기능하는 것으로 보인다. 여권과 야권에서 모두 '단일화'의 관련성이 높게 나타나기 때문이다. 그러나 더욱 중요한 것은 16대 노무현 후보의 경우에서와 마찬가지로('행정수도 이전', '노풍'과 같이) '단일화'를 뛰어넘는 프레임을 구축하고 이를 강화해 나가는 것이 중요하다. 또한 상대의 부정적인 측면을 강조할수록, 즉 박근혜 후보 진영의 과거사 문제를 비중 있게 다룰수록 결과적으로 두 후보에게는 득이 되지는 못할 것이라는 점이 지금까지 선거에서 나타난 양상임을 주의 깊게 받아들여야 할 것이다(정동영 후보의 'BBK' 비판을 떠올려 보자). 자신의 책무 수행에 여념이 없는 후보는 타인의 우를 탓할 여유가 없는 법이다.

최근 선거에서 나타나는 주요한 특징 가운데 하나는 '예측'을 얼마나 정확하고 객관적으로 하느냐에 많은 관심이 집중되어 있다는 점이다. 어느 선거에서나 당선 결과를 미리 예측하는 것은 중요한 이슈임에 틀림없으나 과거에는 여론조사나 출구조사와 같이 표본을 통한 통계적 예측에 주로 의존해 왔다. 이에 비해 최근에는 컴퓨터를 이용한 자연어 처리 기술이 발전하면서 소셜 미디어에 나타난 언어 사용 양상을 통해 분석 결과를 예측하려는 경향이 나타나고 있다. 소셜 미디어를 이용한 선거 결과 예측은 살아 있는 대규모 자료를 대상으로 한다는 점에서 매우 흥미로운 결과를 제시해 주기도 하였다. 그러나 소셜 미디어는 이용자 계층이 한정되어 있다는 점, 소셜 미디어가 보급되지 않았던 시대에 대해서는 분석이 불가능하다는 점 등의 한계가 있다. 신문을 대상으로 한 본고의 연구는 이러한 한계를 보완해 줄 수 있다는 점에서 의의가 있다. 특히 신문은 비교적 공적인 매체라는 점, 데이터가 정형화되어 있다는 점 등을 고려할 때 흥미로운 분석 대상이 될 수 있다. 신문을 활용한 본고의 연구가 대선 이외의 다른 분야에도 확장되어 쓰일 수 있다는 점은 바로 신문이 지닌 이러한 특성에서 기인하는 것이다.

참고문헌

강범모, 「공기 명사에 기초한 의미/개념 연관성의 네트워크 구성」, 『한국어의미학』 32, 한국어의미학회, 2010.

김용학, 『사회 연결망 분석』, 서울 : 박영사, 2007.

김일환·이도길·강범모, 「공기 관계 네트워크를 이용한 감정명사의 사용 양상 분석」, 『한국어학』 49, 한국어학회, 2010.

김일환·이도길, 「대규모 신문 기사의 자동 키워드 추출과 분석─t-점수를 이용하여」, 『한국어학』 53, 한국어학회, 2011.

김일환·이도길·정유진, 「역대 총선별 '선거' 관련어의 변화 양상」, 『민족문화연구』 56, 고려대 민족문화연구원, 2012.

민영, 「한국 언론의 정치 광고 보도 경향─14~16대 대통령 선거를 중심으로」, 『한국언론학보』 49-2, 한국언론정보학회, 2005.

손동원, 『사회 네트워크 분석』, 서울 : 경문사, 2002.

이동훈·김원용, 『프레임은 어떻게 사회를 움직이는가』, 삼성경제연구소, 2012.

이병주 외, 「레이코프와 존슨의 은유 개념을 통한 프레임 분석」, 『한국언론정보학보』 39호, 한국언론정보학회, 2007.

임혁백, 『어떤 리더십이 선택될 것인가?』, 인텔리겐찌야, 2012.

Lakoff, G., *Don't Think of An Elephant ─Know Your Values and Frame the Debate. White River Junction*, VT : Chelsea Green, 2004(유나영 역, 『코끼리는 생각하지마─미국의 진보 세력은 왜 선거에서 패배하는가?』, 서울 : 삼인, 2004).

Lakoff, G., *Thinking Points ─Communicating Our American Values and Vision*, Tides Center : Rockridge Institute, 2006(나익주 역, 『프레임 전쟁』, 도서출판 창비, 2007).

Manning, C.·H. Schütze, *Foundations of Statistical Natural Language Processing*, The MIT Press, 1999.

신문 빅데이터 기반의 단어 사용과 트렌드 분석

신문의 명사 빈도 사용 패턴을 중심으로

1. 서론

이 연구는 최근 14년(2000~2013) 동안의 신문 기사(『조선일보』, 『동아일보』, 『중앙일보』, 『한겨레신문』)로 구축된 '물결21' 코퍼스를 기반으로 언어 사용 양상을 추적하고 이를 통해 언어, 사회, 문화적인 변화의 거시적인 트렌드를 분석하는 것을 목적으로 한다.

신문은 정기적으로 발행되는 공적인 매체로서 해당 시기의 주요한 사건, 사고, 관심사 등을 폭넓게 반영하고 있다는 점에서 사회 현상을 가장 적극적으로 반영하는 매체라 할 수 있다. 특히 장기간의 누적된 신문 텍스트 자료는 언어, 사회, 문화적인 주요 관심사의 변화 추이를 시기적으로 살펴볼 수 있다는 점에서 더욱 가치가 있다. 따라서 주요

언론사의 협조를 받아 구축된 대규모의 장기간 신문 자료인 '물결21' 코퍼스는 언어, 사회, 문화적인 변화 추이를 연구하는 데 중요한 원천이 된다(김일환 외 2013).

한편 대규모의 텍스트 자원을 분석하기 위해서는 적절한 통계적 모델이나 방법론이 필요하다. 6억 어절 이상의 대규모 텍스트로부터 획득되는 다양한 언어 사용 양상을 하나하나 일일이 분석하는 것은 거의 불가능하기 때문이다.

이와 관련하여 최근 빅데이터에 기반한 연구가 크게 주목을 받고 있다는 점을 참고할 필요가 있다. 빅데이터는 비단 텍스트 자원뿐 아니라 숫자, 동영상 등의 다양한 데이터를 모두 포함하며 비정형의 데이터라는 특징을 가진다는 점에서 볼 때 코퍼스와는 구별된다. 그러나 통계적인 방법론을 주로 사용하고 직관적, 선험적 접근이 아닌, 계량적, 실증적 접근을 중시하며 인과 관계의 규명보다는 새로운 패턴이나 상관성을 포착하려 한다는 점에서 빅데이터와 코퍼스는 그 성격이 매우 유사하다고 볼 수 있다.

이 연구에서도 우선적으로 주목하는 것은 새로운 언어 사용의 패턴이나 상관성의 발견에 있다. 즉 언어 사용 빈도의 증가나 감소 추이를 발견하고 이들 사이의 상관관계에 주목함으로써 언어, 사회, 문화의 거시적인 트렌드를 밝혀보려는 것이다.

물론 표면적으로 드러나는 현상의 이면에는 다양하고 복잡한 원인이 잠재해 있을 것이다. 따라서 본고에서 발견한 일부 현상들에 대한 설명은 관련된 모든 원인을 포괄적으로 밝히기에는 한계가 있다. 그러나 14년치 기사에서 발견되는 언어 사용 패턴과 그에 기반한 분석이 우리에게 시사하는 바가 적지 않을 것으로 기대한다.

2. 대상 자료와 방법

이 연구에서 대상으로 삼고 있는 '물결21' 코퍼스 대상으로 다음과 같은 세부적인 방법을 적용하여 언어 사용의 패턴을 추출하고자 하였다.

우선 14년간 빈도 7,000회 이상 사용된 일반명사 6,000개를 분석의 대상으로 선정하였다. 이러한 빈도와 대상 명사의 선정 과정은 다소 임의적일 수밖에 없었으며 모든 명사를 대상으로 삼을 수는 없었다. 특히 우리가 주목하는 것은 언어 사용의 시간적인 추이를 발견하는 것이므로 특정한 빈도 이하의 단어는 유의미한 결과가 나타날 가능성이 적어 분석 대상에서 제외하였다.

6,000개의 일반명사를 연도별로 사용 양상을 검토하되 신문 기사의 연도별 어절 규모가 모두 다르므로 상대 빈도를 기준으로 변화의 추이를 관찰하였다. 그 결과 뚜렷한 증가 추세를 보이는 단어들과 감소 추세를 보이는 단어들, 그리고 증가와 감소, 감소와 증가 추세를 보이는 단어들을 분류하고 이들을 다시 주제에 따라 세분하였다. 이를 통해 증가, 감소 등의 추세를 보이는 단어들의 의미적인 부류를 정리하였다. 한편 증가, 감소 추세를 보이는 단어들의 공기어를 관찰하여 해당 단어의 연도별 사용 특성을 좀 더 구체적으로 확인하고 이들이 보이는 유의미한 변화 여부를 포착하기 위해 분석을 시도하였다.

3. 언어 사용 패턴과 트렌드

신문이라는 시사적인 매체의 특성을 고려할 때 신문 텍스트 속의 단어 사용 양상은 해당 시기의 주요한 사건이나 이슈, 관심사 등과 밀접한 관련을 가진다. 특히 특정한 단어들이 일정한 사용 패턴을 보일 경우 이들을 유의하여 살펴볼 필요가 있다.

먼저 〈그림 1〉의 '행복'과 같이 2000년대 후반으로 가면서 사용 빈도가 지속적으로 증가하는 단어들이 있다.[1]

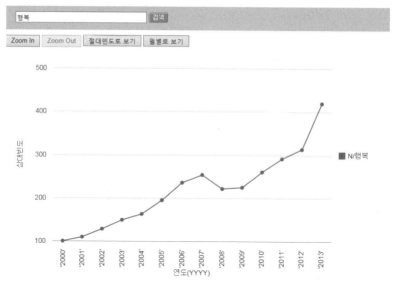

〈그림 1〉 '행복'의 연도별 사용 빈도(상대 빈도)

---

1   앞으로 제시되는 단어 사용 빈도에 대한 내용은 고려대학교 민족문화연구원의 전자인
    문학센터에서 제공하는 '웹기반 코퍼스 분석 도구'(corpus.korea.ac.kr)에서 확인할 수
    있다.

이러한 지속적인 증가 추이를 보이는 명사들은 우리가 관찰한 6,000개의 명사 중 137개가 포함되었다. 이들 명사 중 일부를 정리하면 〈표 1〉과 같다.

〈표 1〉 증가 추이를 보이는 일반명사(빈도순 상위 100개)

일반명사	빈도	일반명사	빈도	일반명사	빈도	일반명사	빈도
사진	483,801	스트레스	43,786	아트	21,058	아이템	17,080
가족	282,993	가게	41,846	상생	22,262	수퍼	16,471
마음	247,512	풍경	41,583	라면	20,056	패키지	16,037
고객	236,677	공동체	40,325	단백질	19,576	생선	15,455
마을	175,314	배려	40,132	빈곤	19,048	특성화	16,925
미래	161,395	문자	38,213	빵	20,156	우울증	16,418
브랜드	158,043	디자이너	37,770	예술가	18,935	고혈압	15,490
꿈	141,356	이슈	36,855	채소	19,800	스튜디오	15,013
모델	133,492	모바일	36,531	융합	23,833	기부금	14,350
체험	127,277	하우스	34,694	시티	20,825	매진	13,626
음식	126,379	메뉴	31,813	한옥	19,567	등산	12,914
고민	116,392	차별화	30,544	스마트	26,676	초콜릿	12,954
고용	107,548	관람객	27,707	인건비	18,650	프랜차이즈	13,606
맛	96,580	시계	29,727	외모	18,298	퍼포먼스	11,354
행복	96,396	가방	28,591	인테리어	18,176	동물원	11,454
식품	94,133	신발	26,939	감성	18,635	멋	10,760
일자리	92,404	인문	25,691	디스플레이	20,085	셔츠	10,806
투어	68,642	프리미엄	24,443	리모델링	17,906	외식	11,058
메시지	68,161	스토리	24,444	트렌드	19,192	세단	10,855
패션	67,652	리조트	23,938	동행	18,101	패러다임	10,994
동네	50,213	소금	22,392	파크	17,486	로고	10,661
카페	49,134	비타민	23,120	치매	20,840	옥상	10,875
웃음	46,508	노하우	22,884	편견	16,937	맘	10,323
리더십	45,928	레스토랑	22,066	골목	19,643	토마토	10,216
로봇	44,003	영양	22,485	입맛	16,664	치즈	10,211

〈표 1〉의 명사들은 일정한 주제로 수렴되는 경향이 있다. 먼저 증가 추이를 보이는 명사들은 '음식 문화'와 관련한 단어들이 가장 많이 포함되어 있으며, 그 밖에 '여가 문화', '패션 소비 문화' 등과 관련한 단어

의 비중이 높다. 그밖에 '감성'과 관련한 단어들과 '사회 복지' 관련 단어들이 지속적인 증가 추이를 보였다.[2]

①

㉮ 음식, 맛, 입맛, 식품, 메뉴, 레스토랑, 외식, 요리사(셰프), 요리, 안주, 식탁

㉯ 영양, 비타민, 단백질, 밀가루, 소금

㉰ 먹거리(먹을거리), 라면, 빵, 채소, 생선, 초콜릿, 토마토, 치즈, 피자, 케이크, 아이스크림, 반찬, 치킨, 커피, 우유, 밥, 술, 맥주, 떡볶이, 포도, 콩

①의 단어들은 모두 지속적인 증가 추이를 보이는 '음식'과 관련한 단어들로서 모두 36개의 명사가 포함되어 있다는 점에서 매우 특징적이라 할 수 있다. 즉 2000년대에 들어서면서 신문 텍스트에는 음식 관련 단어들의 종류와 빈도가 크게 증가하는 양상을 보인다고 말할 수 있다. 재미있는 것은 이들 단어들이 2000년대에 들어 새롭게 주목된 것이라기보다는 이미 이전 시기부터 우리에게 익숙한 음식 관련 단어라는 점이다.

왜 2000년대 들어 음식 관련 단어들의 빈도가 지속적으로 증가하였을까? 최근 들어 급격히 증가된 음식 관련 프로그램들의 양상도 이와 무관하지 않다. 그러나 2000년대의 한국 사회에서 왜 '음식'이 주요한 화두로 등장하였는지에 대해서는 쉽게 답하기 어려워 보인다. 이와 관

---

2 물론 증가 추이를 보이는 단어들이 모두 이러한 분류 속에 포함되는 것은 아니다. 이러한 분류는 전반적인 추이 분석을 위한 것일 뿐이다.

련해서는 본 절의 끝부분에서 일부 논의될 것이다.

음식 관련 단어의 증가 추이와 함께 증가 추이를 보이는 또 하나의 중요한 축은 '패션/소비'와 관련한 단어들이다.

②

㉮ 패션, 티셔츠, 옷, 의상, 바지, 신발, 가방, 셔츠, 복장, 교복

㉯ 프리미엄, 명품, 디자이너, 디자인, 컬러, 외모, 인테리어, 디스플레이, 아트, 컬렉션, 시계, 퍼포먼스, 액세서리

㉰ 트렌드, 멋, 스타일, 모델, 브랜드, 로고

㉱ 편의점, 프랜차이즈, 가게, 카페, 고객, 쇼핑, 매진, 공짜

②의 단어들은 주로 패션이나 소비와 관련된 것으로서 사용 빈도가 증가하는 추세를 보인다. ②에 포함된 명사는 모두 37개로서 음식 관련 문화와 거의 대등할 정도로 높은 비중을 보인다. 패션, 소비 관련 단어가 증가하는 것은 '외모'를 중시하는 사회적인 분위기와 무관하지 않을 것이지만 그 궁극적인 원인은 쉽게 추적되지 않는다.

특히 패션, 소비 관련 단어에는 영어를 비롯한 외국어의 비중이 매우 높다는 점도 관찰된다. 재미있는 것은 '트렌드'는 사용이 증가하는 추이를 보인 반면 유사한 뜻을 '관심사'는 사용이 오히려 감소하고 있다는 점이다. 이와 같이 유사하거나 동일한 의미를 가지는 단어들이 고유어와 외국어(특히 영어)로 경쟁할 경우 외국어가 우세한 양상을 보이는 것이 일반적이다. ①-㉮에서 들었던 '요리사'와 '셰프'에서도 이러한 경향을 확인할 수 있다.

여가 문화와 관련한 단어들도 증가 추이를 보이는 명사들이 많이 포함되었다.

③
㉮ 체험, 등산, 탐방, 산책, 취미, 정원
㉯ 여행, 패키지, 리조트, 투어
㉰ 관람객, 방문객, 관객, 마니아
㉱ 주말, 휴일
㉲ 한옥, 동물원, 온천

③의 단어들 가운데 특히 '체험'과 '여행', '한옥' 등이 주목되는데 이들은 여가와 관련한 사회, 문화적인 트렌드의 일단을 잘 보여주기 때문이다. 즉 2000년대에 들어선 이후에는 본인이 직접 참여하여 즐기는 형태의 여가 문화가 큰 주목을 받았으며, 이러한 경향이 '체험', '여행' 등의 단어 사용에 영향을 미친 것으로 보인다. '한옥'의 사용 증가는 전통적 가치의 재발견이라는 측면에서는 환영할 만한 일이지만 그렇다고 모든 전통적 가치가 다시 주목받은 것은 아니라는 점에서 유의할 필요가 있다. ⑥에서도 볼 수 있듯이 '국악', '판소리', '종가' 등의 단어는 전통적 가치와 관련된 것이지만 사용 빈도가 줄어들고 있다는 점을 고려해야 할 것이다.

한편 ①~③의 단어들에서 보이듯이 음식, 패션/소비, 여가 문화와 관련한 단어들의 사용 빈도가 지속적으로 증가하고 있다는 점에서 한국 사회의 변화 양상의 일면을 확인해 볼 수 있다. 그러나 '음식', '패션/소비', '여가 문화'와 관련한 많은 단어들의 사용 빈도가 증가했다는 것이 곧 우리 사회의 풍요와 번영을 그대로 반영하는 것은 물론 아니다.

④에서는 증가 추이를 보이는 단어들 중 감정이나 정서와 관련한 명사들을 정리한 것이다.

④
㉮ 마음, 감성, 리더십, 감정, 욕망, 명상, 몰입
㉯ 행복, 공감, 꿈, 배려, 소통, 동행, 상생, 고민, 웃음, 편견, 걱정, 의심, 차별

④-㉮에서는 '감성', '감정', '욕망' 등과 같이 이성이나 논리적인 정서와 반대되는 개념의 단어들이 주목받고 있음을 보여준다. 2000년대 후반에 '감정 노동'에 대한 빈도가 크게 증가한 것도 같은 맥락이다. 또한 ④-㉯에서는 '행복', '공감', '꿈', '웃음' 등과 같은 긍정적 의미를 가지는 단어들과 함께 '편견', '걱정', '의심', '차별', '고민' 등과 같이 부정적 의미를 가지는 단어들의 사용이 증가 추이를 보였다. 이러한 단어들은 본유적으로 긍정, 부정의 의미를 가지기는 하지만 이들이 쓰인 문맥을 좀 더 면밀히 참조할 필요가 있다. 즉 '행복'의 빈도가 높아진다고 해서 행복한 사회임을 반영한다고 해석할 수는 없기 때문이다.

증가 추이를 보이는 단어들 중에는 사회 복지와 관련한 명사들도 포함되어 있다.

⑤
㉮ 빈곤, 저소득층, 소외

ⓐ 고용, 일자리, 맞벌이, 은퇴, 노화, 고령화

ⓒ 봉사, 기부, 기부금

⑤-ⓐ에서는 주로 복지의 대상이 되는 계층에 대한 단어들이, ⑤-ⓑ에서는 경제 문제와 관련하여 '고용', '일자리' 등의 단어들이 높은 관심을 받았음을 보여준다. '노화', '고령화' 등과 같은 단어들은 한국 사회의 초고령화 현상과 관련된 것이다. 마지막으로 ⑤-ⓒ에서는 봉사와 기부 등이 높은 증가 추이를 보여주고 있다는 점에서 흥미를 끈다.

지금까지 우리는 증가 추이를 보이는 단어들을 선별하고 이들을 음식, 패션/소비, 여가, 사회 복지 관련 단어들로 하위분류하여 그 특징을 논의하였다. 증가 추이를 보이는 단어들의 분포는 사회적 관심이나 트렌드를 반영해 준다는 점에서 일차적인 주목의 대상이 되지만 무엇보다 관건이 되는 것은 이들 군집들이 증가 추이를 보이는 원인을 밝히는 것이 될 것이다. 앞에서도 논의한 바와 같이 이러한 원인을 단적으로 지적하기는 단순한 과정이 아니다. 이와 관련해서 한병철(2012)의 분석을 음미해 볼 필요가 있다. 즉 '음식', '패션', '여행'에의 탐닉은 피로사회, 성과사회의 전형적인 증표로서, 사회가 철저히 개인화, 파편화되었을 때 나타나는 현상의 하나라는 점이다. 이러한 분석은 현대 한국 사회가 직면한 심각한 사회적 문제들과 관련지어 볼 때 어느 정도 설득력이 있어 보인다.

한편으로 어떤 단어들의 사용이 감소하였는지 살펴보는 것도 의미가 있다. 특히 증가하는 것은 쉽게 눈에 띄지만 감소하는 것은 그렇지 않다는 점에서 이러한 관찰은 더욱 의의가 있다.

〈그림 2〉는 '세일(sale)'의 연도별 사용 빈도를 보인 것으로 그 사용 추이가 급격히 감소하고 있음을 알 수 있다.

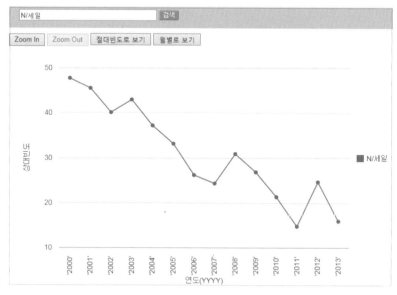

〈그림 2〉 '세일'의 연도별 사용 빈도(상대빈도)

이와 같이 지속적인 감소를 보이는 명사들은 76개로 관찰되었으며 이들 중 일부를 제시하면 〈표 2〉와 같다.

앞에서도 논의한 바와 같이 이들 단어들이 감소 추이를 보이는 원인 은 매우 복잡할 것이며 이들을 아우르는 궁극의 원인이 있을지도 분명 하지 않다. 우리는 감소 추이를 보이는 명사들이 있음을 구체적으로 확인하고 이들의 양상을 살피는 것으로 만족해야 할지도 모른다.

우선 감소 추이를 보이는 명사들은 증가 추이를 보이는 명사들보다 다양하지 않다는 점이 확인된다. 어떤 단어 사용의 빈도가 그 시기의

〈표 2〉 감소 추이를 보이는 일반명사(빈도순 상위 50개)

일반명사	빈도	일반명사	빈도	일반명사	빈도	일반명사	빈도
행사	355,589	메일	40,080	음악회	23,597	인수위	22,888
아파트	346,157	영화제	39,056	댄스	23,722	민속	17,165
모임	112,298	비디오	37,677	단식	23,337	워크아웃	15,845
사상	112,362	네티즌	35,323	재즈	23,311	경품	15,375
디지털	95,928	잡지	36,609	서점	21,821	아줌마	14,117
교류	76,714	시청자	35,577	감자	20,588	갯벌	13,695
클럽	70,817	화해	35,116	잔치	20,016	동호회	13,509
주부	61,363	불교	35,540	관심사	20,543	세일	13,400
연극	58,378	텔레비전	34,552	국악	19,685	나들이	13,388
쓰레기	47,462	애니메이션	31,240	무용	19,213	오락	12,847
여유	46,084	전통적	29,351	걸림돌	19,499	타로	12,398
승용차	44,638	서양	28,331	탤런트	17,322		
음반	39,859	배달	28,270	녹지	17,700		

관심사, 트렌드를 반영하는 것이라면 사용 빈도의 감소는 관심사의 감소, 트렌드의 쇠퇴를 의미할 수도 있다.

먼저 감소 추이를 보이는 명사 중에는 공연, 예술 문화와 관련한 단어들이 많이 포함되어 있다⑥.

⑥

㉮ 행사, 음반, 영화제, 비디오, 텔레비전, 애니메이션, 모임, 클럽, 연극, 동호회, 잔치

㉯ 음악회, 댄스, 재즈, 가요, 갤러리, 바이올린, 개인전, 패션쇼

2000년대 초반에 비해 2000년대 후반에 들어 공연, 예술 문화와 관련한 단어들의 유형과 빈도가 감소한 것은 어떤 이유에서였을까? ⑥-㉮의 '음반', '비디오', '텔레비전' 등은 정보화 사회로의 변화와 관련된

것으로 보이고, '가요', '음악회' 등은 유행과 관련된 것이라고 해석해 볼 수 있겠으나 그 밖의 단어들의 사용 감소의 원인은 잘 드러나지 않는다. 어쩌면 '체험', '여가' 문화의 확산과도 관련된 것일 수 있으나 이는 단순한 추정일 뿐이다.[3]

한편 패션, 소비문화와 관련된 단어 중에도 감소 추이를 보이는 명사들이 일부 포함되었다.

⑦
㉮ 세일, 메이커, 틈새, 경품
㉯ 잡지, 서점, 백화점, 출판사

⑦의 명사들은 사용 빈도가 감소하는 명사들 중 주로 소비문화와 관련되어 있다. 패션과 소비는 유행에 민감하므로 특정한 단어가 사용상의 증감 양상을 보이는 것은 자연스러운 현상이다. 한편 ⑦-㉯는 출판 시장과 마케팅의 변화와 관련된 것으로 보인다.

전통 문화와 관련된 ⑧의 단어들도 사용 빈도가 감소하고 있다.

⑧ 국악, 민속, 무용, 전통적, 판소리, 종가, 도자기

다음의 ⑨는 감성이나 여가와 관련된 명사들 중 감소 추이를 보이는

---

3 공연, 예술과 관련하여 증가 추이를 보이는 명사들도 물론 관찰되었다. '뮤지컬 미술관 페스티벌 판타지 기념행사' 등이 이에 속한다. 그렇다고 하더라도 감소 추이를 보이는 명사들이 더 많이 포함되었음은 물론이다.

명사들이다.

⑨ 화해, 화합, 교류, 웰빙, 여유, 재미, 자존심

감정이나 감성과 관련된 단어들의 빈도가 증가 추이를 보인 것에 비해 ⑨는 사회적인 활동 양상이나 여가, 취미 등과 관련된 일부 단어가 감소 추이를 나타내고 있다는 점이 특징적이라고 할 수 있다.

감소 추이를 보이는 단어들 중에는 환경과 관련된 단어들도 포함된다.

⑩ 갯벌, 그린벨트, 쓰레기, 녹지, 천연기념물

2000년대 후반 들어서는 ⑩의 단어들은 빈도가 감소한 반면 '생태, 친환경, 그린' 등의 사용 빈도가 증가하고 있다는 점에서 대조를 보인다. 이들은 환경, 생태 운동의 변화가 반영된 결과로 해석된다.

지속적인 증가나 감소 추이를 보이지 않는 명사들이 유형상으로는 가장 다양하다. 여기서는 〈그림 3〉과 같이 사용 빈도가 증가하다가 감소하는 명사들을 추출하였다.

특정한 시기까지 사용 빈도가 증가하다가 이후 감소하는 유형의 명사들을 정리하여 제시하면 〈표 3〉과 같다.

〈표 3〉에서는 '주택', '주거', '재개발', '인프라', '뉴타운', '미분양' 등은 건설과 관련한 단어들, '책', '도서관', '독서' 등의 책과 관련한 단어들, '자동차', '자전거', '시내버스' 등의 탈 것 관련 단어들이 포함되어 있다는 특징이 있다.

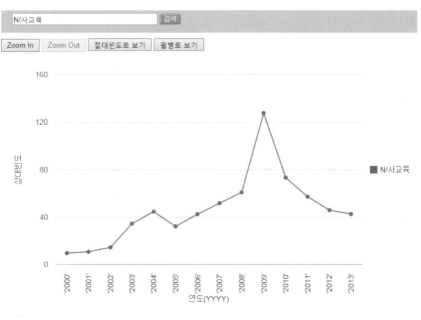

〈그림 3〉 '사교육'이 연도별 사용 빈도(상대빈도)

〈표 3〉 증가 이후 감소 추이를 보이는 일반명사(빈도 상위 50개)

일반명사	빈도	일반명사	빈도	일반명사	빈도	일반명사	빈도
문화	491,635	언어	77,450	놀이	47,329	레저	21,880
책	358,636	미디어	75,891	주거	48,102	한우	22,190
주택	304,551	쌀	68,366	방학	45,832	시집	20,778
사랑	254,033	암	76,008	농촌	44,989	사교육	20,385
자동차	225,564	대학생	71,599	가난	41,949	크리스마스	20,265
희망	136,022	자전거	68,584	독서	39,152	인턴	20,961
예술	131,673	도서관	65,438	바둑	37,469	시내버스	18,313
그림	127,768	농업	62,904	재개발	35,066	뉴타운	18,683
전시	122,001	광장	63,225	간판	31,310	우리말	17,948
드라마	114,637	골프장	57,704	정체성	29,731	반미	17,031
한국인	108,519	종교	58,579	소설가	28,573	미분양	17,306
소설	106,207	와인	59,083	인프라	29,357		
박물관	89,742	서민	57,168	발효	25,981		

이와는 반대로 〈그림 4〉와 같이 사용 빈도가 감소하다가 증가하는 명사들도 포함된다.

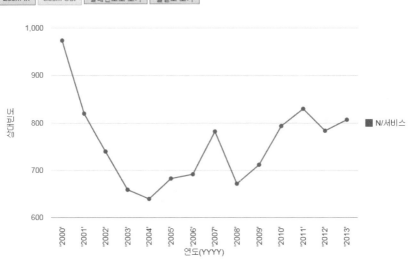

〈그림 4〉 '서비스'의 연도별 사용 빈도(상대빈도)

이러한 추이를 보이는 명사들은 〈표 4〉와 같다.

〈표 4〉 감소 이후 증가 추이를 명사는 일반명사(빈도 상위 20개)

일반명사	빈도	일반명사	빈도	일반명사	빈도	일반명사	빈도
서비스	331,511	랭킹	29,446	명소	17,414	택배	10,476
직장	70,966	생태계	25,005	뮤직	16,304	오디오	9,479
택시	51,018	테니스	21,397	커뮤니티	14,668	대중화	9,356
전세	41,252	파트너	20,971	인문학	14,927	대중문화	8,590
의류	30,335	에어컨	18,380	욕설	11,883	휴게소	8,412

〈표 4〉에 속하는 명사들은 그 유형이 그리 많이 포착되지는 않았으나 관심에서 다소 멀어졌다가 다시 사회적인 관심을 받았다는 점에서 그 중요성이 간과될 수 없다.

4. 공기어 분석

3절에서는 주로 단어의 연도별 상대 빈도를 토대로 명사의 사용 양상을 기술하고 이들에 대한 일반화를 일부 시도하였다. 이 절에서는 3절에서 기술된 명사들 중 '감정이나 감성'과 관련한 단어들을 좀 더 구체적으로 살펴본다. 이를 위해 문장의 공기어가 연도별로 어떻게 변화하는지 살펴보도록 할 것이다.

먼저 사용 빈도가 급격한 증가 추이를 보이는 '행복'의 공기어를 살펴보자.[4]

〈표 5〉 '행복'의 연도별 공기어(상위 20개)

순위	2000년	2001년	2002년	2003년	2004년	2005년	2006년	2007년	2008년	2009년	2010년	2011년	2012년	2013년
1	N/사람	N/삶	N/사람	N/사람	N/사람	N/사람	N/사람	N/사람	N/삶	N/사람	N/사람	N/사람	N/국민	N/국민
2	N/세상	N/사람	N/책	N/세상	N/삶	N/삶	N/삶	N/삶	N/가족	N/사람	N/도시	N/삶	N/삶	N/기금
3	N/아이	N/세상	N/삶	N/삶	N/삶	N/세상	N/사랑	N/아이	N/삶	N/사랑	N/삶	N/아이	N/추진	N/주택
4	N/삶	N/사랑	N/사랑	N/사랑	N/사랑	N/세상	N/가족	N/아이	N/아이	N/사랑	N/도시	N/사랑	N/위원장	N/삶
5	N/사랑	N/아이	N/세상	N/아이	N/아이	N/아이	N/아이	N/사랑	N/사랑	N/아이	N/가족	N/아이	P/김종인	N/연금
6	N/가족	N/책	N/아이	N/가정	N/가족	N/가족	N/가정	N/도시	N/눈물	N/가족	N/사랑	N/고객	N/사람	N/사람
7	N/불행	N/일	N/가정	N/가족	N/가정	N/가정	N/일	N/인간	N/세상	N/지수	N/학교	N/지수	N/지수	N/사회
8	N/생각	N/가정	N/가족	N/책	N/추구권	N/불행	N/책	N/인생	N/말	N/말	N/국민	N/아이		N/시대
9	N/가정	N/결혼	N/자신	N/마음	N/건강	N/인생	N/지수	N/이야기	N/생각	N/동네	N/가정	N/사회	N/고객	
10	N/가정	N/가족	N/일	N/자신	N/일	N/마음	N/자신	N/건강	N/도시	N/가정	N/세상	N/가족	N/경제	N/지수
11	N/결혼	N/인간	N/마음	N/추구권	N/생각	N/말	N/물행	N/사회	N/책	N/세상	N/건강	N/세상	N/가족	N/아이
12	N/자신	N/속	N/속	N/불행	N/불행	N/결혼	N/일	N/결혼	N/국민	N/지수	N/한국인		N/사람	N/추진
13	N/마음	N/마음	N/인간	N/생각	N/마음	N/인간	N/세상	N/불행	N/마음	N/사회	N/교육	N/가정	N/민주화	N/공약
14	N/속	N/순간	N/결혼	N/인간	N/부부	N/인생	N/생활	N/인간	N/건강	N/건강	N/결혼	N/재단	N/공약	N/가족
15	N/인간	N/생각	N/읽기	N/결혼	N/인간	N/가정	N/인간	N/책	N/생각	N/인생	N/일	N/일	N/건강	N/채무
16	N/인생	N/생각	N/속	N/추구권	N/추구권	N/마음	N/일	N/생활	N/말	N/일	N/사회	N/물행	N/사회적	N/복지
17	N/생활	N/생활	N/여자	N/인생	N/자신	N/건강	N/부부	N/가정	N/꿈	N/인간	N/경영	N/세상	N/세상	N/사랑
18	N/일	N/불행	N/때	N/일	N/때	N/책	N/생각	N/때	N/지수	N/마음	N/마음	N/생각	새누리당	N/불행
19	N/말	N/자신	N/불행	N/부부	N/추구	N/자신	N/지수	N/인생	N/사회	N/물행	N/인생	N/말	N/가정	N/건강
20	N/추구권	N/인생	N/인생	N/생활	N/인생	N/추구	N/순간	N/말	N/엄마	N/책	N/부부	N/학교	N/결혼	P/박근혜

---

4 통계적으로 공기어를 추출하는 방법은 강범모(2010), 김일환 외(2013) 등에 상세히 제시되어 있다.

'행복'은 사전적 의미로 볼 때 긍정적인 단어라고 하는 데에는 이론의 여지가 없다. '행복'은 '불행'과 대립되는 의미를 가지는 것으로 긍정, 부정의 한 극단을 표현하기 때문이다. 그런데 '행복'의 공기어를 연도별로 살펴볼 때 특히 주목되는 것은 다음의 두 가지다.

⑪

㉮ 국민, 고객, 지수

㉯ 아이, 가족

먼저 ⑪-㉮는 '행복'과의 관련성이 크게 증가한 공기어로, ⑪-㉯는 반대로 관련성이 감소한 공기어들이다.

국민이 행복할 수 있을까? '국민'은 한 국가의 구성원을 지칭하는 추상적인 개념일 뿐 아니라 모든 국민 개개인이 행복할 수 있다는 것은 매우 이상적인 논의일 뿐이다. 실제로 우리가 행복을 느끼는 것은 작고 사소해 보이는 것에서 시작한다.

한편 '고객'의 행복은 기업에서 추구하는 마케팅 전략의 하나일 뿐이라는 점에서 우리 사회의 행복한 모습과는 거리가 있다. 특히 '지수'의 관련성이 급증하는 이유는 정치적, 경제적 목적에서 '행복'을 추구하기 위해서는 목적 달성을 위한 객관적 지표가 필요하며 이를 위해 '행복지수'의 관련성이 높아진 것으로 해석할 수도 있다. 물론 이러한 목적과 다소 다르게 경제적으로 급성장한 한국 사회에서 '행복지수'에 대한 자연스러운 관심이 반영된 결과일 수도 있다. 그러나 상대적으로 '아이', '가족'의 행복 관련성이 감소하고 있다는 점은 간과할 수 없는 부정적 사실이다.

다음으로 '소통'의 공기어를 살펴보자.

〈표 6〉'소통'의 연도별 공기어(상위 18개)

순위	2000년	2001년	2002년	2003년	2004년	2005년	2006년	2007년	2008년	2009년	2010년	2011년	2012년	2013년
1	N/교통	N/교통	N/교통	N/교통	N/교통	N/교통	N/교통	N/언어	N/사회	N/사회	N/사회	N/사회	N/사회	N/사회
2	N/원활	N/도로	N/도로	N/원활	N/원활	N/언어	N/언어	N/의사	N/대통령	N/사회	N/시민	N/문화	N/문화	N/문화
3	N/도로	N/차량	N/원활	N/도로	N/도로	N/의사	N/원활	N/원활	N/사회	N/문화	N/시민	N/사회	N/시민	N/사회
4	N/차량	N/원활	N/차량	N/차량	N/차량	N/원활	N/의사	N/대화	P/청와대	N/원활	N/트위터	N/시민	N/리더십	N/대통령
5	N/정보	N/언어	N/의사	N/언어	N/의사	N/도로	N/문화	N/사회	N/문화	N/공간	N/강화	N/트위터	N/공감	N/고객
6	N/의사	N/구간	N/언어	N/의사	N/언어	N/인간	N/사회	N/교통	N/부족	N/세상	N/화합	N/공간	N/능력	N/강화
7	N/언어	N/의사	N/의사	N/구간	N/구간	N/공간	N/사람	N/세상	N/말	N/부재	N/시민	N/강화	N/강화	N/대화
8	고속도로	고속도로	고속도로	N/공간	N/문화	N/차량	N/세상	N/세상	N/말	N/부재	N/문화	N/능력	N/강조	N/공간
9	N/구간	N/정보	N/주제	N/문화	N/관객	N/사회	N/당	N/대중	N/능력	N/대통령	N/강조	N/대화	N/말	N/말
10	N/터널	N/대책	N/미술	N/인터넷	N/작가	N/사람	N/인문학	N/능력	N/시민	N/언어	N/말	N/부재	N/중요	N/시민
11	N/공간	N/문화	N/구간	N/정보	N/사람	N/세상	N/사이	N/공간	N/원활	N/교통	N/원활	N/원활	N/강화	N/리더십
12	N/관객	N/주변	N/주변	N/관객	N/벽	N/부재	N/대화	N/공간	N/대화	N/부재	N/부재	N/말	N/고객	N/능력
13	N/가능	N/신호	N/작품	N/영화	N/방식	N/대화	N/대중	N/사람	N/인터넷	N/정치	N/고객	N/소설	N/사회	N/노력
14	N/인터넷	N/상황	N/가능	N/단속	N/세상	N/이해	N/도로	N/단절	N/의사	N/대중	N/중요	N/세대	N/부재	N/준요
15	N/영화	N/시	N/관객	N/사회	N/미술	N/대중	N/말	N/시민	N/정치	N/말	N/대중	N/사람	N/원활	N/강조
16	N/예술	N/공사	N/공간	N/가능	N/단절	N/세대	N/독자	N/도로	N/중요	N/화합	N/교통	N/고객	N/직원	P/박
17	N/사이	N/예술	N/작가	N/음악	N/사회	N/영화	N/공간	N/정보	N/공간	N/시민	N/대화	N/중요	N/대화	N/부재
18	N/지장	N/터널	N/사이	N/세상	N/이해	N/대화	N/영화	N/사이	N/문제	P/청와대	P/청와대	N/강조	N/화합	N/공감

'소통'은 '막히지 않고 잘 통하는 상태'를 뜻하므로 사전적으로는 긍정적인 의미에 가깝다. 막히지 않고 잘 통하는 상태와 대립되는 상태를 지칭하는 단어는 '불통(不通)'이다. 소통에는 두 가지 주요한 대상이 있는데 하나는 도로의 교통 상황, 나머지 하나는 의사 전달 상황이 그것이다. 특이한 것은 '소통'과 '불통'이 모두 사용 빈도가 급증하였다는 점이다.

〈그림 5〉에서 확인할 수 있는 것은 '소통'이 긍정적인 의미라기보다는 부정적인 맥락에서 사용되었을 것이라는 추정을 가능케 한다. 즉 소통이 잘 안 되는 상황 속에서 '소통'이 관심을 받고 있음을 보여준다. 특히 '소통'의 공기어 중 관련성이 가장 높은 단어는 2000년대 초반까

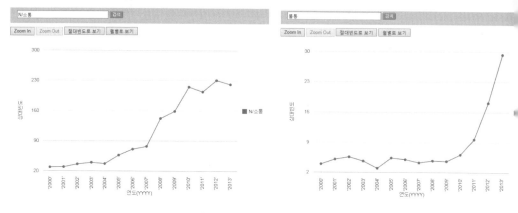

〈그림 5〉 '소통, 불통'의 연도별 사용 빈도 추이(상대빈도)

지 '도로', '교통' 등에서 2000년대 후반에 이르러 '의사', '국민', '대통령' 등으로 변화하였다는 점은 주목할 만하다.

이 밖에 다음 단어들의 공기어 변화도 눈여겨볼 만하다.[5]

⑫ 편견, 걱정, 마음, 후유증

우선 '편견'의 공기어로는 '여성', '장애인'에 대한 높은 관련성이 주목되는데 2007년에 이르러 '다문화'의 관련성은 상위 111위에서 2012년에는 상위 8위까지 급격히 상승하였다. 이는 '다문화'에 대한 높은 편견이 사회적으로 크게 관심을 받았음을 보여주는 것이다.

'걱정'의 공기어 중 '아들'의 관련성이 지속적으로 상승하고 있다. 특히 '걱정'의 공기어 관련성은 항상 '딸'보다 '아들'이 높게 나온다. 이 밖에 '걱정'의 공기어로 '사교육', '노후'의 관련성이 크게 증가하는 추세라는 점도 특징적인 현상이다.

---

5 ⑫에서 제시한 단어들의 연도별 공기어 변화는 corpus.korea.ac.kr의 연도별 공기어 검색 도구를 통해 확인할 수 있다. 지면상 그림은 생략하였다.

'마음'의 공기어 가운데에는 '상처'의 높은 관련성이 발견되는데, 그 관련성이 지속적으로 완만한 상승을 보인다. 이에 비례해 '치유'의 관련성이 급격히 증가하기 시작하고 있다는 점도 주목되는 사실이다.

'후유증'은 보통 사고나 질병의 높은 관련성이 예상되지만 선거가 있는 해에는 '공천', '선거' 등이 이들보다 더욱 높은 관련성을 보인다. 선거가 우리 사회에서 얼마나 큰 영향을 미치는지 간접적으로 확인할 수 있는 대목이다.

5. 결론

지금까지 신문 빅데이터라 할 만한 '물결21' 코퍼스로부터 어휘 사용의 증감, 공기어의 사용 양상 등을 계량적으로 관찰하고 그 특징에 대해 논의하였다. 본문에서 논의된 내용을 요약하는 것으로 결론을 대신한다.

단어 사용 빈도의 증감은 사회적인 이슈와 관심사를 반영하는 것으로 해석할 수 있다. 이 논문에서는 고빈도 일반명사 6,000개를 대상으로 그 사용 양상을 관찰한 결과 '음식 문화', '패션 소비', '여가 문화', '감정 명사' 등이 증가 추이를 보이는 것으로 나타났다. 한편 사용 빈도의 감소 추이를 보이는 일반 명사에는 공연, 예술 문화 관련 단어들과 전통 문화 관련 단어들, 그리고 출판 관련 단어 들이 포함되었다. 사용 빈도가 증가하다가 감소하거나 반대로 감소하거나 증가하는 추이를 보이는 명사들도 발견되었는데, 전자에는 건설과 교통 관련 단어들이,

후자에는 '서비스', '인문학', '전세', '택배' 등이 포함되었다.

사용 빈도의 증감을 살펴본 결과를 토대로 급격한 증가 추이를 보이는 일반 명사인 '행복'과 '소통'을 대상으로 공기어에 대한 분석을 추가하였다. 공기어를 통해 대상어의 사용 양상을 좀 더 구체적으로 확인할 수 있기 때문이다. 특징적인 것으로는 '행복'의 공기어로 '국민', '고객'의 관련성이 급증한 반면 '아이', '가족'의 관련성은 감소하였다는 점이다. 또한 '소통'의 공기어는 2000년대 초반에는 '교통'과 관련한 공기어가 높은 관련성을 보이다가 2000년대 중반 이후에는 '국민', '대통령', '의사소통' 등의 관련성이 급증했다는 특징을 보였다.

사용 빈도가 급증한 '행복'과 관련하여 우리는 다양한 관점에서 그 결과를 해석해 볼 수 있을 것이다. 우선 사용 빈도가 급증한 명사에 음식, 체험, 여가 등이 높은 비중을 차지하였다는 점에서 우리 사회의 관심이 개인 중심의 행복 추구로 집중되는 경향이 있는 것으로 보인다. 특히 음식 관련 명사의 다양한 등장과 높은 사용 빈도는 행복 추구와 음식 문화의 상관성을 보여주는 것으로 해석될 수 있는데, 이는 매우 소박한 행복 추구의 양상이라 할 만하다. 또한 행복은 내적인 만족뿐 아니라 남과의 비교를 통해서도 충족될 수 있다. 패션, 소비와 관련한 명사들의 사용 빈도가 급증한 것도 이러한 측면에서 해석될 수 있을 것이다.

참고문헌

강범모, 「공기 명사에 기초한 의미/개념 연관성의 네트워크 구성」, 『한국어의미학』, 한국
　　어의미학회, 2010.

김일환, 「한국 사회의 키워드-1990년대와 2000년대의 언어 사용」, 『아시아문화연구』 37
　　권, 아시아문화연구소, 2015.

김일환·이도길, 「대규모 신문기사의 자동 키워드 추출과 분석」, 『한국어학』 53권, 한국
　　어학회, 2011.

김일환·정유진, 「'대선' 관련어의 추이 분석과 전망」, 『민족문화연구』 58, 고려대 민족문
　　화연구원, 2013.

김일환·정유진·강범모·김흥규, 『'물결21' 코퍼스의 구축과 활용』, 소명출판, 2013.

김일환, 「광복 이후부터 한국전쟁 직후까지의 핵심어 분석-동아일보 1946~1955년 기사
　　를 대상으로」, 『국제어문』 66집, 국제어문학회, 2015.

네이트 실버, 이경식 역, 『신호와 소음』, 더 퀘스트, 2014.

송길영, 『여기에 당신의 욕망이 보인다』, 쌤앤파커스, 2012.

에리즈 에이든·장바티스트 미셸, 김재중 역, 『빅데이터 인문학-진격의 서막』, 사계절,
　　2015.

한병철, 김태환 역, 『피로사회』, 문학과지성사, 2012.

Feldman R.·Sanger J., *The Text Mining Handbook—Advanced Approaches in Analyzing
　　Unstructured Data*, Cambridge University Press, 2007.

Williams R., *Keywords a Vocabulary of culture and society*, Flamingo, 1976.

네이버 뉴스라이브러리, newslibrary.naver.com

─ 제4부 ─
네트워크

제10장
공기어 네트워크의 변화 양상
'가족'과 '친구'를 중심으로

제11장
공기어 네트워크와 사회 계층에 대한
관심의 트렌드

제12장
형용사 유의어의 공기어 네트워크와 활용
'안타깝다' 류의 형용사를 중심으로

제10장 공기어 네트워크의 변화 양상

'가족'과 '친구'를 중심으로

1. 서론

이 연구는 10년 동안(2000~2009)의 신문 자료를 기반으로 구축된 '물결21' 코퍼스로부터 '가족'과 '친구'의 변화 양상을 대상어(target word)와 공기어(co-occurrence word)의 네트워크를 통해 분석하는 것을 목적으로 한다.[1]

단어의 변화는 필연적으로 문맥의 변화를 전제로 한다. 따라서 어떤 단어의 변화 양상을 살피는 데 있어 주변 문맥을 확인하는 과정은 필수적이라 할 수 있다. 특히 대상이 되는 단어와 특정한 환경에서 함께 사용되는 단어들의 변화 양상을 살펴봄으로써 대상어의 변화 양상을

---

[1] 여기서 '공기어'는 공기명사만을 대상으로 한다.

가늠해 볼 수 있다. 아울러 이러한 대상어와 공기어의 변화는 시대적 흐름과 관심사를 반영하는 것이라고 볼 때 이들의 변화는 단순히 단어의 변화 차원을 넘어 사회적 관심사의 변화 추이를 계측해 줄 수 있는 단서가 될 수 있다.

텍스트에 나타난 언어의 사용 양상을 통해 사회, 문화적인 변이의 추세를 분석해 내려는 연구는 국내외에서 크게 주목받고 있다. 국내의 연구로는 LG경제연구원·미디어다음(2010)을 들 수 있는데 여기서는 미디어다음에서 제공한 뉴스 기사의 클릭수를 토대로 16개의 한국 사회의 주요 키워드를 제시한 바 있다. 국외에서는 Jean-Baptiste Michel et al.(2010)의 연구가 주목되는데 여기서는 1800년대 이후 Google에서 전자화된 모든 책 가운데 약 4%에 해당하는 텍스트를 기반으로 인간의 언어와 문화 등에 대한 거시적인 분석을 시도하였다. 이러한 연구들은 분석의 대상과 관점은 다르지만 언어의 사용 양상을 통해 언어, 사회, 문화적 변화 추세를 밝혀보려 했다는 점에서 같은 차원의 연구로 볼 수 있다. 본고의 연구도 같은 선상에서 이루어진 것으로서 본고에서는 대규모의 신문 기사를 대상으로 하였다는 점과 공기어의 네트워크를 통해 추세 분석을 시도하였다는 점에 특징이 있다.

2. 대상 자료와 방법

이 연구에서는 고려대학교 민족문화연구원에서 구축한 '물결21' 코퍼스를 기반으로 하였다. 이 코퍼스는 2000년부터 2009년까지 『조선일보』,『동아일보』,『중앙일보』,『한겨레신문』의 4개 신문 기사 10년 전체를 대상으로 구성되어 있으며, 품사 정보까지 부착되어 있어 정밀한 언어학적 연구가 가능하다.

이 연구에서는 대상어와 공기어의 연결 관계를 객관적으로 검증하기 위해 연어 추출에서 많이 사용되는 t-점수를 활용하였다. 또한 공기어의 추출 범위를 3어절 내외나 문장 단위가 아니라 문단 단위로 확장하였다. 문단 단위의 공기어 추출은 문단이 하나의 화제를 중심으로 구분되는 단위라는 점을 고려할 때 대상어와 공기어의 관련 양상을 적절히 포착해 줄 수 있는 단위로 보인다. 문단 단위를 공기어 추출 범위로 설정함으로써 문장 단위에서보다 다양한 관련어를 추출하는 것이 가능하기 때문이나(강범모, 2010, 4쪽). 한편 t-점수를 기반으로 네트워크 도구인 파엑(Pajek)을 활용하여 네트워크를 구현하였다. t-점수의 계산과 Pajek에 대해서는 강범모(2010), 김일환 외(2010), Nooy W. (2010) 등을 참조할 수 있다.[2]

3. 대상어와 공기어 분석 – '가족'과 '친구'를 중심으로

대상어의 선정은 방법과 관점에 따라 다양하게 이루어질 수 있다. 키워드를 대상어로 선정하는 방식도 가능하고 유의어 등을 추출하여 대상어로 삼는 방법도 있다. 그러나 이 연구에서는 사회적 관심의 변화

---

[2] 특히 강범모(2010, 5~7쪽)에서는 t-점수를 계산하는 과정을 예를 들어 자세하게 설명하고 있어 좋은 참조가 된다.

추세를 분석하기 위해 우선 '가족'과 '친구'를 대상어로 한정하였다. 가족은 사회를 구성하는 가장 기본적인 단위이면서 최근 한국 사회의 급격한 변화 양상을 잘 반영해 주는 단어로 보이기 때문이다. 한편 '친구'는 가족의 구성원은 아니지만 가족 구성원 못지않게 대인 관계에 큰 영향을 미치는 요소로 볼 수 있다. 이 두 단어와 한 문단에서 함께 공기하는 단어들을 네트워크로 구성해서 살펴보고 공기어들의 관련성이 연도별로 어떻게 변화하는지를 함께 살핌으로써 본고에서 제안한 방법론이 정당화될 수 있는지를 판단할 수 있는 토대가 될 수 있을 것으로 보인다. 물론 사회적 관심의 추세를 분석하는 데에 있어 이 두 단어만으로는 한계가 있으며 보다 다양한 대상어를 포함할 필요가 있다.

1) '가족'의 공기어 분석

공기어 분석에 앞서 먼저 '가족'의 연도별 사용 빈도는 다음 그림과 같다. 〈그림 1〉은 100만 단어 중 '가족'이 몇 번 출현했는지를 나타내는 상대빈도를 연도별로 표시한 것이다.

연도별 빈도를 살펴보면 '가족'의 빈도는 부침(浮沈)이 있기는 하지만 대체로 2000년대 후반으로 올수록 사회의 관심도가 상승하고 있음을 보여준다.

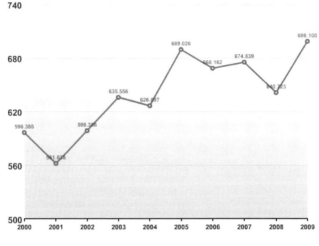

〈그림 1〉 '가족'의 연도별 상대빈도

(1) 네트워크 분석

단어는 고립해서 쓰이는 것이 아니라 일정한 문맥 속에서 사용된다. 단어 사용 양상의 변화는 먼저 이러한 문맥의 변화로부터 촉발되는 것이 일반적이다. 본고에서 제안한 t-점수 기반의 네트워크는 문맥 속에서 대상어와 공기어의 양상을 관찰할 수 있게 해준다는 점에서 의의가 있다. 또한 이 네트워크는 대상어와 공기어의 관련 양상을 잘 포착해 줄 뿐 아니라 대상어와 공기어의 연도별 변화 양상, 허브(hub)가[3] 되는 대상어의 추출, 대상어와 공기어 간의 연결 정도 등에 대해 폭넓은 관찰을 가능하게 해준다.

한편 네트워크는 10개의 공기어로 시작하여 순차적으로 확장해 나

---

[3] 여기서 '허브(hub)'는 모든 대상어와 빠짐없이 연결된 단어들로서 네트워크의 연결에서 가장 중심적인 역할을 하는 단어들을 지칭한다.

갈 것이다. 특히 연도별로 공기어의 연결이 생성되거나 소멸하는 과정을 통해 대상어와 공기어의 관련 양상을 설명할 수 있을 것이다.

먼저 '가족'의 공기어 가운데 t-점수가 높은 상위 50개를 제시하면 다음과 같다.

〈표 1〉 '가족'의 전체 공기어 중 상위 50개의 t-점수

순위	대상어	대상어 빈도(W1)	공기어	공기어 빈도(W2)	f(W1W2)	t-score
1	가족	184,428	아이	310,206	20,816	109.601
2	가족	184,428	집	242,051	16,760	99.305
3	가족	184,428	아버지	96,723	12,710	98.901
4	가족	184,428	가정	80,766	12,168	98.500
5	가족	184,428	자녀	79,718	11,436	94.916
6	가족	184,428	여성	287,191	16,910	94.419
7	가족	184,428	사랑	171,398	13,798	93.931
8	가족	184,428	부모	85,837	11,292	93.236
9	가족	184,428	아들	100,553	10,400	86.078
10	가족	184,428	환자	123,168	10,401	82.507
11	가족	184,428	딸	63,638	8,512	81.136
12	가족	184,428	어머니	74,887	8,524	79.243
13	가족	184,428	생활	188,637	11,078	76.346
14	가족	184,428	남편	72,105	7,955	76.152
15	가족	184,428	일	592,753	20,387	75.827
16	가족	184,428	엄마	72,053	7,851	75.491
17	가족	184,428	친구	117,163	8,966	74.733
18	가족	184,428	부부	60,658	7,407	74.697
19	가족	184,428	복지	84,676	8,066	74.605
20	가족	184,428	결혼	73,462	7,489	72.848
21	가족	184,428	여행	76,910	7,365	71.366
22	가족	184,428	사회	412,593	15,529	71.216
23	가족	184,428	이야기	154,654	9,370	71.031
24	가족	184,428	상봉	14,451	5,391	70.249
25	가족	184,428	아내	53,831	6,465	69.607
26	가족	184,428	영화	278,611	12,078	69.012
27	가족	184,428	아빠	29,088	5,649	68.918
28	가족	184,428	체험	80,803	7,071	68.591

29	가족	184,428	건강	130,039	8,372	68,577
30	가족	184,428	납북자	6,132	4,794	67,810
31	가족	184,428	단위	44,676	5,780	66,549
32	가족	184,428	어린이	119,257	7,765	66,292
33	가족	184,428	행사	247,446	10,883	66,066
34	가족	184,428	보건	48,216	5,720	65,349
35	가족	184,428	행복	49,936	5,385	62,407
36	가족	184,428	주말	55,101	5,412	61,486
37	가족	184,428	이산가족	17,419	4,185	60,349
38	가족	184,428	자신	387,792	13,102	59,823
39	가족	184,428	시간	393,512	13,179	59,515
40	가족	184,428	생각	462,344	14,520	58,616
41	가족	184,428	삶	122,698	6,805	58,503
42	가족	184,428	마음	160,817	7,704	58,222
43	가족	184,428	병원	146,050	7,329	58,095
44	가족	184,428	노인	69,959	5,295	57,261
45	가족	184,428	관계	256,447	9,780	57,071
46	가족	184,428	할머니	39,624	4,371	56,447
47	가족	184,428	치료	102,041	5,772	54,312
48	가족	184,428	부인	84,273	5,257	53,759
49	가족	184,428	프로그램	186,482	7,694	53,427
50	가족	184,428	모임	82,021	5,064	52,572

① 상위 10개 공기어의 연도별 비교

먼저 2000년과 2009년의 공기어 중 상위 10개를 대상으로 네트워크를 보이면 다음과 같다.

〈그림 2〉는 상위 10개만으로 제한된 매우 작은 규모의 공기어 네트워크지만 10년 동안 공기어 네트워크가 크게 변화했음을 잘 보여주고 있다. '부모, 아버지'를 제외한 다른 공기어가 모두 연결되지 않고 고립되어 있기 때문이다. 〈그림 2〉를 통해 우리는 '가족'의 주요 공기어로 '부모'와 '아버지'가 추출된다는 점을 확인할 수 있다. 이는 '부모'와 '아버지'가 '가족'과 가장 밀접하게 연관된 단어라는 점, 그리고 가족과 관련해서 가장 관심이 높은 대상이라는 점을 보여 주는 것이다.

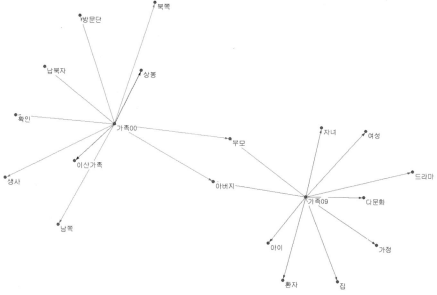

〈그림 2〉 '가족'의 상위 10개 공기어 네트워크(2000 · 2009)

이제 네트워크를 전체 연도로 확장해 보자.

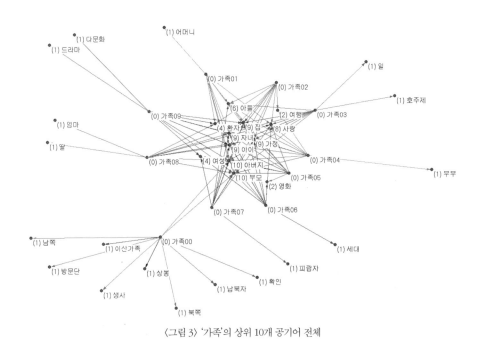

〈그림 3〉 '가족'의 상위 10개 공기어 전체

〈그림 3〉은 2000년부터 2009년까지 상위 10개의 '가족' 관련 공기어 네트워크이다. 이 네트워크의 허브는 '부모', '아버지'로 〈그림 2〉의 그것과 다르지 않다. 연도를 전체 10년으로 확장했음에도 허브가 변하지 않은 데에는 2000년도의 공기어가 다른 연도의 공기어에 비해 연결이 매우 고립되어 있다는 점에서 기인하는 것이다. '집', '아이', '자녀', '가정'은 2000년을 제외한 모든 연도에 출현한다는 점에서 허브에 가깝다.

이들 외에 '사랑', '아들', '환자'의 연결을 주목할 필요가 있다. '사랑'은 2000·2009년을 제외하고는 모든 연도에 '가족'과 연결된다. 이런 점에서 '가족'과 가장 관련성이 높은 감정명사는 '사랑'으로 보인다. '아들'은 6개의 링크를 가지는데 비해 '딸'은 2008년에만 처음 공기어로 등장한다는 점도 특징적이다. '환자'는 2001·2002년과 2008·2009년에 가족과 높은 관련성을 보이는데 이는 '가족'과 '환자'의 관련성이 '어머니', '엄마', '아빠' 등보다 더욱 높다는 점에서 흥미로운 결과이다.

한편 네트워크에서 고립된 공기어들은 해당 연도의 독특한 특징을 드러내주는 것으로 볼 수 있다. 2000년도의 '가족' 공기어 중에는 특히 '이산가족', '방문단', '남쪽', '북쪽' 등과 같이 이산가족의 만남과 관련된 단어들이 많이 포함되어 있는데 이는 2000년에 이산가족 관련 화제가 사회에서 크게 관심을 끌었기 때문이다. 2003년의 '호주제', 2008년의 '피랍자', 2009년의 '드라마' 등도 각각 해당 연도의 주요 화제를 보여준다는 점에서 유사하게 이해할 수 있다.

② 상위 20개 공기어의 연도별 비교

상위 공기어 10개로 이루어진 네트워크는 가장 높은 관련성을 보이는 공기어들의 연결 관계를 명시적으로 보여줄 수 있다는 점에서 가치가 있다. 이제 순차적으로 공기어를 확장해 가면서 네트워크의 변화 양상을 살펴볼 필요가 있다. 〈그림 4〉는 상위 20개로 공기어의 범위를 확장한 네트워크이다.

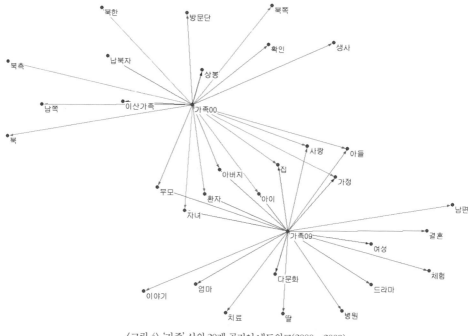

〈그림 4〉 '가족' 상위 20개 공기어 네트워크(2000 · 2009)

공기어를 상위 20개로 확장하면서 먼저 허브의 수가 증가한다. '환자, 자녀, 아이, 집, 사랑, 가정, 어른'이 2000년과 2009년에 허브로 기능하지만 여전히 두 해에는 고립된 공기어가 더 많다.

전체 연도를 대상으로 한 네트워크에서는 네트워크의 연결 정도가
조금 더 강화된다.

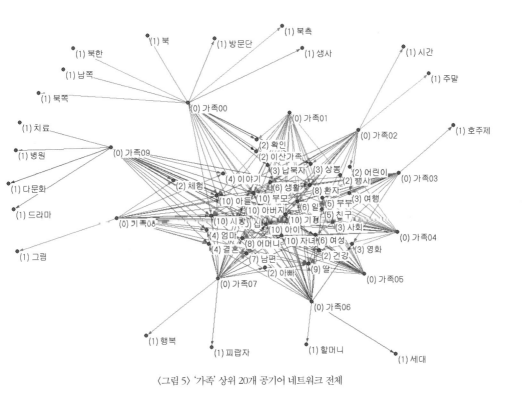

〈그림 5〉 '가족' 상위 20개 공기어 네트워크 전체

〈그림 5〉의 네트워크에서 허브는 모두 8개로, 상위 10개 네트워크
에서 9개의 연결 노드를 가지던 '집', '아이', '자녀', '가정'과 '아들', '사랑'
이 새롭게 허브로 등장하였다. 허브에 속하는 공기어 중 '아들', '자녀',
'아이'가 모두 포함된다는 점(9개의 링크를 가지는 '딸'까지 포함한다면 2세와
관련한 단어가 주요 공기어의 절반까지 육박)이 주목할 만하다. 이는 우리 사
회가 '가족'과 관련하여 2세들에 매우 높은 관심을 가지고 있음을 직접

보여주고 있다.

그 밖에 주요 공기어로는 '어머니', '환자', '남편', '일', '생활', '여성'이 높은 연결 정도를 보이며, '친구', '부부'도 주요 공기어에 포함(2001년부터 등장하기 시작)되었다. '결혼', '엄마'는 나란히 2006년부터 2009년까지 '가족'의 주요 공기어로 나타났다. 한편 고립된 공기어 중 '병원', '치료' 등이 2009년에 올수록 많이 등장한다는 점에서 새로운 관심의 변화를 보여주고 있다.[4]

③ 상위 30개 공기어의 연도별 비교

이제 공기어를 30개로 확장해서 살펴보자. 이들의 네트워크는 〈그림 6〉, 〈그림 7〉과 같다.

상위 30개로 공기어를 확장하면서 허브인 공기어는 8개에서 13개로 증가하였다. 즉 '부모', '아버지', '집', '아이', '자녀', '가정', '아들', '사랑', '어머니', '생활', '친구', '딸', '남편'이 허브로 기능하고 있는데 이 가운데 '어머니', '생활', '친구', '딸', '남편' 등은 새롭게 허브에 포함된 것이다.

허브뿐 아니라 고립된 공기어도 증가하기 시작하는데, 이들을 통해 해당 연도만의 구별되는 특징을 유추해 볼 수 있다. 2000년대 중반부터 '건강', '체험'과 관련한 공기어가 많이 등장하고 있다는 것은 상위 20개의 네트워크에서도 확인된 바 있다. '보험', '노인', '할머니', '입양'이 '가족'의 주요 공기어로 등장하기 시작하였으며, '이혼'과 '해체'는 나란히 2003년부터 2005년까지 '가족'과의 관련성이 높게 나타났다.

---

4   이는 2009년에 크게 유행했던 '신종 플루'의 확산과도 관련이 있는 것으로 보인다.

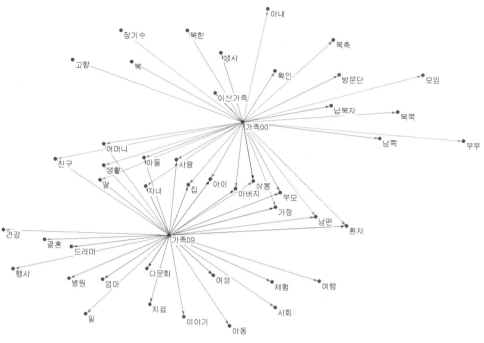

〈그림 6〉 '가족'의 상위 30개 공기어 네트워크(2000 · 2009)

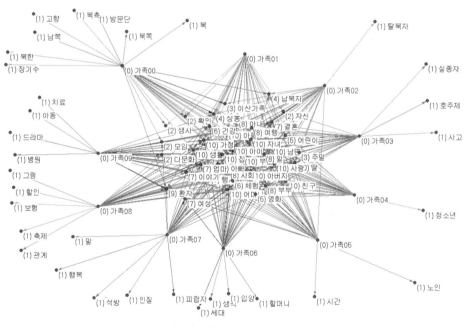

〈그림 7〉 '가족'의 상위 30개 공기어 전체

한편 2008년과 2009년에 이르면 '아동', '청소년'까지 '가족'의 네트워크
에 포함된다.

④ 상위 50개 공기어의 연도별 비교

'가족' 네트워크의 마지막으로 상위 50개로 공기어를 확장해서 살펴
보도록 한다.

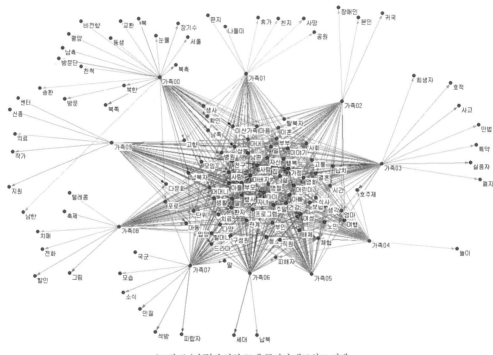

〈그림 8〉 '가족'의 상위 50개 공기어 네트워크 전체

〈그림 8〉에서는 13개였던 허브가 20개로 증가되었는데, '어머니',
'딸', '자녀', '가정', '아이', '아들', '사랑', '남편', '집', '부모', '생활', '친구',

'아버지'에 더하여 '결혼', '사회', '일', '이야기', '아내', '환자', '부부'의 7개 공기어가 새롭게 허브로 편입되었다.

허브가 되는 공기어에는 가족 구성원에 해당하는 사람 관련 명사가 대다수를 차지한다. '아이'에 대한 지속적인 높은 관심이 주목되고 '할머니'는 2002·2004·2006·2009년에만 주요 공기어에 포함되고 있다. '할아버지'는 상위 50위권에서는 나타나지 않는데 이는 '가족'과 '할아버지'의 관련성이 적어도 신문 텍스트에서는 매우 약한 것임을 보여 준다.

그 밖의 주요 공기어로 '어린이', '엄마'(9링크), '주말', '여행', '행사', '체험', '건강', '아빠'(8링크)를 들 수 있다. 이들은 공기어의 범위를 확장할 경우 허브에 포함될 가능성이 높다. 또한 이들은 2000년대 초반부터 지속적으로 관심의 대상이 높아져 왔는데, 따라서 앞으로도 이들은 '가족'과 높은 관련성을 당분간 유지할 가능성이 높다.

한편 50위의 공기어 범위 안에는 '사랑'(허브), '행복'(링크7), '고통'(링크4) 등의 감정명사가 포함되어 있다. 가족과 관련해서 '고통'이 포함되어 있다는 점이 특징적이다.

또한 고립된 공기어를 통해 해당 연도에 크게 주목된 화제들을 확인할 수 있는데, 2000년의 '이산가족', '상봉', 2003년의 '사고', '실종자', '희생자', 2007년의 '인질', '피랍자', 2008년의 '텔레콤', '할인', 2009년의 '신종(플루)', '의료' 등을 통해 해당 연도에 가족과 관련하여 크게 관심을 받았던 사건들을 유추해 볼 수 있다.

(2) '가족' 공기어의 증감도 분석

네트워크 속의 공기어들은 연도에 따라 대상어와의 관련성에 차이가 있게 마련이다. 특히 관련성의 증가나 감소가 큰 공기어들을 통해 대상어와 공기어의 변화 추세를, 나아가 이들에 대한 사회적 관심의 추세를 살펴볼 수 있다.

먼저 '가족'과의 관련성이 크게 증가한(t-점수가 증가한) 단어들을 보이면 〈표 3〉과 같다.

〈표 3〉 증가 추세에 있는 '가족'의 공기어(지표는 t-점수)

	2000년	2001년	2002년	2003년	2004년	2005년	2006년	2007년	2008년	2009년
다문화	2.03	0.00	0.00	4.11	0.00	1.80	3.89	8.86	22.15	39.11
인터넷	-14.56	-0.36	1.35	5.36	3.06	0.95	6.38	4.83	9.22	10.97
여성	13.68	18.24	16.14	24.19	21.97	35.09	41.26	35.89	42.07	35.14
아동	6.20	9.14	8.68	8.29	11.86	11.93	13.51	11.60	17.44	24.83
체험	11.09	13.42	17.85	19.45	21.62	23.44	24.14	22.97	25.59	28.83
엄마	15.01	15.35	19.05	22.95	18.34	22.61	26.67	28.88	30.39	31.12
치료	13.63	14.75	17.33	14.67	13.54	11.68	15.21	16.84	18.41	29.44
의료	5.34	6.02	5.08	2.88	5.45	4.04	6.68	6.38	15.16	20.84
저출산	0.00	0.00	3.13	5.08	4.19	8.83	12.16	8.26	6.29	14.01
여행	13.35	18.23	26.22	24.59	25.91	22.04	18.98	24.08	22.45	25.94

이 가운데 특히 관련성이 가장 크게 증가한 공기어로는 단연 '다문화'를 들 수 있다. '여성', '엄마'의 급속한 증가도 주목할 만하며, '체험, 여행'이 최근 관련성이 더 높아지고 있다는 점, '의료', '치료', '저출산' 등의 의료 관련 단어의 높은 관련성도 사회적 추세를 반영해 주는 것으로 볼 수 있다. 이러한 변화 양상을 그래프로 보이면 〈그림 9〉와 같다.

한편 〈표 4〉와 〈그림 10〉은 관련성이 감소하는 공기어를 나타낸다. 이러한 양상을 보이는 단어에는 '이산가족', '북', '혈육' 등과 같이 이산

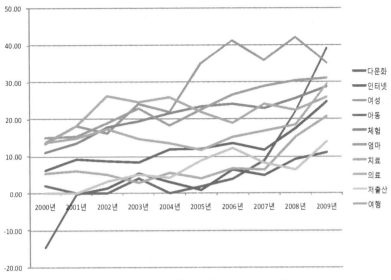

<그림 9> 증가 추세에 있는 '가족'의 공기어 그래프

가족과 관련한 단어들이 많이 포함되어 있으며 '연좌제', '족보' 등도 지속적으로 관련성이 감소하고 있어 가족과 관련한 사회적 변화의 한 국면을 확인할 수 있다.

<표 4> 감소 추세에 있는 '가족'의 공기어

	2000년	2001년	2002년	2003년	2004년	2005년	2006년	2007년	2008년	2009년
이산가족	41.79	20.36	20.23	13.90	9.38	13.51	12.06	13.46	7.25	17.23
북	24.84	8.04	1.33	0.00	3.77	0.93	0.19	0.00	0.00	0.57
장기수	21.52	6.55	5.29	2.34	5.51	8.01	4.02	2.68	2.16	0.00
납북자	30.57	15.09	21.52	15.37	17.01	25.03	29.75	22.41	14.60	14.81
생사	26.93	17.31	11.75	10.43	9.91	11.85	11.39	9.76	5.39	10.16
혈육	13.14	7.24	4.68	4.38	3.29	4.31	2.01	4.69	2.11	3.25
교도소	7.81	5.51	4.57	5.06	7.70	6.01	5.35	3.14	3.97	2.54
연좌제	7.81	4.33	4.89	5.49	5.88	5.69	4.45	4.58	0.00	3.80
족보	4.00	2.43	4.32	6.68	3.19	1.23	4.03	3.93	0.66	0.00
일기	9.12	9.09	7.88	7.92	6.05	7.33	6.78	6.52	7.55	5.30

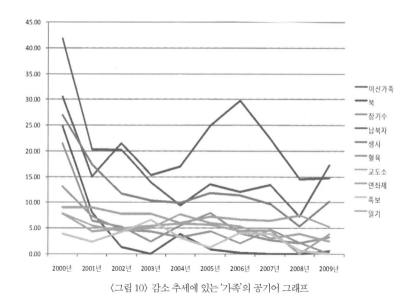

〈그림 10〉 감소 추세에 있는 '가족'의 공기어 그래프

2) '친구'의 공기어 분석

'친구'의 공기어를 분석하기에 앞서 먼저 '친구'의 연도별 사용 빈도를 보이면 〈그림 11〉과 같다.

■N/친구

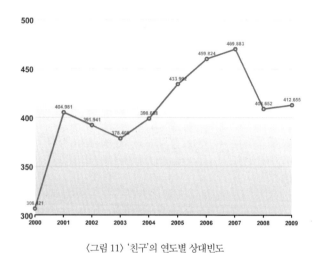

〈그림 11〉 '친구'의 연도별 상대빈도

〈그림 11〉에 의하면 '친구'는 2000년에는 빈도가 상대적으로 적었으나 2001년부터 크게 높은 빈도로 사용되고 있음을 알 수 있다.

(1) '친구'의 네트워크 분석

〈표 5〉는 '친구'의 2000년부터 2009년까지의 전체 공기어 중 상위 50개를 추출하여 t-점수와 함께 보인 것이다.

〈표 5〉 '친구'의 전체 공기어 중 상위 50개의 t-점수

순위	W1	f(W1)	W2	f(W2)	f(W1W2)	t-score
1	친구	117,163	아이	310,206	26,216	142.51
2	친구	117,163	남자	122,202	15,220	113.34
3	친구	117,163	여자	136,741	14,521	109.01
4	친구	117,163	말	2,009,603	42,073	105.92
5	친구	117,163	집	242,051	15,245	103.62
6	친구	117,163	생각	462,344	18,186	100.14
7	친구	117,163	학교	318,520	14,555	93.91
8	친구	117,163	일	592,753	18,432	91.55
9	친구	117,163	자신	387,792	14,733	89.03
10	친구	117,163	영화	278,611	12,862	88.53
11	친구	117,163	공부	112,442	9,322	84.75
12	친구	117,163	이야기	154,654	9,988	84.27
13	친구	117,163	사랑	171,398	10,272	84.22
14	친구	117,163	엄마	72,053	8,063	81.67
15	친구	117,163	마음	160,817	9,593	81.31
16	친구	117,163	가족	184,428	8,966	74.96
17	친구	117,163	학년	86,063	7,094	73.88
18	친구	117,163	시간	393,512	12,022	73.30
19	친구	117,163	부모	85,837	6,712	71.31
20	친구	117,163	책	245,902	8,855	67.64
21	친구	117,163	선생님	41,150	5,364	67.55
22	친구	117,163	아버지	96,723	6,216	66.42
23	친구	117,163	학생	353,676	10,205	65.57
24	친구	117,163	전화	203,697	7,770	64.75

25	친구	117,163	결혼	73,462	5,396	63.33
26	친구	117,163	아들	100,553	5,672	61.79
27	친구	117,163	시절	107,105	5,780	61.76
28	친구	117,163	돈	267,857	8,181	60.46
29	친구	117,163	혼자	44,189	4,407	59.64
30	친구	117,163	애기	156,005	6,232	58.93
31	친구	117,163	초등학교	73,598	4,654	57.29
32	친구	117,163	딸	63,638	4,432	56.89
33	친구	117,163	반	112,109	5,254	56.82
34	친구	117,163	남편	72,105	4,510	56.28
35	친구	117,163	모습	195,002	6,383	55.18
36	친구	117,163	어머니	74,887	4,332	54.29
37	친구	117,163	생활	188,637	6,120	53.81
38	친구	117,163	세상	108,419	4,823	53.64
39	친구	117,163	시작	441,168	9,684	53.01
40	친구	117,163	주인공	60,332	3,814	51.86
41	친구	117,163	술	54,098	3,697	51.79
42	친구	117,163	수업	74,570	3,958	50.91
43	친구	117,163	얼굴	88,780	4,176	50.71
44	친구	117,163	관계	256,447	6,723	50.32
45	친구	117,163	아빠	29,088	3,093	50.31
46	친구	117,163	학원	65,806	3,732	50.18
47	친구	117,163	우정	12,110	2,663	49.22
48	친구	117,163	선물	81,762	3,865	48.85
49	친구	117,163	여행	76,910	3,744	48.46
50	친구	117,163	아내	53,831	3,279	47.74

① 공기어 상위 10개의 연도별 비교

〈그림 12〉는 2000년과 2009년의 '친구' 공기어 중 상위 10개만으로 네트워크를 구성해 본 것이다. 이 네트워크는 연결 정도가 매우 강하다고 볼 수 있는데, 두 개의 공기어(학교, 공부)를 제외하고는 모든 공기어가 공통적으로 연결되어 있기 때문이다.[5]

또한 허브로 기능하는 공기어는 '아이', '남자', '여자'와 같은 사람과

---

5 '가족'의 경우와 비교해 보면 '친구'의 높은 연결 정도가 더욱 부각된다. '가족'의 경우에는 단 두 개의 공기어만이 공통적으로 연결되어 있었다.

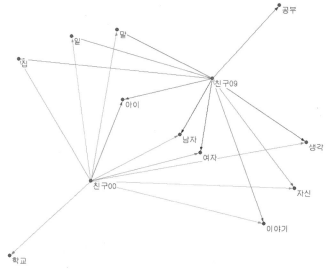

〈그림 12〉 '친구'의 상위 10개 공기어 네트워크(2000 · 2009)

관련된 단어, '말', '이야기', '생각'과 '일', '집', '자신' 등이 포함되었다.[6]

이제 상위 10개 공기어가 연도에 따라 어떻게 연결되어 있는지 살펴보자. 여기서도 '친구'의 공기어 네트워크는 강한 중앙 집중화 경향을 보이고 있다.

〈그림 13〉은 '친구'의 공기어 네트워크가 6개의 허브가 되는 '아이', '남자', '여자', '생각', '일', '집'을 중심으로 하고 있으며, 다른 공기어들도 서로 밀접히 연결되어 있음을 잘 보여준다(고립된 공기어로는 '부모'와 '마음'만이 있음). 특히 '아이'는 2001년과 2009년을 제외하고는 허브 중에서도 가장 관련성이 높은 공기어로 밝혀졌으며, '남자', '여자'의 높은 관련성도 주목된다. 이들은 개념적으로는 친구와의 관련성이 쉽게 떠오르지 않는다는 점에서 흥미있는 발견이다. 더욱이 '남자', '여자'의 높은 관련성은 이성 친구에 대한 높은 관심을 반영한다고 볼 수 있다.

---

6 친구 사이에서 중시되는 '우정'이나 '의리' 등의 단어들은 주요 공기어에 포함되지 않았다.

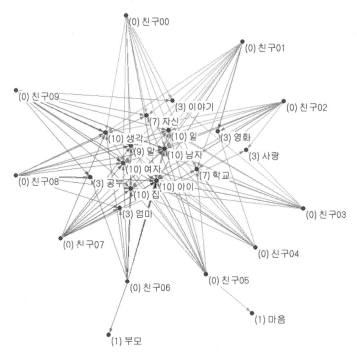

〈그림 13〉 '친구'의 상위 10개 공기어 네트워크 전체

그 외에 '말'(9링크), '자신', '학교'(7링크)가 높은 연결성을 보였으며, '사랑', '영화', '엄마', '공부', '이야기'도 관련성이 높게 나왔다. 감정명사 중에는 유일하게 '사랑'이 포함되어 있다는 점이 특징적이며, '엄마', '공부'는 2006년부터 주요 공기어로 등장하기 시작한다.

'친구'의 공기어 네트워크는 앞서 살펴본 '가족'의 네트워크와 비교해 볼 때 공기어 간의 연결 정도가 높다는 점, 그리고 고립된 공기어가 적다는 점이 가장 특징적이다.

② 공기어 상위 20개의 연도별 비교

공기어의 범위를 20개까지 확장한 2000년, 2009년 공기어의 네트워크는 아래와 같다.

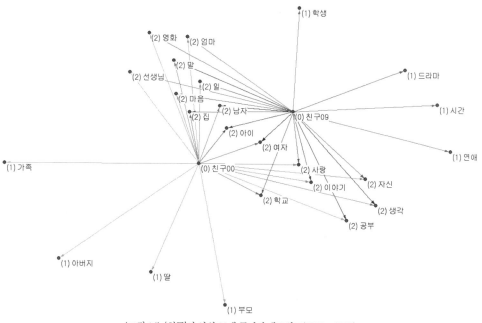

〈그림 14〉 '친구'의 상위 20개 공기어 네트워크(2000 · 2009)

공기어를 두 배로 늘리자 허브의 수도 8개에서 16개로 두 배 증가했다. 즉 허브인 공기어가 16개이고, 나머지는 모두 고립된 공기어이다. 특이한 것은 고립된 공기어가 매우 이질적이라는 점이다. 이를테면 2000년에는 '가족', '아버지', '딸', '부모'와 같이 가족 관련어가 포함된 데 반해 2009년에는 '연애', '드라마', '시간', '학생' 등의 단어가 추출되었기 때문이다.

이제 전체 연도에 대한 상위 20개 공기어 네트워크를 살펴보자.

〈그림 15〉는 2000년대의 '친구' 공기어 중 상위 20개를 대상으로 한 네트워크이다. 이 네트워크는 허브(14개)가 전체 공기어의 절반 이상을 차지하고 있다는 점, 그리고 상위 10개의 네트워크보다 허브인 공기어가 두 배 이상(6개에서 14개) 증가했다는 점이 특징적이다. 허브인 공기어는 '여자', '남자', '아이', '마음', '엄마', '말', '사랑', '자신', '학교', '일',

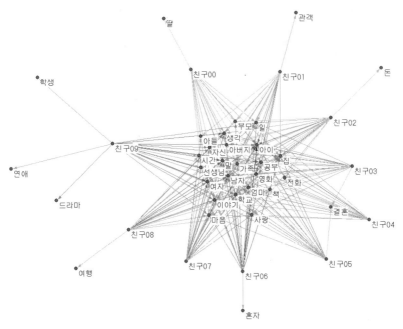

그림 15. '친구'의 상위 20개 공기어 네트워크 전체

'집', '이야기', '공부', '생각'이며 이 외에 '가족', '영화'(9링크), '시간'(7링크) 등도 높은 관련성을 보인다. '아버지'는 2000년대 초반, '선생님'은 2000년대 후반(6링크)에 관련성이 높아졌다. 또한 2004년부터는 '책', 2002년부터는 '전화', 2003년부터 '결혼' 등이 새롭게 네트워크에 포함되기 시작하였다.

'친구'의 네트워크는 중심성이 강한 만큼 고립된 공기어는 7개에 불과하다('가족'에서는 19개). 이 가운데 2008년에는 '여행'이, 2009년에는 '연애', '드라마' 등이 포함되어 있음이 주목된다.

③ 공기어 상위 30개의 연도별 비교

공기어를 30개로 확대하여도 허브의 증가는 지속된다. 먼저 2000년과 2009년에 대한 네트워크부터 살펴보자.

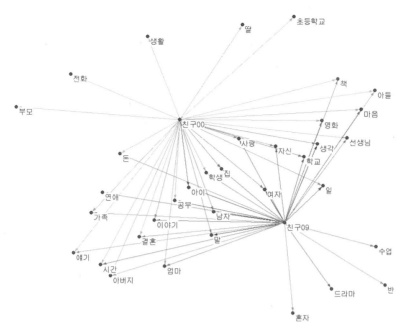

〈그림 16〉 '친구'의 상위 30개 공기어 네트워크(2000・2009)

〈그림 16〉은 30개의 공기어 중 허브에 속하는 공기어가 모두 25개나 된다는 점에서 '친구'의 공기어 집단이 밀접하게 연결되어 있음을 잘 보여준다. 연도를 전체로 확대해서 살펴보아도 이러한 양상은 지속된다.

그림 17의 네트워크는 30개의 공기어 중 허브가 20개, 9링크의 준(準)허브가 4개나 포함될 정도로 연결의 중앙 집중화가 강력함을 보여준다. 이 중 허브에 속하는 공기어로는 '여자', '남자', '엄마', '가족', '아이', '자신', '선생님', '아버지', '마음', '결혼', '말', '사랑', '시간', '학교', '일', '영화', '집', '이야기', '공부', '생각' 등이 있으며, 9개의 링크를 가지는 준허브에는 '책', '전화', '학생', '부모' 등이 포함된다.

허브에 속하는 공기어들은 대체로 사람과 관련된 명사들이 높은 비중을 차지하며, '학교', '공부' 등 학교 생활과 관련한 단어가 일부 포함

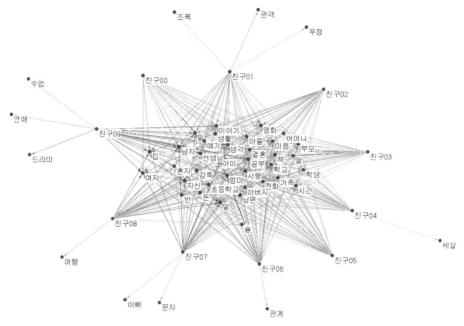

〈그림 17〉 '친구'의 상위 30개 공기어 네트워크 전체

되어 있을 뿐 문화적으로 주목할 만한 단어들은 발견되지 않는다. 그 밖의 주요 공기어로는 '애기', '아들'(7링크)과 '초등학교', '돈'(6링크)이 주목된다. 특히 '초등학교'는 중학교, 대학교에 비해 '친구'와의 관련성이 매우 높게 나타났다.

또 다른 공기어에는 '반', '혼자'(5링크), '남편'(4링크), '생활', '술', '딸', '어머니'(3링크) 등이 있다. 이 중 '혼자'는 2001·2006~2009년에 높은 관련을 보이고 있어 최근 문제가 되었던 '왕따' 현상과도 연관된 것이 아닌가 추측해 볼 수 있다. '술'은 2003·2005·2008년에만 주요 공기어에 포함되고 있다는 점에서 관련성이 높게 나타나지 않았다.

단절된 공기어는 11개에 불과하여 공기어를 10개 더 확장한 네트워크에서도 크게 증가하지 않았다. 이는 '가족'의 고립 공기어가 34개였다는 점과 비교할 때 '친구' 공기어 네트워크의 연결 정도가 강력함을 보여준다. 2001년의 '관객', '조폭'은 영화의 영향을 받은 것으로 보이며, '아빠', '문자', '여행' 등은 2000년대 후반에 크게 관심을 받고 있음을 알 수 있다.

④ 공기어 상위 50개의 연도별 비교
'친구'의 네트워크를 상위 50개로 확장해 보자.

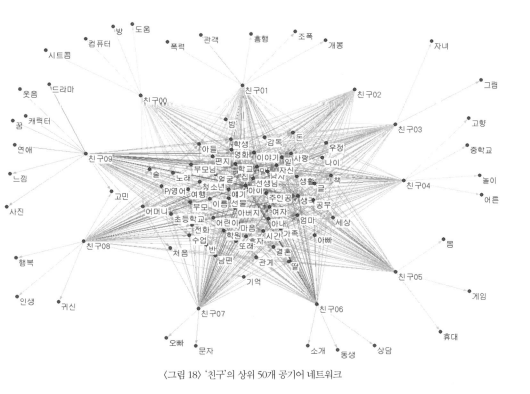

〈그림 18〉 '친구'의 상위 50개 공기어 네트워크

〈그림 18〉에 의하면, '친구'의 공기어 네트워크에는 모두 31개의 허브를 포함하는데 이들을 별도로 정리하면 다음과 같다.

아이, 여자, 남자, 엄마, 아버지, 선생님, 자신, 가족, 혼자, 부모, 아들, 학생, 반, 공부, 학교, 생활, 초등학교, 책, 결혼, 말, 전화, 사랑, 돈, 시간, 일, 영화, 집, 이야기, 생각, 세상, 마음

허브에 속하는 이들 공기어 중에는 사람과 관련한 공기어가 허브 전체의 1/3 이상을 차지하는데(12/31) 이들은 대체로 이성(異性)이나 가족 혹은 학교와 관련이 있다는 특성을 보인다. 특히 '혼자'는 상위 공기어의 개수를 50개로 확장하면서 허브에 새로 추가되었는데 상위 30개를 대상으로 한 네트워크에서는 주로 2000년대 후반에 집중되어 나타나기 시작하였다(5링크 중 2001·2006~2009년도에 출현).

학교와 관련한 공기어는 인물 명사 이외에도 허브에 다양하게 포함되어 있다(학교, 초등학교, 반, 공부 등). 한편 허브에 포함된 감정명사로는 '사랑'이 유일한데 이는 단순한 친구 사이의 감정보다는 이성 친구와의 관련성이 보다 강하게 반영되어 있음을 보여준다.

허브가 될 만한 높은 관련성을 보여주는 단어에는 '딸', '어머니', '남편'과 '얘기', '얼굴'이 포함된다(9개의 링크). '주인공'도 높은 연관성을 보여주는데 이는 영화나 드라마 등과 관련된 것으로 보인다. '술'(7링크)은 공기어를 확장하면서 연결 정도가 높아졌으며 '선물'(7링크)은 50개로 공기어를 확장하면서 새롭게 등장한 공기어임에도 연결성이 높게 나타났다. '학원'이 6개의 연결을 보일 정도로 '친구'와 관련되어 있다는 점이 특이하다. 이는 학교 못지않게 학원이 중시되는 세태를 반영하는 것으로 해석된다. '우정'은 2001년부터 2005년까지만 주요 공기어로 나타나고 이후에는 포함되지 않는다는 점이 특징적이며, '아빠', '영어',

'여행', '밤' 등이 주요한 공기어로 자리잡고 있는 추세로 보인다.

한편 '초등학교'가 허브의 위상을 가지는 데 비해 '중학교'는 2004년 에만 포함되고 '고등학교'나 '대학교'는 50위권에 포함되지 않았다. 일 반적인 인식과 달리 친구는 초등학교와 가장 밀접히 관련되는 듯하다. 2007년에 등장한 '문자'는 '문자 메시지'에서 나온 것으로 보이는데 이는 친구 사이의 소통을 위한 매체로 '문자'가 크게 관심을 받고 있음을 나타낸다.

(2) '친구' 공기어의 증감도 분석

'친구'의 공기어 중 관련성의 변화가 큰 공기어는 대체로 〈표 6〉과 같다.

〈표 6〉 증가 추세에 있는 '친구'의 공기어

	2000년	2001년	2002년	2003년	2004년	2005년	2006년	2007년	2008년	2009년
남자	24.816	29.914	31.857	31.564	31.180	37.36	38.014	44.834	36.323	46.547
연애	4.769	6.909	8.360	6.798	7.813	11.800	11.227	14.254	11.860	26.307
여자	26.235	28.374	32.761	30.307	32.417	33.824	35.287	41.192	35.272	45.079
스타일	0.210	4.895	3.620	2.196	3.771	4.856	6.773	7.948	8.604	14.698
시간	15.850	18.248	19.025	20.110	21.584	21.047	30.422	26.310	24.388	29.379
웃음	8.433	9.295	11.124	10.586	9.195	12.099	10.520	11.434	15.005	21.068
일	22.833	26.125	25.360	26.009	27.071	28.284	32.416	31.022	32.258	34.497
영화	16.479	46.943	32.868	22.770	28.112	25.871	24.611	21.653	23.481	28.124
마음	18.431	22.675	23.272	24.056	25.969	26.425	28.409	28.899	26.229	30.024
스타	4.843	8.517	6.607	4.465	6.565	13.382	7.969	5.275	11.346	16.420
학원	9.101	13.002	16.35	12.823	14.334	12.86	18.651	19.412	16.764	20.528

먼저 가장 관련성이 크게 증가한 공기어로는 '남자'가 꼽힌다. 그 뒤를 '연애', '여자'가 따른다는 점에서 '친구'와의 관련성이 주로 이성친구와 관련해서 증가하고 있다고 볼 수 있다. 그 밖에 '학원'의 높은 증가

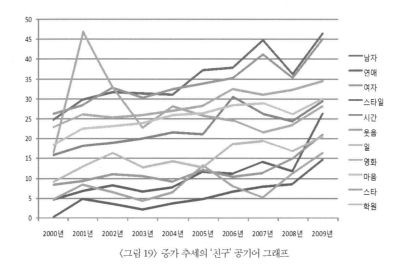

〈그림 19〉 증가 추세의 '친구' 공기어 그래프

세도 주목할 만하다. 이러한 증가 경향을 보이는 공기어들을 통해서 친구와 관련한 사회적 추이의 변화를 계측해 볼 수 있다. 이러한 변화 양상은 〈그림 19〉를 통해 보나 잘 드러난다.

한편 관련성이 감소하는 공기어로는 '신세대', '개구쟁이', '컴퓨터', '동호회' 등이 주목된다(〈표 7〉과 〈그림 20〉). 이들의 감소폭은 그리 크지 않지만 사회적 관심에서 멀어지고 있다는 점을 보여준다는 점에서 재미있는 발견이다.

〈표 7〉 감소 추세에 있는 '친구'의 공기어

	2000년	2001년	2002년	2003년	2004년	2005년	2006년	2007년	2008년	2009년
통화	5.072	5.796	5.717	5.249	4.288	7.281	5.817	8.406	3.078	0
신세대	5.208	4.986	2.263	3.760	3.652	5.181	3.405	4.043	0.896	1.359
병원	3.385	0.948	4.946	4.951	4.201	5.028	7.246	7.845	5.517	0
초대장	3.377	2.102	2.626	0	2.628	2.944	0	3.133	0	0
경찰	9.460	9.623	9.620	11.984	11.117	10.442	10.404	9.932	5.483	6.104
개구쟁이	3.330	2.773	2.473	3.658	3.172	3.875	3.299	2.326	0	0
동물	9.109	3.305	7.311	10.029	7.098	6.966	6.389	6.774	9.025	5.942
입원	3.155	3.962	3.679	1.740	3.818	0	3.601	4.581	5.627	0
컴퓨터	13.600	7.120	9.793	8.225	9.391	8.355	12.680	10.860	8.325	10.498
동호회	6.653	3.221	4.514	5.795	2.385	4.741	5.989	4.660	3.787	3.599

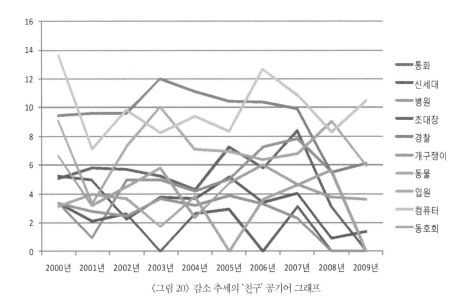

<그림 20> 감소 추세의 '친구' 공기어 그래프

3) '가족'과 '친구'의 공기어 분석

지금까지 우리는 '가족'과 '친구'의 공기어 네트워크를 연도별로 각각 비교, 분석해 왔다. 하지만 가족과 친구는 사회 집단을 구성하는 가장 기본적인 단위라는 점을 고려할 때 두 대상어의 공기어가 보이는 연결 관계를 살펴보는 것도 흥미로운 주제가 될 수 있다. 여기서는 간략하게만 보이기로 한다.

<그림 21 · 22>는 각각 2001년과 2009년의 '가족', '친구'의 공기어 상위 50개의 네트워크를 보인 것이다. 두 대상어와 서로 공유하는 공기어들보다는 단절된 공기어가 더 많은 양상을 보인다.

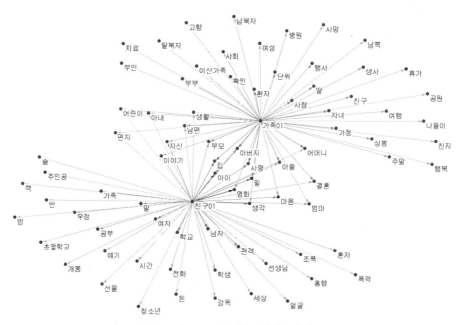

〈그림 21〉 '가족', '친구'의 2001년 공기어 네트워크(상위 50개)

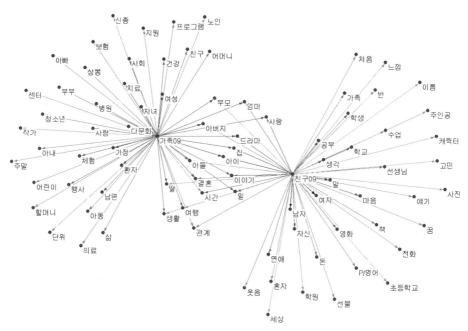

〈그림 22〉 '가족', '친구'의 2009년 공기어 네트워크(상위 50개)

키워드, 공기어, 그리고 네트워크—신문 빅데이터가 보여주는 것

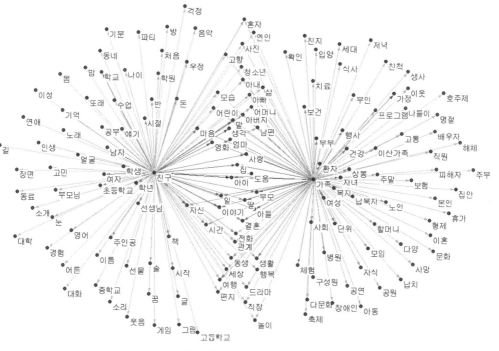

〈그림 23〉 '가족', '친구'의 2000년대 전체 네트워크(상위 100개)

〈그림 23〉은 2000년부터 2009년까지 '가족', '친구'의 네트워크를 상위 100개의 공기어로 확장해서 네트워크로 나타낸 것이다. 이들이 공유하는 공기어들과 단절된 공기어들을 비교, 분석함으로써 가족과 친구 집단이 가지는 특징적인 국면들이 발견될 수 있을 것이다. 세부적인 논의는 차후의 연구에서 다루도록 한다.

4. 결론과 향후 과제

지금까지 10년치 4개 신문사의 신문 기사를 기반으로 '가족'과 '친구'의 공기어 네트워크를 구성하고 공기어의 사용 증감도를 토대로 '가족'

과 '친구'의 최근 변화 양상을 분석해 보았다. '가족'은 사회를 구성하는 가장 기본이 되는 단위라는 점에서, '친구'는 가족 다음으로 높은 친밀성을 갖는 대상이라는 점에서 이들의 변화 양상은 사회적으로도 관심의 대상이 될 만하다.

단어의 변화는 사용 빈도뿐 아니라 문맥에 의해 영향을 주고받는다는 점에서 10년간 신문 기사에 쓰인 단어의 변화 양상을 살피는 작업은 의의가 있다. 특히 대상어의 사용 빈도뿐 아니라 대상어와 공기하는 공기어들을 네트워크로 구성하여 살펴봄으로써 대상어와 공기어의 연결 관계를 명시적으로 기술할 수 있었다. 특히 공기어를 상위 10개에서 50개로 순차적으로 확장해 나가면서 대상어와 공기어의 연결 관계가 어떠한 양상으로 전개되는지 관찰할 수 있었으며 연도별 네트워크를 통해 통시적인 변화 과정도 살펴볼 수 있었다. 그 결과로 '가족'의 공기어 중에는 '어머니'를 비롯한 20개의 단어가 허브의 역할을 하는 주요 공기어로 밝혀졌으며 2000년대 후반으로 오면서 '고통', '사랑', '주말', '여행', '체험' 등의 단어가 높은 연결 관계를 보였음을 보였다. '친구'의 경우에는 상위 50개의 공기어 가운데 31개의 단어가 허브의 역할을 한다는 점에서 '가족'보다 강한 연결 관계를 보이고 있다는 점이 특징적임을 제시하였다.

대상어와 공기어의 연결을 네트워크로 구성하고 이들의 변화 양상을 살피는 연구는 이제 초기 단계에 불과하다. 따라서 4억 어절이라는 대규모의 신문 코퍼스에서 일부 단어들의 사용 양상을 통해 사회, 문화적 변화의 추세를 파악하려는 시도는 아직까지 보완해야 할 부분이 많다. 공기어의 추출 범위를 문단이 아닌, 문장 또는 앞뒤의 3~4어절로 다양화하고 그 결과를 검토하는 작업, 네트워크와 증감도를 통해 발견한 사실들을 사회, 문화적 요인들과 관련하여 객관적으로 해석해 내는 작업 등은 그러한 부족함을 메우기 위해 선결되어야 할 과제들이라 할 수 있다. 이들에 대한 검토는 다음 연구를 기약하기로 한다.

참고문헌

강범모, 「공기 명사에 기초한 의미/개념 연관성의 네트워크 구성」, 『한국어의미학』 32, 한국어의미학회, 2010.

강범모·김흥규, 『한국어 사용 빈도』, 태학사, 2009.

김일환·이도길·강범모, 「공기 관계 네트워크를 이용한 감정명사의 사용 양상 분석」, 『한국어학』 49, 한국어학회, 2010.

김혜영·이도길·강범모, 「사건명사의 공기어 네트워크 구성과 분석」, 『언어와 언어학』 50, 언어학회, 2011.

김흥규·강범모 외, 『'물결 21' 신문 텍스트 기반의 장기간 언어·사회·문화 연구』, '물결 21' 사업 제1차 보고서, 고려대 민족문화연구원, 2010.

바라바시, 강병남·김기훈 역, 『링크』, 동아시아, 2002.

신우봉·김일환·김흥규, 「신문 텍스트에서 나타나는 공간명사의 사용 양상과 네트워크 분석」, 『텍스트언어학』 29, 텍스트언어학회, 2010.

이영제·김흥규·강범모, 「사회적 가치와 관련된 명사의 사용 양상과 네트워크 분석」, 『한국어 의미학』 34, 한국어의미학회, 2011.4.

LG경제연구원·미디어다음, 『미디어 소비를 통해 본 한국인의 관심사와 라이프스타일』, http://media.daum.net/trendreport/2010/.

Jean-Baptiste Michel et at., "Quantitative Analysis of Culture Using Millions of Digitized Books", *Science*, Published online ahead of print : 12/16/2010.

Kendall M. G., *Rank Correlation Methods*, Charles Griffin, London, 1975.

Kim, Heunggyu·Kang, Beom-mo·Chung, Eugene·Lee, Do-Gil·Ilhwan Kim, "Trends 21 Corpus—A Large Annotated Korean Newspaper Corpus for Linguistic and Cultural Studies", Digital Humanities 2011 Proceedings, Stanford University, 2011.6.

Meyer C., *English Corpus Linguistics*, Cambridge University Press, 2002.

Nooy, W. et al., *Exploratory social network analysis with Pajek*, Cambridge University Press, 2005.

Williams, R., *Keywords —A vocabulary of culture and society*, Fontana Paperbacks, 1983.

제11장

공기어 네트워크와 사회 계층에 대한 관심의 트렌드

1. 서론

이 연구는 대규모의 신문 자료로부터 사회 계층과 관련한 단어의 변화 양상을 살펴보고 이를 통해 사회 계층에 대한 관심의 트렌드를 밝히는 데 목적이 있다.[1] 이를 위해 '부유층', '중산층', '빈곤층'을 대상어 (target word)로 선정하고 이들과 함께 출현하는 공기어(共起語, co-occurence word)들을 네트워크로 분석함으로써 사회 계층과 관련한 단어들의 변화 양상과 관심의 트렌드를 확인할 것이다.[2] 특히 대상어

---

1   이 연구의 대상 자료는 2000~2009년 4대 일간지의 신문 기사 전체로서 여기에는 정치, 경제 등의 모든 주제별 기사가 포함되어 있다. 대상 자료에 대한 자세한 논의는 2장을 참조.
2   이때 대상어와 공기어의 품사는 모두 '명사'로 한정한다. 명사 이외의 품사에 대해서는 이후의 연구로 남긴다.

와 공기어가 연결되는 정도를 측정하기 위해 t-점수를 활용할 것인데, 이 t-점수를 통해 대상어와 공기어가 가지는 관련성이 객관적인 방법으로 포착될 수 있을 것으로 기대한다. 또한 대상어와 공기어의 t-점수가 연도별로 증가 또는 감소하는 양상도 일부 고려될 것이다.

2. 대상 자료와 방법

이 연구에서는 '물결21' 코퍼스를 기반으로 하여 대상어와 공기어의 연결 관계를 객관적으로 검증하기 위해 연어 추출에서 많이 사용되는 t-점수를 활용하였다. 또한 공기어의 추출 범위를 3어절 내외나 문장 단위가 아니라 문단 단위로 확장하였다. 문단 단위의 공기어 추출은 문단이 하나의 중심 생각으로 구분되는 단위라는 점을 고려할 때 대상어와 공기어의 관련 양상을 적절히 포착해 줄 수 있는 단위로 생각된다.[3] 또한 t-점수를 기반으로 네트워크 도구인 Pajek을 활용하여 네트워크를 구현하였다. t-점수의 계산과 Pajek에 대해서는 강범모(2010), 김일환 외(2010), Nooy W.(2010) 등을 참조할 수 있다.[4]

사회 계층과 관련한 주요 단어들로는 먼저 기존의 종이 사전 등을

---

3 3어절 내외나 문장 단위의 공기어 추출이 무의미하기보다는 본 연구의 목적에 비추어 볼 때 문단 단위의 공기어 추출이 더욱 적절할 것이라고 판단되었기 때문이다. 공기어 추출의 범위를 줄일수록 관용어와 같이 고정된 표현의 추출은 더욱 용이할 것이다. 현재 문장 단위의 공기어 추출은 개발 중에 있다.

4 Pajek은 다양한 분야에서 활용되고 있다. Pajek을 이용한 사회연결망 분석에 대해서는 김용학(2003)을 참조할 수 있다. 김용학(2003)에서는 Pajek뿐 아니라 UCINET, NetMiner 등의 네트워크 프로그램에 대해서도 자세히 소개하고 있다.

참고로 다음의 단어들을 고려해 볼 수 있다.

① 상류층 : 부유층, 상류층, 유한계급, 유한층, 특권계급, 특권층, 고소
　　득층
② 중류층 : 서민층, 중류층, 중산계급, 중산층, 평민층
③ 하류층 : 무산층, 빈민층, 세민층, 저소득계급, 저소득층, 최하층, 하류
　　층, 빈곤층

이 연구에서는 ①~③의 단어들 가운데 상류층에서는 '부유층', 중류
층에서는 '중산층', 그리고 하류층에서는 '빈곤층'을 대상어로 선정하
였다. 이들은 '빈곤층'을 제외하고는 해당 부류에서 가장 활발히 사용
되는 단어들로서 빈도가 가장 높다. 하류층에서는 '저소득층'의 빈도가
가장 높지만 '고소득층'이나 다른 단어들과의 관련성을 고려하여 '빈곤
층'을 선정하였다.[5] 이들의 빈도는 다음의 〈표 1〉과[6] 〈그림 1〉을 참조
할 수 있다.

〈표 1〉 사회계층 관련 단어의 연도별 사용 빈도(절대빈도)

	2000	2001	2002	2003	2004	2005	2006	2007	2008	2009	Total
빈민층	79	111	79	64	88	89	93	72	76	60	811
저소득층	1,042	922	947	940	1,883	1,662	1,780	1,981	2,303	2,902	16,362
빈곤층	387	200	180	470	892	780	983	650	620	1,003	6,165
서민층	300	271	232	233	259	246	259	195	304	312	2,611

5　즉 '저소득층'이 하류층에서는 가장 높은 빈도를 보였으나 '저소득층'을 대상어로 선정할
　　경우 '부유층'이나 '중산층'과의 대응이 잘 이루어지지 않는다. '저소득층'은 주로 경제적
　　인 소득을 기준으로 한 개념이기 때문이다.
6　표에서 'N/'는 일반명사를, 'P/'는 고유명사를 각각 표시한다.

중산층	937	878	978	823	970	1,004	2,069	1,484	1,667	1,662	12,472
부유층	432	403	364	522	688	394	447	470	524	493	4,737
상류층	219	193	286	294	230	186	309	299	281	222	2,519
고소득층	160	141	182	183	296	346	234	201	225	356	2,324

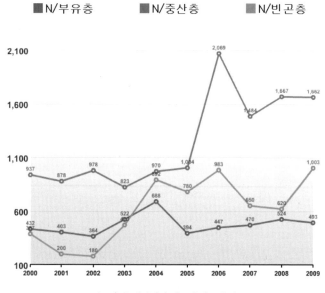

〈그림 1〉 대상어의 연도별 빈도 추이

한편 위의 대상어와 가장 높은 관련성을 가지는 단어들 가운데 상위 50개를 먼저 제시하면 다음과 같다.

〈표 2〉 사회 계층 관련 대상어와 공기어의 t-점수(상위 50개)

순위	부유층	t-점수	중산층	t-점수	빈곤층	t-점수
1	소득	21.731	서민	55.705	소득	43.688
2	중산층	21.610	소득	51.732	사회	42.983
3	사회	20.638	사회	49.098	지원	39.673
4	세금	20.543	정책	46.609	복지	37.529
5	P/강남	19.866	경제	45.242	빈곤	36.573
6	서민	19.548	주택	39.268	정부	33.989

7	소비	19,226	정부	38,346	중산층	33,340
8	일부	18,532	계층	38,284	계층	32,023
9	정책	18,272	양극화	35,304	경제	30,958
10	부동산	18,128	빈곤층	33,334	가구	30,590
11	고급	18,108	세금	33,010	정책	30,578
12	계층	17,778	소비	32,174	생활	28,260
13	자녀	17,372	위기	32,064	기초	27,638
14	명품	17,099	가정	30,299	생계비	25,518
15	감세	17,014	가구	29,646	일자리	24,894
16	돈	16,987	성장	29,055	가난	24,888
17	부자	16,795	복지	28,839	근로	24,711
18	고객	16,604	일자리	28,364	양극화	24,388
19	경제	15,982	국민	28,083	최저	24,364
20	자산	15,482	확대	27,488	제도	24,163
21	격차	15,465	저소득층	27,208	보장	23,748
22	빈곤층	15,151	부동산	26,785	위기	23,214
23	혜택	14,364	부담	26,359	의료	23,035
24	아파트	14,361	대책	25,183	국민	22,271
25	양극화	14,291	이상	24,517	절대	22,266
26	살인	13,834	아파트	24,274	인구	21,959
27	재산	13,417	격차	23,765	격차	21,032
28	주택	13,336	생활	23,579	예산	20,960
29	교육	12,810	안정	23,379	확대	20,748
30	범행	12,607	자녀	23,122	사회적	20,458
31	의료	12,509	사람	22,877	문제	20,456
32	은행	12,257	집	22,511	교육	20,385
33	수입	12,136	부자	22,447	성장	20,350
34	서민층	12,094	부유층	21,630	아동	20,234
35	과세	11,989	증가	21,560	증가	19,924
36	가난	11,642	임대	21,443	대책	19,592
37	빈부	11,611	감세	21,441	자활	19,547
38	대상	11,570	지지	21,377	가정	19,437
39	금융	11,532	개혁	21,142	저소득층	18,518
40	브랜드	11,326	교육	21,140	비율	18,458
41	해외	11,268	이하	21,116	수급자	18,016
42	겨냥	11,215	서민층	21,054	안전망	17,905
43	국민	11,201	혜택	20,863	혜택	17,773
44	현상	11,107	P/민주당	20,793	P/차베스	17,496
45	백화점	11,103	상류층	20,701	전체	17,452
46	살해	11,062	정당	20,573	사람	17,412
47	연쇄	10,926	사회적	20,393	이하	16,998

48	P/중국	10,848	해소	20,331	기준	16,906
49	확대	10,788	P/강남	19,565	분배	16,898
50	저소득층	10,647	분배	19,548	급여	16,850

3. 대상어의 연도별 네트워크

1) 부유층

'부유층'의 공기어 가운데 가장 높은 관련성을 갖는 단어들을 중심으로 네트워크를 구성해서 보이면 다음과 같다.

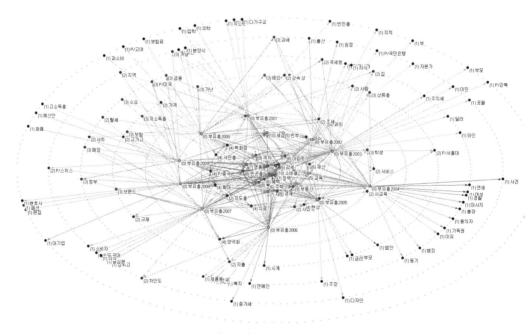

〈그림 2〉 '부유층'의 공기어 네트워크(상위 50개)

〈그림 2〉에서는 먼저 9개의 허브어[7]가 발견된다. 이들은 2000년부터 2009년까지 매년 가장 높은 관련성을 보이는 50위 안에 포함된 단어들이므로 그만큼 '부유층'과의 관련성이 깊다고 할 수 있다.

④ 허브어(9개) : 계층, 중산층, 서민, 소비, 고객, 고급, 세금, 사회, 일부

'부유층'의 허브어에는 계층과 관련한 '계층', '중산층', '서민'과 소비와 관련된 '소비', '고객', '고급'이 많은 비중을 차지한다. '세금'이 허브어에 포함되어 있다는 점도 흥미롭다. 이러한 부류의 단어들은 허브어뿐 아니라 다른 연결에서도 폭넓게 발견된다.

부유층의 공기어 가운데 계층이나 세금, 교육, 재산, 소비 등과 관련한 단어들을 별도로 정리하면 다음과 같다.

⑤

- 계층 관련어 : 계층, 중산층, 서민(허브어), 빈곤층(8링크), 서민층(4링크), 상류층(3링크), 저소득층(3링크), 지도층(2링크), 노동자(2링크), 빈민층, 고소득층(고립어)

- 세금 관련어 : 감세(6링크), 과세(3링크), 국세청, 조세, 탈세(2링크), 세무, 증여세, 상속세, 증세(고립어)

- 교육 관련어 : 교육(5링크), 과외(4링크), 사교육, 사립고(2링크), 유학,

---

7 여기서 '허브어'는 네트워크상에서 모든 대상어와 빠짐없이 연결된 공기어를 지칭한다. 반대로 하나의 연결만을 가지고 있어서 네트워크상에서 고립된 단어들은 편의상 '고립어'로 칭하기로 한다.

입학, 자립형, 사립학교, 공립고(고립어)

- 재산 관련어 : 돈, 부동산, 소득(9링크), 아파트(8링크), 자산(7링크), 재산, 주택(6링크)
- 소비 관련어 : 소비, 고객, 고급(허브), 수입, 명품(7링크), 백화점(4링크), 고가, 가구(2링크), 과소비, 마케팅, 소비자, 시계(고립어)

한편 허브어에는 포함되지 않지만 연결 정도가 매우 높은 공기어들이 있다. 다음의 공기어들은 9개의 연결을 가진다는 점에서 공기어의 범위를 확대할 경우 허브가 될 가능성이 높다.

⑥ 9링크 : 격차, 돈, 부동산, 소득, 자녀, 강남

이 단어들은 허브어에 못지않게 대상어인 '부유층'과 깊은 관련성을 보인다. '격차', '부동산', '돈'은 부유층을 특징짓는 한 요소가 된 듯하다. 한편 '강남'은 관련성이 매우 높게 나왔는데 이는 '부유층'과 '강남'의 연결이 매우 밀접하다는 것을 보여준다.[8]

한편 네트워크상의 연결에 따른 공기어들을 연결 정도가 높은 것부터 정리해 보면 다음과 같다.

---

8 이는 굳이 네트워크를 거론하지 않더라도 우리의 일반적인 인식으로도 충분히 예견할 수 있다. 강북에 사는 부유층은 섭섭하겠지만 2000년대 한국 사회에서는 '강남'이 부유층을 대표한다. 이는 공신력이 있는 매체인 신문 자료의 통계적 결과라는 점에서 더욱 그러하다.

⑦

8링크: 부자, 빈곤층, 아파트

7링크: 수입, 명품, 자산, 정책

6링크: 감세, 경제, 재산, 주택, 혜택

5링크: 교육, 빈부

4링크: 과외, 국민, 백화점, 서민층, 양극화, 은행, 의료, 현상, 확대, 중국

3링크: 가난, 겨냥, 과세, 금융, 대상, 매장, 병역, 보험, 브랜드, 상류층, 상품, 수요, 신흥, 저소득층, 정부, 학생, 해외, 미국

2링크: 가격, 가구, 고가, 국세청, 규제, 노동자, 사교육, 사람, 사립고, 사치, 사회적, 살인, 상속, 서비스, 성장, 시장, 예금, 이상, 위기, 재정, 제도, 조세, 지도층, 지역, 지출, 집, 탈세, 부시, 서울, 서울대, 스위스, 오바마, 인도

이들을 통해서 2000∼2004년까지는 주로 '과외', '빈부', '교육', '과세' 등이 '부유층'과 관련성이 높고 2005년부터는 '양극화 현상 확대', '브랜드', '매장', '정부', '재정', '위기' 등의 관련성이 높게 나타나기 시작한다.

한편 〈그림 2〉의 네트워크에는 모두 101개의 고립어가 포함되어 있다. 이 가운데 2001년에는 '자립형', '사립학교', '유학', '입학' 등이 포함되어 있어 교육과 관련한 단어가 크게 주목을 받았으며, 2002년에는 '원정', '출산'이, 2004년에는 '범죄', '범행', '연쇄', '살해' 등과 같이 범죄와 관련한 공기어가 고립어의 대다수를 차지하고 있다. 이들을 통해 특정한 연도에 '부유층'과 관련하여 크게 주목되었던 사회적 양상들을 추정해 볼 수 있을 것이다.

2) 중산층

이제 '중산층'의 공기어 네트워크를 살펴보자.

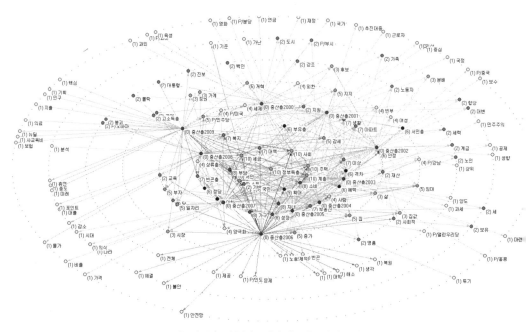

〈그림 3〉 '중산층'의 공기어 네트워크(상위 50개)

〈그림 3〉의 '중산층'의 공기어 네트워크에는 모두 12개의 허브어가 포함되어 있어 '부유층'의 그것보다 3개 더 많은 허브어를 포함하고 있다. 또한 고립어도 70개로 부유층의 101개보다 훨씬 적은데 이를 통해 중산층의 네트워크는 공기어 사이의 연결 정도가 보다 긴밀하다고 볼 수 있다.

⑧ 허브어(12개) : 계층, 사회, 서민, 세금, 가정, 경제, 소득, 저소득층, 주택, 위기, 정부, 정책

중산층의 허브어에는 특히 '위기', '정부', '정책' 등이 포함되어 있다는 점이 주목된다. 특히 '위기'는 중산층에서만 허브어로 등장할 정도로 2000년대 중산층의 공기어를 대표할 만하다.

중산층의 공기어들을 의미 군집별로 정리하면 다음과 같다.

⑨
계층 관련어 : 빈곤층, 서민층, 부유층, 상류층, 계급, 노동자, 고소득층, 빈부

세금 관련어 : 감세, 세제, 세

교육 관련어 : 교육

재산 관련어 : 부동산, 아파트, 집, 임대, 재산, 소득

소비 관련어 : 소비, 명품

정치 관련어 : 정당, 개혁, 민주당, 정권, 후보, 정치, 공약, 당, 대통령, 세력, 진보

부유층과 비교하여 보면 동일 의미 군집이라 하더라도 공기어는 다른 양상을 보이고 있다. '부유층'의 세금과 관련된 공기어가 '조세', '탈세', '증여세', '상속세' 등인 것에 반해 '중산층'은 '감세', '세제', '세'와 함께 자주 사용되고 있다. 중산층의 경우 특이점은 정치와 관련된 단어들이 많이 나타난다는 것이다. '정당', '개혁', '후보', '정치' 등의 단어들

이 '중산층'의 공기어로 빈번히 출현한다는 것은 신문에서 '중산층'과 관련된 정치적인 관심이 높다는 것으로 해석할 수 있다.[9]

허브어에는 포함되지 않지만 연결 정도가 높은 공기어를 정리하면 다음과 같다.

⑩

9링크 : 국민, 확대

8링크 : 가구, 부담, 성장, 소비, 자녀

7링크 : 대책, 복지, 부동산, 빈곤층, 생활, 아파트, 이상

6링크 : 격차, 서민층, 안정, 정당, 혜택, 부유층, 이하

5링크 : 개혁, 민주당, 지지, 감세, 집, 임대, 부자, 일자리, 증가

4링크 : 빈부, 사람, 상류층, 세제, 양극화, 여성, 외환, 강남, 미국

3링크 : 정권, 후보, 분배, 삶, 정치, 집값, 가계, 시장

2링크 : 가족, 강조, 공약, 교육, 도시, 몰락, 백인, 부시, 재산, 기반, 노인, 당, 대변, 대통령, 향상, 계급, 노동자, 사회적, 세력, 진보, 명품, 보유, 세, 지원, 고소득층, 공급, 붕괴, 오바마

한편 고립어의 경우 2004년에 '가난'이 처음으로 등장하였으며, 2006년에는 다른 해에 비해 고립어가 15개로 크게 늘어났다는 점이 주목된

---

9 심사위원들의 공통된 지적은 본고에서 제안한 대상어와 공기어의 네트워크가 방법론상으로 매우 의의가 있음에는 틀림이 없으나 사회, 문화적 배경 설명이 다소 임의적이고 객관적이지 못하다는 점이었다. 필자들은 이러한 심사위원들의 지적에 깊이 공감하고 있다. 앞으로 언어 사용 양상의 변화가 가져오는 사회, 문화적 변화 추세를 해석하기 위한 체계적이고 객관적인 방법상의 보완이 이루어져야 할 것이다.

키워드, 공기어, 그리고 네트워크—신문 빅데이터가 보여주는 것

다. 이는 2006년이 중산층과 관련하여 주목할 만한 이슈가 많은 해였음을 추정해 볼 수 있다. 2006년의 고립어에는 '불안', '안전망', '해결', '해소' 등의 공기어가 등장하고 있다는 점도 흥미롭다. 2009년에는 '사교육비', '지출', '의료', '보험' 등이 고립어에 포함되어 있어 사회적인 관심 변화의 흐름을 엿볼 수 있다.[10]

중산층과 관련하여 우리의 관심을 끄는 것은 2000년과 2008년에 '몰락'이, 2008년과 2009년에는 '붕괴'가 주요 공기어에 포함되었다는 점이다. 이는 2000년대 중산층의 몰락이라는 사회적 현상과 거의 일치하는 것이라고 볼 수 있다.

3) 빈곤층

〈그림 4〉는 '빈곤층'의 공기어 네트워크를 보인 것이다. 이 네트워크에는 모두 10개의 허브어가 포함되어 있다.

⑩ 허브어(10개) : 계층, 사회, 소득, 정부, 정책, 복지, 빈곤, 절대, 지원, 가구

이 허브어에는 '절대', '빈곤', '복지', '지원' 등의 단어가 특히 주목되

---

10 이에 대한 보다 상세한 설명을 위해서는 사회, 문화적 배경과 함께 탐구되어야 할 것이다. 여기서는 단지 대상어와 공기한 명사만을 해석을 시도한 것이어서 적극적인 설명에는 한계가 있다. 하지만 대상어와 공기어의 관련성이 높다는 것만으로도 이들이 당시 사회적으로 높은 관심을 받았음에는 틀림이 없다.

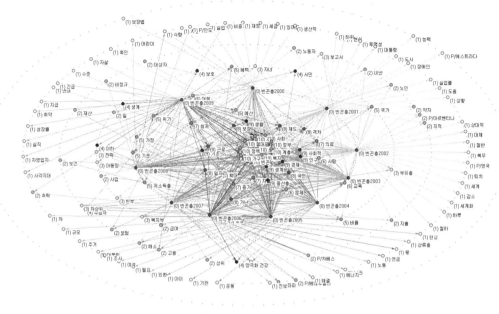

〈그림 4〉 '빈곤층'의 공기어 네트워크(상위 50개)

는데 이들은 2000년대 사회 계층 가운데 '빈곤층'을 대표할 만한 특징을 잘 보여주는 것이라 할 만하다. 허브어 외에 나타나는 공기어들을 의미 군집별로 정리하면 다음과 같다.

⑪

계층 관련어 : 중산층, 저소득층, 차상위

경제 관련어 : 경제, 생계비, 생활, 가난, 생계, 빈부, 지출

취업 관련어 : 근로, 일자리, 비정규

제도 관련어 : 제도, 의료, 보호, 수급자, 복지부, 대상자, 보건, 보험

교육 관련어 : 교육

재산 관련어 : 재산

정치 관련어 : 좌파, 차베스

'빈곤층'의 공기어는 '중산층'이나 '부유층'과는 다른 양상을 보이고 있다. 기본적으로 세금이나 소비와 관련된 단어들은 상위 50개에 출현하지 않는다. 오히려 경제, 취업 그리고 제도와 관련된 단어들이 자주 보인다. 특히 경제에 관련된 공기어 중 '기초', '생활', '생계비', '생계'는 생존과 관련되어 있다고 볼 수 있다.

또한 높은 연결 정도를 보이는 공기어에는 다음의 단어들도 포함된다.

⑫
9링크 : 경제, 기초, 사회적, 생계비, 생활, 인구, 중산층

8링크 : 가난, 격차, 국민, 근로, 보장, 일자리, 제도, 확대

7링크 : 의료, 자활, 증가, 최저

6링크 : 교육, 대책, 문제, 사람, 예산

급격한 변화는 연결 정도가 높은 공기어보다는 오히려 연결 정도가 그다지 높지 않은 5링크 이하의 단어들에서 더 잘 관찰된다.[11]

⑬
5링크 : 가정, 국가, 기준, 비율, 성장, 위기, 저소득층, 전체, 혜택

4링크 : 보호, 분배, 생계, 서민, 수급자, 안전망, 양극화, 이하

3링크 : 건강, 보고서, 복지부, 부유층, 빈부, 아동, 자녀, 전락, 차상위

---

11 이는 연결 정도가 높은 공기어들은 연도별로 큰 변화 없이 일정하게 높은 관련성을 보여주기 때문이다. 이에 비해 5링크 이하의 공기어들은 연도별로 관련성의 정도 변화가 크기 때문에 급격한 변화 양상을 더 잘 드러내준다.

2링크 : 대상자, 일, 재산, 해소, 노동자, 아르헨티나, 약자, 지적, 노인, 미
만, 지출, 급여, 보건, 사업, 고용, 보험, 비정규, 상위, 좌파, 추락,
베네수엘라, 차베스

이 가운데 2002・2003・2008년에는 '빈곤층'의 공기어로 '보고서'가
상위 50개에 포함될 정도로 관련성이 높다. '보고서'는 다른 계층에 비
해 '빈곤층'과 가장 높은 관련성을 가진다.[12] 또한 '저락'(3링크), '추락'(2
링크)도 포함된 것으로 보아 빈곤층으로의 편입이 사회적으로 크게 관
심을 받은 것으로 보인다.

한편 연결 정도가 가장 약한 고립어는 모두 67개로, 특히 '빈곤층'의
고립어에는 '실업'과 관련된 공기어가 많이 포함된다. 빈곤층으로 추락
하게 된 가장 직접적인 원인은 가장의 실업과 관련이 깊을 것이다. 이러
한 고립어에는 '실업', '실업률', '실직' 등이 있다. 또한 '장애인'이 2001년
에 관련성이 높은 공기어에 포함되어 있는데, 이는 장애인과 관련한 우
리 사회의 현실을 반영해 주는 것으로 보인다. 마지막으로 '자살', '대물
림', '사각지대', '자영업자', '취약' 등의 고립어도 주목할 만하다.

---

[12] 익명의 심사자는 '보고서'가 유독 '빈곤층'과 관련성이 높은 이유는 무엇인지 해명할 필
요가 있음을 지적하였다. 여러 가지 이유가 있겠으나 빈곤은 사회적으로 퇴치해야 할 주
요 사회 문제라는 인식이 강하다는 점, 그리고 이를 해결하기 위해서는 빈곤과 관련한
현황 조사가 이루어져야 한다는 점 등을 고려할 때 '빈곤층'과 '보고서'와의 높은 관련성
은 이해될 법하다. 매년 세계 아동 빈곤 보고서는 발행되지만 부유층 관련 보고서는 필
자의 과문 탓인지는 모르겠으나 들어본 바가 없다.

4. 대상어의 통합 네트워크

지금까지 우리는 부유층, 중산층, 빈곤층의 네트워크를 연도별로 분리하여 살펴보았다. 이제 이들을 모두 통합해서 전체적인 관점에서 바라볼 필요가 있다. 이를 통해 각 대상어 사이의 연결 관계가 더욱 잘 드러날 수 있기 때문이다.

1) 상위 50개 전체 네트워크

먼저 각 대상어 가운데 상위 50개의 공기어들을 대상으로 네트워크를 구성하면 〈그림 5〉와 같다.

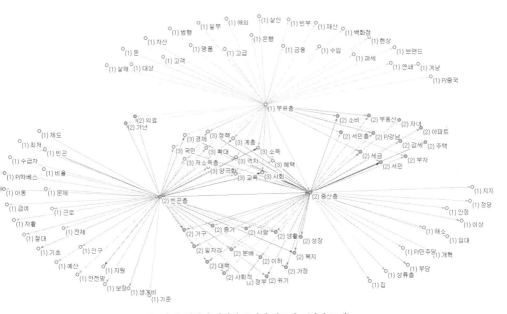

〈그림 5〉 대상어 전체의 공기어 네트워크(상위 50개)

〈그림 5〉는 부유층, 중산층, 빈곤층의 공기어들어 서로 어떻게 연결되는지를 잘 보여준다. 먼저 이 네트워크에는 다음과 같은 12개의 허브어가 포함되어 있다.

⑭ 허브어(12개) : 격차, 경제, 계층, 교육, 국민, 사회, 양극화, 저소득층,

　　　　　정책, 혜택, 확대

이 허브어들은 한국의 주요 사회 계층 관련 단어들이 2000년부터 2009년까지 어떠한 단어와 서로 연결되어 있는지를 잘 보여준다. 특히 '격차', '양극화'가 허브어에 포함되어 있다는 것은 2000년대 한국 사회의 계층과 관련한 중요한 특성을 시사해 주는 것이다.

또한 다음의 단어들은 2개의 링크를 가지는, 즉 두 개의 계층 관련 대상어와 연결되는 공기어들을 정리해 본 것이다.

⑮

부유층/중산층(12개) : 감세, 강남, 부동산, 부자, 빈곤층, 서민, 서민층,

　　　　　　　　　세금, 소비, 아파트, 자녀, 주택

부유층/빈곤층(3개) : 가난, 의료, 중산층

중산층/빈곤층(14개) : 가구, 가정, 대책, 복지, 분배, 사람, 사회적, 생활,

　　　　　　　　　성장, 위기, 일자리, 정부, 증가

부유층과 중산층은 주로 세금, 재산, 소비 또는 계층과 관련된 단어들이 상호 공기어로 출현한다. 부유층과 빈곤층이 공유하는 공기어에

는 '가난', '의료', '중산층'만이 포함되어 있다는 점을 통해 부유층과 빈곤층은 서로 거리가 있는 네트워크로 보인다.

한편 이 네트워크의 고립어는 모두 46개로 주목할 만한 공기어들을 제시해 보면 다음과 같다.

⑯

부유층(23개) : 고급, 수입, 명품, 브랜드, 백화점, 고객, 과세, 금융, 은행, 돈, 자산, 재산, 범행 살인, 살해, 등

중산층(12개) : 개혁, 부담, 안정, 임대, 해소, 지지 등

빈곤층(21개) : 최저, 기초, 생계비, 보장, 급여, 근로, 안전망, 자활, 제 도 등

그런데 상위 50개로 한정해서 본 계층 관련 공기어의 네트워크는 우리의 일반적인 인식과 일치하는 결과를 보여주기도 하지만 일견 그 결과가 매우 자명해 보인다는 아쉬움이 있다. 따라서 공기어의 수를 좀 더 확장해 볼 필요가 있다.

2) 상위 100개 전체 네트워크

〈그림 6〉은 공기어를 100개로 확장해서 살펴본 계층 관련 공기어의 네트워크이다.

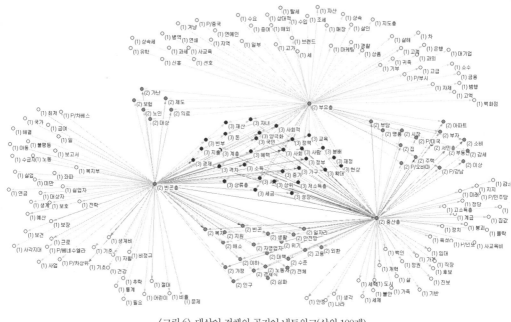

〈그림 6〉 대상어 전체의 공기어 네트워크(상위 100개)

공기어의 범위를 확장함으로써 계층 관련 공기어들의 연도별 특성
이 좀 더 분명히 드러날 수 있다.[13] 먼저 공기어가 확장되면서 허브어
는 12개에서 30개로 늘어났다.

⑰ 가구, 격차, 경제, 계층, 교육, 국민, 돈, 분배, 빈부, 사람, 사회, 사회적,
상류층, 상위, 서민, 성장, 세금, 소득, 양극화, 자녀, 재산, 재정, 저소
득층, 정부, 정책, 증가, 지출, 현상, 혜택, 확대

또한 2개의 연결을 가지는 공기어도 두 배 가까이 증가하였다.

---

[13] 이렇게 공기어를 순차적으로 확장해 나가는 과정을 통해 공기어 네트워크가 연도별로
어떻게 변화하는지 추적해 볼 수 있다. 즉 상위 30개로 공기어를 제한했을 경우와 50개,
100개로 확장했을 경우의 공기어 네트워크가 보이는 차이를 통해 연도별 공기어 네트워
크의 변화를 살펴볼 수 있다는 의의가 있다.

⑱

부유층/중산층(16개) : 감세, 강남, 명품, 미국, 부담, 부동산, 부자, 빈곤층,

　　　　　　　　　서민층, 소비, 시장, 아파트, 오바마, 이상, 주택, 집

부유층/빈곤층(7개) : 가난, 노인, 대상, 보험, 의료, 제도, 중산층

중산층/빈곤층(20개) : 가정, 경제적, 고용, 노동자, 대책, 복지, 부유층,

　　　　　　　　　빈곤, 수준, 심화, 안전망, 외환, 위기, 이하, 인구,

　　　　　　　　　일자리, 자영업자, 전체, 지원, 해소

　기존 상위 50개의 공기어를 대상으로 네트워크 구성에 비해 미국과 관련된 단어들이 부유층과 중산층의 공통 공기어로 출현한다. 연결 정도가 약했던 부유층과 빈곤층의 공기어에는 '노인', '대상', '보험', '제도'가 새롭게 추가되었다. 이들은 비록 두 계층어에서 모두 주요한 공기어에 포함되기는 하지만 구체적인 사용 환경에서는 차이가 있을 것으로 보인다.[14]

　한편 고립어는 모두 124개로 나타났는데 이들은 지난 2000년대 계층 간의 특징을 잘 보여준다는 점에서 흥미롭다. 이들을 부류별로 간략히 정리하여 일부를 보이면 다음과 같다.

---

14 익명의 심사위원은 네트워크상에서 이들의 차이를 보일 수 있는지를 질의하였다. 본고의 네트워크는 대상어(명사)와 공기어만을 대상으로 구성된 것이므로 이들이 구체적으로 어떻게 다르게 쓰였는지를 네트워크상에서 보이기는 어렵다. 단지 같은 공기어라 하더라도 '부유층'이나 '빈곤층'과 쓰이는 환경이 다르지 않을까 추측해 볼 따름이다. 실제로 부유층의 노인과 빈곤층의 노인이 직면한 여러 사회적 상황은 크게 다를 것이라는 점을 고려한 것이다.

⑲

> 부유층(47개) : 과세, 상속세, 상속, 증여, 탈세, 고급, 백화점, 브랜드, 범행, 연쇄, 살인, 살해 등
>
> 중산층(34개) : 감소, 몰락, 붕괴, 불안, 안정, 육성, 개혁
>
> 빈곤층(43개) : 대상자, 수급자, 실업자/근로, 비정규, 생계비, 자활, 보고서, 복지부, 보호, 보장, 불평등

'부유층'은 세금과 관련한 '과세', '상속세', '탈세' 등의 단어뿐 아니라 여기에 범행과 관련한 '연쇄', '살인', '살해' 등도 포함되어 있어 이들이 '부유층'과 밀접하게 관련되어 있음을 보여준다. '중산층'은 심각한 위기 상황이라는 것이 공기어에서도 나타나고 있으며, '빈곤층'은 '대상자', '수급자', '실업자' 등이 배타적으로 쓰이고 있다는 특징을 보인다.

3) 연도별 통합 네트워크

연도별로 부유층, 중산층, 빈곤층의 공기어 네트워크가 어떻게 변화하는지 살펴보는 것도 사회 계층의 변화 양상을 파악하는 데 유용하다. 단지 이번 연구에서는 전반적인 계층 변화 양상이 비교적 논의되었다고 판단되어 자세한 설명은 생략하고 2000년과 2005년, 그리고 2009년의 네트워크만 참고로 제시한다.

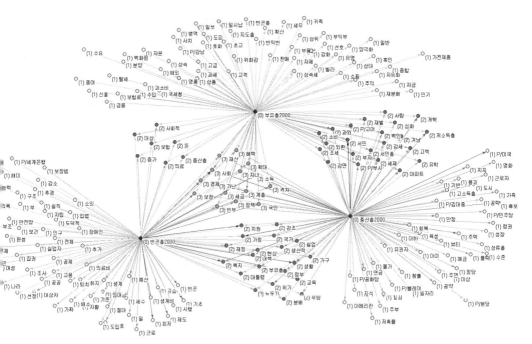

〈그림 7〉 대상어의 2000년 공기어 네트워크(상위 100개)

　　2000년도에 부유층, 중산층, 빈곤층이 상호 공유하는 공기어는 '가

난', '국민', '격차', '계층', '경제', '보장', '빈부', '사회', '세금', '소득', '자

녀', '정책', '재산', '확대', '혜택' 등이다. 부유층과 중산층은 계층, 세금,

교육, 재산과 관련된 단어들이 함께 공기어로 나타난다. 중산층과 빈

곤층은 '국가', '현상', '복지', '재정', '분배', '부담' 등 정책과 관련된 공기

어들이 공유된다. 부유층과 빈곤층의 공기어로는 '의료', '보험', '대상'

등의 단어가 보인다.

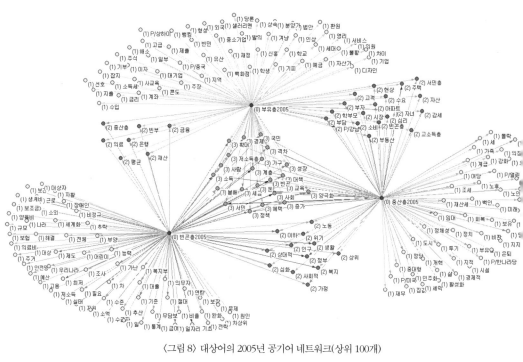

〈그림 8〉 대상어의 2005년 공기어 네트워크(상위 100개)

2005년도에 부유층, 중산층, 빈곤층이 상호 공유하는 공기어에 다소 차이가 나타나는데 2000년도에 공유하던 공기어 외에 '저소득층', '가구', '성장', '교육', '돈', '빈곤', '서민', '양극화' 등이 새로 나타나고 있다. 부유층과 중산층에서는 계층과 관련하여 '고소득층', '빈곤층'이 공유되고 있다. 중산층과 빈곤층은 '위기', '심화'처럼 상황의 난국을 표현하는 공기어들이 보인다.

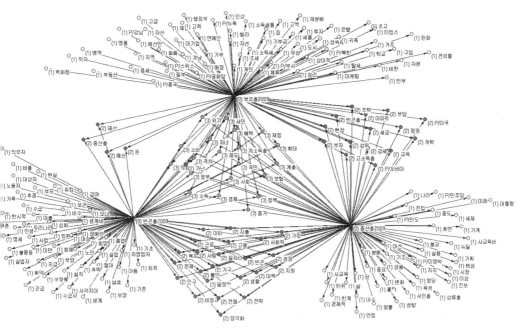

〈그림 9〉 대상어의 2009년 공기어 네트워크(상위 100개)

2009년도에는 부유층, 중산층, 빈곤층이 상호 공유하는 공기어 중 '위기', '재정', '제도', '보험', '의료' 등의 단어가 새로 출현하였다. 부유 층과 중산층에서는 미국과 관련된 '미국', '오바마'가 새로 등장하였다. 중산층과 빈곤층은 2000년이나 2005년에 비해 공유하는 공기어의 수 가 많아졌는데 '안정망', '불안', '비정규', '근로', '복지', '일자리' 등의 공 기어들이 보인다.

5. 공기어의 증감도 분석

지금까지 우리는 사회 계층과 관련한 대상어와 공기어들을 다양한
방식의 네트워크를 통하여 변화 양상을 살펴보았다. 여기서는 대상어
각각에 대하여 공기어들의 관련성이 매년 어떻게 증가 혹은 감소하는
지를 관찰한다. 네트워크의 분석을 통해서 드러났던 공기어들의 변화
양상은 관련성의 증감에서도 여전히 유지될 가능성이 높다.

먼저 〈그림 10〉은 '부유층'과의 관련성이 크게 증가한 공기어를 보
인 것이다.[15]

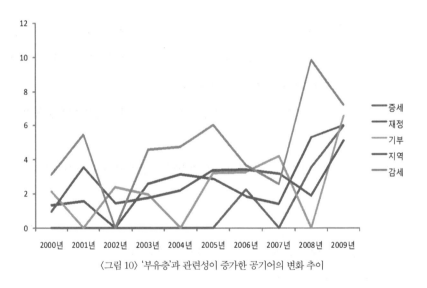

〈그림 10〉 '부유층'과 관련성이 증가한 공기어의 변화 추이

---

15 심사자의 지적대로 〈그림 10〉의 공기어들은 꾸준히 증가 추세를 보인다기보다는 연도에
따라 편차가 심하다고 할 수 있다. 연도별로 편차가 심한 편이지만 상당수 공기어의 관련
성이 2000년대 초반에 비해 증가하고 있다고 해석하는 데에는 크게 무리가 없을 것이다.

‘부유층’의 공기어 중 ‘감세’의 경우 2000년부터 2005년까지는 t-점수가 0에 가까울 정도로 관련성이 약하다가 2006년과 2008년 이후로 관련성이 크게 증가하였다. ‘지역’의 경우에는 2001년에 전년도에 비해 관련성이 급증하고 2002년 다시 감소한 이후로 비교적 ‘부유층’과 그 관련성이 증가하고 있다. ‘기부’의 경우에는 2005년 이후 증가 추세를 보이고 있다.

　한편 〈그림 11〉에서는 ‘부유층’과의 관련성이 감소하고 있는 공기어들의 연도별 추이를 보인 것이다. 관련성이 감소하고 있는 공기어 가운데 주목할 만한 단어로는 ‘과외’, ‘과세’, ‘수입’, ‘서민층’을 들 수 있다. 특히 ‘과외’는 2008년 이후 관련성이 현저히 감소했다. ‘부유층’과 공기어들의 t-점수 변화는 사회적 관심의 증감으로 해석할 수 있다.

　‘중산층’과 관련성이 크게 증가한 공기어들의 연도별 추이는 〈그림 12〉에서 확인할 수 있다.

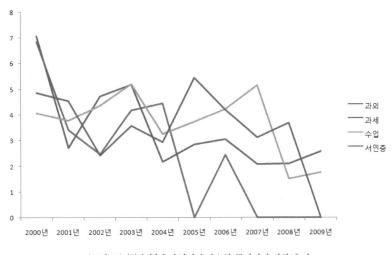

〈그림 11〉 ‘부유층’과 관련성이 감소한 공기어의 변화 추이

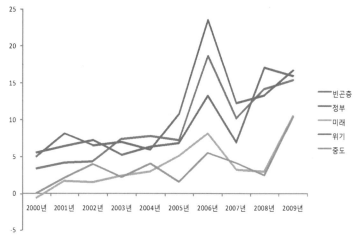

〈그림 12〉 '중산층'과 관련성이 증가한 공기어의 변화 추이

　'중산층'의 공기어 중 '빈곤층', '정부', '미래 위기', '중도'는 꾸준히 사
회적 관심이 증가하고 있다. 특히 '중도'와 '위기'의 경우 2000년보다
2009년 각각 거의 5배와 3배에 가깝게 관련성이 상승하였다.

　반면 〈그림 13〉에 의하면 '영화', '분당', '예금'과 같은 공기어는 관련
성이 지속적인 감소 추세를 보이고 있고 '후보'의 경우는 대선이 있었

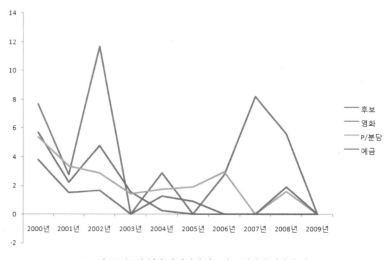

〈그림 13〉 '중산층'과 관련성이 감소한 공기어의 변화 추이

던 2002년과 2007년에 '중산층'과의 관련성이 급격하게 높아진 것이 특징적이다.[16]

〈그림 14〉는 '빈곤층'의 공기어 가운데 관련성이 증가하는 것 중 일부를 보인 것이다.

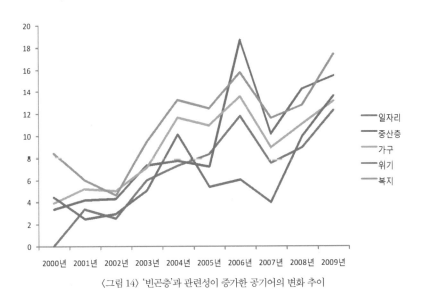

〈그림 14〉 '빈곤층'과 관련성이 증가한 공기어의 변화 추이

'빈곤층'의 공기어 중 '일자리'는 처음 그 관련성이 나타난 2001년 이후 꾸준히 증가 추세를 보이다가 2009년에는 거의 4배에 가깝게 증가하였다. 이 외에 '중산층', '가구', '위기', '복지' 등의 단어도 2000년 이후 꾸준히 '빈곤층'과 관련성이 증가하고 있다.

---

16 대선 '후보'와 '중산층'의 관련성이 높다는 것은 대선 후보와 중산층이 사회적으로 관심의 대상이 되었음을 뜻한다. 한편 총선이 있었던 2004년과 2008년의 경우에도 '중산층'과 '후보'의 관련성은 다른 해에 비해 높다는 점을 확인할 수 있다. 물론 그 관련성은 대선이 있었던 해보다는 약하다.

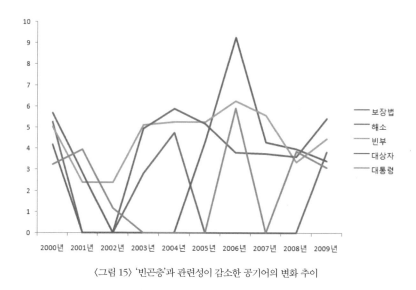

<그림 15> '빈곤층'과 관련성이 감소한 공기어의 변화 추이

이에 비해 〈그림 15〉에서는 관련성이 비교적 감소한 단어의 연도별 추이를 보인 것이다. 그러나 이러한 공기어들은 엄밀히 볼 때 꾸준한 감소세를 보인다기보다는 연도에 따른 부침(浮沈)이 매우 크다고 보는 것이 정확할 것이다. 이것은 '빈곤층'에 대한 사회적 관심이 연도에 따라 편차가 컸다는 것을 반영한다.

6. 결론 및 향후 과제

지금까지 2000년대 10년치 신문 코퍼스('물결21' 코퍼스)에 나타난 사회 계층에 대한 관심사의 추이를 주요 대상어와 공기어의 네트워크, 그리고 대상어와 공기어 사이의 관련성의 증감도 등을 통해 살펴보았다. 본론에서 논의된 주된 내용을 요약하고 앞으로 남은 과제를 요약하는 것으로 결론을 대신한다.

사회 계층을 대표할 만한 대상어로 '부유층', '중산층', '빈곤층'을 각각 선정하고 이들과 공기하는 단어들을 연도별, 계층별 네트워크를 통해 분석하였다. 그 결과로 '부유층'의 연도별 네트워크에는 9개의 허브어를 포함하여 주요 공기어의 유형에 계층, 세금, 교육, 소비 등과 관련한 단어들이 많이 분포한다는 특징을 보였다. 또한 고립어를 통해 특정한 해의 주요 관심사에 대한 추적도 가능한데 2001년에는 '유학', '입학' 등과 같이 교육과 관련한 단어가, 2002년에는 '원정', '출산'이, 그리고 2004년에는 '범죄' 등에 사회적 관심이 두드러졌다고 할 수 있다.

　'중산층'의 연도별 네트워크에서는 '위기', '정부', '정책' 등이 허브어에 포함될 정도로 관심이 지속적으로 높았을 뿐 아니라 '부담', '성장', '안정'에 대한 관심사도 높았다. 특히 '대통령', '대선', '후보' 등과 같이 '정치'와 '중산층'이 밀접하게 연결되어 함께 관심을 받았으며, '붕괴', '몰락'이 자주 관심을 받기 시작하였다. 특히 2006년에는 고립어가 많이 네트워크에 포함되었는데 특히 '불안', '안전망', '해결', '해소' 등이 '중산층'과 관련하여 사회적으로 크게 이슈화된 것으로 보인다.

　'빈곤층'의 연도별 네트워크에서는 '복지', '빈곤', '절대', '지원' 등이 허브어에 포함되어 있다는 특징을 보였으며, '전락', '추락'과 같이 특정한 현상과 관련한 단어와 '기초', '생활', '생계비', '일자리', '비정규' 등과 같이 생존과 밀접히 관련된 공기어들이 많이 포함되었다.

　한편 계층별로 통합된 네트워크를 통해 각 계층에 따른 주요 관심사를 확인하기도 하였는데, '부유층'과는 '과세', '상속(세)', '증여', '백화점', '브랜드' 등이, '중산층'과는 '감소', '몰락', '붕괴', '불안', '안정', '육성', '개혁' 등이, '빈곤층'과는 '대상자', '수급자', '실업자', '보고서', '보호', '불평

등', '근로', '자활' 등이 각 계층과 관련하여 주로 관심을 받은 것으로 나타났다. 마지막으로 공기어의 관련성이 연도별로 어떻게 증가 또는 감소하는지도 확인하여 네트워크 분석 결과와 함께 논의하였다.

본고에서는 대규모의 신문 기사에 나타난 관심 혹은 트렌드를 대상어와 공기어의 네트워크를 이용하여 분석해 보았으나 여러 가지 면에서 보완해야 할 점이 노정되었다. 먼저 공기어의 개념을 좀 더 정밀화할 필요가 있음이 밝혀졌다. 본고에서는 문단 단위의 공기어를 대상으로 하였으나 이 외에도 문장 단위의 공기어를 검토할 필요가 있다. 또한 같은 공기어라 하더라도 바로 인접한 공기어와 그렇지 않은 공기어가 보이는 차이도 포착될 필요가 있다. 둘째, 동형이의어를 구별해야 한다. 형태 분석만으로 정확한 통계를 산출할 수 없다는 것은 주지의 사실이다. 셋째, 대상어와 대상 자료를 확대할 필요가 있다. 부유층, 중산층, 빈곤층뿐 아니라 다른 계층 관련 단어들과 공기어들의 양상도 아울러 검토될 필요가 있다. 넷째 기존 네트워크 이론과의 관련성을 점검하는 것도 필요하다. 이 연구에서 제안한 네트워크는 주요 대상어를 선정하고 이들과 공기어의 연결 정도를 제시한 것에 불과하다. 통계물리학에서 흔히 논의되는 다양한 네트워크들과의 관련성이 좀 더 고려될 필요가 있다(바라바시, 2002). 특정한 단어들과 공기어만으로 사회적 관심사의 거시적 트렌드를 포착하는 것은 현실적으로 쉽지 않다. 그러나 본고에서 제안한 방법이 좀 더 정교화되고 남은 문제들에 대한 해결책이 순차적으로 제시된다면 이러한 논의가 결코 장님이 코끼리 만지는 식의 허황된 논의만은 아닐 것이다. 앞으로의 연구를 기대한다.

참고문헌

강범모, 「공기 명사에 기초한 의미/개념 연관성의 네트워크 구성」, 『한국어의미학』 32, 2010.

강범모・김흥규, 『한국어 사용 빈도』, 태학사, 2009.

김일환・이도길・강범모, 「공기 관계 네트워크를 이용한 감정명사의 사용 양상 분석」, 『한국어학』 49, 2010.

김혜영・이도길・강범모, 「사건명사의 공기어 네트워크 구성과 분석」, 『언어와 언어학』 50, 2011.

김흥규・강범모 외, 『물결 21' 신문 텍스트 기반의 장기간 언어・사회・문화 연구』, '물결 21' 사업 제1차 보고서, 고려대 민족문화연구원, 2010.

바라바시, 강병남・김기훈 역, 『링크』, 동아시아, 2002.

신우봉・김일환・김흥규, 「신문 텍스트에서 나타나는 공간명사의 사용 양상과 네트워크 분석」, 『텍스트언어학』 29, 2010.

이영제・김흥규・강범모, 「사회적 가치와 관련된 명사의 사용 양상과 네트워크 분석」, 『한국어 의미학』 34, 2011.4.

정유진・강범모, 「친족명사의 공기어 양상과 네트워크 분석」, 『언어학』 19-2, 2011.

LG경제연구원・미디어다음, 『미디어 소비를 통해 본 한국인의 관심사와 라이프스타일』, http://media.daum.net/trendreport/2010/.

Jean-Baptiste Michel et at., "Quantitative Analysis of Culture Using Millions of Digitized Books", *Science*, Published online ahead of print : 12/16/2010.

Kendall M. G., *Rank Correlation Methods*, Charles Griffin, London, 1975.

Kim, Heung-gyu・Kang, Beom-mo・Chung, Eugene・Lee, Do-Gil・Ilhwan Kim, "Trends 21 Corpus—A Large Annotated Korean Newspaper Corpus for Linguistic and Cultural Studies", *Digital Humanities* 2011 Proceedings, Stanford University, 2011.6.

Meyer C., *English Corpus Linguistics*, Cambridge Press, 2002.

Nooy, W. et al., *Exploratory social network analysis with Pajek*, Cambridge : Cambridge University Press, 2005.

Williams, R., *Keywords—A vocabulary of culture and society*, Fontana Paperbacks, 1983.

제12장 │ 형용사 유의어의 공기어 네트워크와 활용 │

'안타깝다'류의 형용사를 중심으로

1. 서론

유의어는 유사한 의미를 가지는 단어의 집합으로서 이들을 명시적으로 구별하는 문제는 오랜 관심의 대상이 되어 왔다. 특히 유의어에 포함되는 단어의 집합을 정하는 일, 같은 유의어 부류에 속하는 단어들 간의 유사성의 정도 차이를 기술하는 일 등은 의미론뿐 아니라 사전 편찬이나 외국어로서의 한국어 어휘 교육과 같은 실용적인 부문에서도 빈번히 논의되었다. 그러나 김광해(1998)에서도 지적된 바와 같이 기존의 사전 뜻풀이나 이론적인 비교만으로는 유의어들이 보이는 미세한 차이를 정확히 포착하기 어려울 뿐 아니라 유의어들 사이의 관련성을 설명하는 데에도 한계가 있다.

최근 코퍼스에서 실제 사용된 유의어들의 용례를 토대로 유의어의 통합 관계를 규명한 문금현(2004), 서희정(2010) 등의 연구는 이와 같은 기존 견해에 대한 반성의 결과라 할 수 있다. 즉 유의어의 명확한 기술을 위해서는 풍부하고 다양한 문맥 정보를 기반으로 이들이 맺는 다양한 관련성을 포착할 수 있어야 한다. 그러나 코퍼스와 같이 실제 사용된 자료에 근거한다고 하더라도 단순히 통합 관계나 빈도만 비교해서는 유의어들이 맺는 다양한 관련성을 명시적으로 보여주는데 한계가 있다. 이는 코퍼스에서 추출한 용례에 기반을 둔다고 하더라도 결과가 직관적인 접근과 유사하다면 방법론상의 우월성을 확보했다고 보기 어렵기 때문이다.

이 연구에서는 한국어의 유의어 가운데 '안타깝다' 부류의 형용사들을 대상으로 하여 이들이 가지는 유의성의 정도를 공기어의 네트워크를 통해 살펴보고자 한다. 2000~2009년까지의 신문 기사 코퍼스('물결 21' 코퍼스)를 대상으로 하여 해당 유의어가 사용된 맥락을 추출하고 유의어와 주변 어휘들과의 관련성을 살필 수 있도록 네트워크를 구성하고 분석하는 방법을 활용할 것이다. 공기어 네트워크를 통해 유의어와 주변 어휘들 간의 관계뿐 아니라 유의어들 간의 연결 관계까지도 관찰할 수 있으며 그 결과는 유의어의 정도성을 규명하는데 객관적인 지표로 활용될 수 있을 것이다. 또한 공기어 네트워크에서 발견한 유의어의 특성은 한국어 유의어 교육과 같은 분야에도 활발히 활용될 수 있을 것이다.

2. 유의어, 공기어 그리고 네트워크

유의어의 실질적인 변별을 위해서는 단순한 사전적 정의로는 한계가 있으며 실제 사용 환경을 고려한 구체적인 단어 사용 양상을 주목할 필요가 있다(강현화, 2008; 서정희, 2010 등). 이 연구에서는 '안타깝다' 부류의 감정형용사 유의어 5개를 대상어로 선정하고 이들이 쓰인 구체적으로 어떻게 사용되지는 '물결21' 코퍼스에서 추출하였다.

먼저 대상이 되는 '안타깝다' 부류의 유의어 중에서 『우리말 유의어 대사전』에서 기술한 유의어 가운데 가장 빈도가 높을 뿐 아니라 직관적으로도 매우 유사해 보이는 '가엾다', '딱하다', '불쌍하다', '안타깝다', '안쓰럽다'를 1차적인 대상으로 삼았다. 〈그림 1〉은 『우리말 유의어 대사전』에서 기술한 '안타깝다' 부류의 감정 형용사들이다.

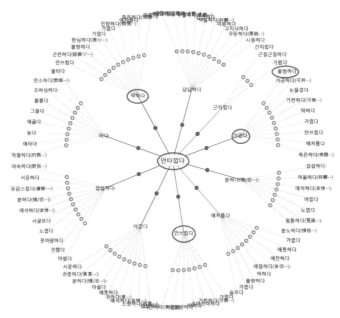

〈그림 1〉 '안타깝다' 부류 형용사의 의미망(『우리말 유의어 대사전』)

안타깝다

◐ 1차

가엾다 , 근지럽다 , 답답하다 , 딱하다 , 분하다(憤/忿--) , 섭섭하다 , 아깝다 , 안쓰럽다 , 에처롭다 , 타다.

◐ 2차

1	가엾다	가긍하다(可矜--) , 가련하다(可憐--) , 가엽다 , 눈물겹다 , 딱하다 , 불쌍하다 , 안쓰럽다 , 에처롭다 , 측은하다(惻隱--)
2	근지럽다	가렵다 , 간지럽다 , 근질근질하다
3	답답하다	갑갑하다 , 고지식하다 , 궁금하다 , 난감하다(難堪--) , 따분하다 , 억울하다(抑鬱--) , 옹색하다(壅塞--) , 옹졸하다(壅拙--) , 우둔하다(愚鈍--) , 우울하다(憂鬱--) , 울적하다(鬱寂--) , 침울하다(沈鬱--) , □개운하다 , □시원하다 , □후련하다
4	딱하다	가련하다(可憐--) , 가엽다 , 가엾다 , 곤란하다(困難▽--) , 난감하다(難堪--) , 난처하다(難處--) , 민망하다(憫惘--) , 불쌍하다 , 안쓰럽다 , 에처롭다 , 어렵다 , 측은하다(惻隱--) , 한심하다(寒心--)
5	분하다(憤/忿--)	노엽다 , 분노하다(憤怒--) , 섭섭하다 , 아깝다 , 애석하다(哀惜--) , 억울하다(抑鬱--) , 원통하다(冤痛--)
6	섭섭하다	노엽다 , 못마땅하다 , 분하다(憤/忿--) , 서글프다 , 서운하다 , 아깝다 , 아쉽다 , 애석하다(哀惜--) , 애틋하다 , 야속하다(野俗--) , 언짢다 , 유감스럽다(遺憾---)
7	아깝다	귀중하다(貴重--) , 귀하다(貴--) , 분하다(憤/忿--) , 서운하다 , 섭섭하다 , 소중하다(所重--) , 아쉽다 , 애석하다(哀惜--) , 애틋하다
8	안쓰럽다	가련하다(可憐--) , 가엽다 , 가엾다 , 딱하다 , 미안하다(未安--) , 불쌍하다 , 조마조마하다
9	애처롭다	가엽다 , 가엾다 , 딱하다 , 불쌍하다 , 슬프다 , 애잔하다 , 애절하다(哀切--) , 애틋하다
10	타다	그을다 , 눋다 , 불붙다 , 불타다 , 애끓다 , 애타다 , 연소하다(燃燒--) , 작열하다(灼熱--) , 조바심하다

〈그림 2〉 '안타깝다' 부류의 감정형용사의 유의어 목록(『우리말 유의어 대사전』)

　　유의어 사전 등을 참고하여 선정된 '안타깝다' 부류의 감정형용사들이 문장에서 구체적으로 어떠한 단어들과 공기하는지 살펴보기 위해 공기어를 추출하였다. 즉 대상이 되는 감정형용사와 같은 문장에서 함께 사용된 공기어를 추출하였으며, 이 중 명사에 대해서만 논의의 대상으로 삼았다.[1] 이때 우연히 같은 문맥에서 출현할 수 있는 단어들도 포함될 수 있으므로 통계적 유의미성을 검증하기 위해 t-점수를 도입하였다. 즉 t-점수가 높을수록 대상어와 공기어의 관련성이 높다고 할 수 있다.[2]

　　한편 이들 유의어가 보이는 연결 관계를 밝히기 위해 '안타깝다' 부류의 감정형용사와 공기어들의 연결 관계를 네트워크를 구성하여 분석하였다. 즉 대상이 되는 '안타깝다' 부류의 감정형용사, 이들과 한 문장에서 공기하는 공기어 명사들을 하나의 네트워크로 시각화하여 분

1　일반명사 이외에도 동사, 형용사, 부사 등도 감정형용사의 쓰임을 밝히는 데 유용한 면이 있을 수 있다. 그러나 본고에서는 명사에 대해서만 살펴보기로 한다.

2　공기어의 추출과 t-점수의 구체적인 산출 방법에 대해서는 강범모(2010), 김일환 외(2010), Manning, C. · H. Schütze(1999) 등을 참조할 수 있다.

석함으로써 유의어들의 유사성뿐 아니라 개별적 특성도 포착하려고 시도하였다. 특히 감정형용사 부류는 의미적인 차이를 추상적인 뜻풀이만으로 명백하게 제시하기 어렵다는 점에서 이들에 대한 공기어 네트워크는 유효한 분석의 틀을 제시해 줄 수 있을 것이다.

한편 본고에서는 네트워크를 분석하기 위한 도구로 Pajek(파옉)을 사용하였다(Nooy et al., 2005). Pajek을 통해서 대상어와 공기어들의 네트워크를 다양한 방법으로 구성할 수 있는데, 이렇게 구성된 네트워크는 기본적으로 노드(node)와 링크(link)로 이루어진다. 대상어와 공기어의 링크가 많을수록, 그리고 노드와 노드 사이의 거리가 짧을수록 대상어와 공기어의 관계가 밀접함을 나타낸다. 이때 대상어와 공기어의 거리는 관련성(t-점수)을 반영한 것이다.

3. 공기어 네트워크의 구성과 특성

먼저 공기어 네트워크를 구성하기 위해 '안타깝다' 부류의 감정형용사와 공기하는 공기명사들을 제시하면 다음과 같다(상위 30개).[3]

〈표 1〉 '안타깝다' 부류 형용사의 주요 공기어(상위 30개)

'가엾다'	t-점수	'딱하다'	t-점수	'불쌍하다'	t-점수	'안쓰럽다'	t-점수	'안타깝다'	t-점수
사람	6.313	사정	26.650	사람	22.490	모습	18.290	일	39.165
사랑	5.774	처지	17.910	아이	15.059	아이	12.810	현실	37.846
세상	5.234	사연	11.124	생각	15.016	마음	12.283	말	35.561
생각	5.164	일	11.025	엄마	9.404	딸	9.119	마음	31.312

3 표에서 'J/'는 대상어의 품사가 형용사임을 표시한 것이다.

아이	4.920	노릇	10.979	세상	8.751	때	8.219	생각	29.140
마음	4.665	모습	9.622	남자	8.662	아들	8.202	모습	25.336
엄마	3.691	사람	8.905	말	8.073	생각	8.011	주위	21.664
아버지	3.444	형편	7.561	어머니	7.939	어머니	7.898	사람	20.413
위로	3.404	소식	7.510	마음	7.771	엄마	7.479	사연	19.713
어머니	3.397	모금	6.844	장애인	7.701	정도	7.239	소식	19.113
모습	3.311	수술	6.537	아빠	7.619	얼굴	7.164	심정	17.757
자신	3.271	생각	6.502	친구	7.506	아내	6.995	죽음	16.523
죽음	3.266	병원	6.430	가난	7.376	남편	6.784	상황	14.800
빈집	3.152	상황	6.400	여자	7.143	표정	6.658	국민	14.382
집	3.115	이웃	6.370	눈물	7.123	혼자	6.210	아이	14.019
인간	3.042	집	6.195	돈	7.062	고생	6.185	요즘	13.215
딸	2.987	호소	6.046	아버지	6.946	사랑	6.041	가족	12.896
할머니	2.947	가족	6.008	사랑	6.866	아버지	6.033	사실	12.887
날	2.938	도움	5.797	할머니	6.783	부모	6.005	사랑	12.846
운명	2.883	수술비	5.697	국민	6.583	사람	5.987	점	12.811
고생	2.875	할머니	5.566	애	6.544	속	5.910	아들	12.502
목숨	2.869	돈	5.509	남편	6.473	미안	5.551	때	12.460
아빠	2.834	헌일	5.439	집	6.466	공부	5.503	가슴	12.212
낙타	2.819	노인	5.326	속	6.318	아빠	5.205	토로	11.821
소리	2.784	마음	5.270	모습	6.150	처지	5.083	표정	11.813
남편	2.771	치료	5.080	영혼	6.044	할머니	5.042	희생	11.688
모래	2.747	봉사	4.969	아들	5.995	일	5.019	세상	11.659
부모	2.696	외면	4.805	딸	5.965	집	5.001	유감	11.644
가슴	2.691	환자	4.646	자신	5.933	몸	4.968	목숨	11.481
처지	2.679	성금	4.619	이야기	5.814	손	4.934	어머니	11.475

〈표 1〉만 보더라도 '안타깝다' 부류의 감정형용사가 보이는 특성이 잘 드러난다. 즉 '가엾다', '불쌍하다'는 가장 높은 관련성을 보인 공기어로 '사람'이 추출된 것에 비해, '딱하다'는 '사정'이, '안쓰럽다'는 '모습'이, 그리고 '안타깝다'는 '일'이 가장 높은 관련성을 보였다. 이러한 공기어 양상의 차이는 '안타깝다' 부류의 감정형용사가 가지는 개별적인 속성을 단적으로 보여준다고 하겠다.[4]

---

4   한편 상위 30개에 속하는 공기어라 하더라도 형용사에 따라 공기어의 t-점수에는 차이가 있다는 점을 주목할 필요가 있다. '딱하다'의 경우 가장 관련성이 높은 공기어인 '사람'의

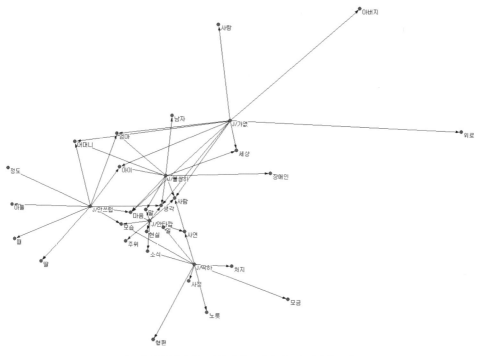

〈그림 3〉 '안타깝다'류 형용사의 공기어 네트워크(상위 10개)

이제 이들을 네트워크를 통해 관련성을 보다 입체적으로 살펴본다. 먼저 '안타깝다' 부류의 감정형용사와 관련성 상위 10개의 공기어를 기반으로 네트워크를 구성해 보이면 〈그림 3〉과 같다.[5]

〈그림 3〉은 다섯 개의 감정형용사, 이들과 공기하는 명사로 이루어

---

t-점수가 6.313인 반면 '안타깝다'의 최상위 공기어인 '일'의 t-점수는 39.165에 이른다. 이는 t-점수가 대상이 되는 형용사와 공기명사의 빈도를 기반으로 추출된 결과로 보인다. 즉 '안타깝다'는 '딱하다'에 비해 매우 높은 빈도를 보이므로 t-점수가 높게 측정되는 것이다. 그러나 t-점수의 차이는 대상어와 공기어 사이에서 유효한 것이므로 형용사 간의 비교에는 무리가 없다.

5 본고에서 공기어 추출의 대상이 된 텍스트가 신문 자료라는 점에 유의할 필요가 있다. 4개 주요 일간지의 10년치 신문기사를 대상으로 하였다는 점에서 양적으로는 부족함이 없으나 '신문'이라는 텍스트로 한정되어 있다는 점이 한계로 지적될 수 있다. 신문 이외의 다양한 텍스트를 추가적으로 살펴봄으로써 이러한 한계를 극복할 수 있을 것이다. 그럼에도 불구하고 신문이 일상생활에서 차지하는 높은 비중을 감안할 때 본고의 접근은 의의가 있다고 본다.

진 네트워크로서 감정형용사와 공기어의 거리가 짧을수록 관련성이 높음을 나타낸다. 먼저 5개 형용사와 모두 연결된 공기어는 이 네트워크 상에서는 나타나지 않았고 4개의 링크를 가진 공기어가 포함되어 있다.

① 사람, 마음, 생각(4링크)

①에서 '사람'은 '안쓰럽다'를 제외하고는 4개 형용사 모두와 연결되어 있으며, '마음', '생각'은 '딱하다' 이외의 4개 형용사와 연결되어 있다. 이들은 관련성이 높은 상위 10개의 공기어 안에 포함되어 있을 뿐 아니라 높은 연결을 보인다는 점에서 '안타깝다' 부류 형용사의 공통적인 사용 특성을 보여주는 것으로 보인다. 4개의 링크를 가지는 공기어와 대상어의 연결 관계만을 따로 보이면 다음과 같다.

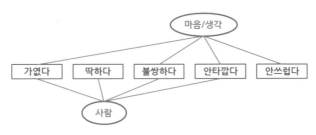

〈그림 4〉 '안타깝다'류 형용사 공기어(4링크, 상위 10개)

〈그림 4〉는 상위 공기어 10개 중 4개의 링크를 가지는 것으로 '안타깝다'류 형용사와 공히 가장 밀접히 관련된 단어라고 볼 수 있다.
한편 ②는 3개의 링크를 가지는 공기명사들이다.

② 아이, 어머니, 엄마, 모습(3링크)

여기서 '아이', '어머니', '엄마'는 '가엾다', '불쌍하다', '안쓰럽다'와 연결되어 있고, '모습'은 '딱하다', '안쓰럽다', '안타깝다'와 연결된다.

〈그림 5〉 '안타깝다'류 형용사 공기어(3링크, 상위 10개)

〈그림 5〉에 의하면 '가엾다', '불쌍하다'는 유정명사와 잘 연결되고, '딱하다', '안타깝다'는 무정명사와 관련성이 높은 것으로 보인다. 이에 비해 '안쓰럽다'는 두 부류의 명사와 공히 밀접히 연결된다는 점에서 구별된다.

한편 ③은 두 개의 '안타깝다' 부류 형용사와 주로 연결된다는 점에서 형용사의 유사성을 비교하는 데 적절하다.

③ 세상, 말, 사연, 소식, 일(2링크)

③에서 '세상'은 '가엾다'·'불쌍하다'와 '말'은 '불쌍하다'·'안타깝다', '사연'·'소식'·'일'은 '딱하다'·'안타깝다'와 연결된다는 점에서 사용상의 특성을 보이고 있다.

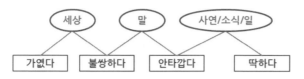

〈그림 6〉 '안타깝다'류 형용사 공기어(2링크, 상위10개)

　특히 한 개의 연결만을 가진 고립된 공기어들은 감정형용사들의 개별적 속성을 더 잘 보일 수 있다는 점에서 주목할 만하다.[6]

　④

　가엾다 : 사랑, 아버지, 위로

　딱하다 : 노릇, 모금, 사정, 처지, 형편

　불쌍하다 : 남자, 장애인

　안쓰럽다 : 딸, 때, 아들, 정도

　안타깝다 : 주위, 현실

　④의 공기어들은 모두 '안타깝다'류 형용사의 공기어 중 관련성이 높은 상위 10개에 포함되면서 동시에 배타적인 연결을 보인다는 점에서 형용사 각각의 변별적인 사용 양상을 잘 보여주고 있다.

　이러한 연결 관계를 토대로 형용사들 사이의 관련성을 논의하는 것이 가능하다. 상위 10개의 공기어 가운데 공유하는 공기어를 가장 많이 포함하는 감정형용사는 '가엾다-불쌍하다'로서 이들은 '세상', '아이', '엄마' 등 7개의 공기어를 서로 공유한다.

6　이러한 공기어의 특성은 '안타깝다' 부류의 감정형용사가 가지는 특성을 드러내줄 뿐 아니라 당시 사회적 모습을 반영하고 있다는 점에서 흥미롭다. 즉 신문 자료는 당시 사회적 관심사를 반영하고 있는 텍스트라는 점에서 감정형용사와 관련한 사회적 관심의 추이를 관찰하는 것도 가능하다.

⑤

가엾다-불쌍하다(7개) : 세상, 아이, 엄마, 어머니, 마음, 생각, 사람

가엾다(3개) : 아버지, 사랑, 위로

불쌍하다(3개) : 남자, 일, 장애인

이에 대해 공유하지 않는 각각의 공기어들은 '가엾다'와 '불쌍하다'의 개별적인 양상을 보여준다고 할 수 있다. 즉, '아버지', '사랑', '위로'는 '가엾다'와 '불쌍하다' 중 '가엾다'와 더욱 밀접한 관련을 보이는 것으로, '남자', '일', '장애인'은 '불쌍하다'와 더 관련된다고 볼 수 있다.

이에 비해 다음의 형용사들은 상위 10개의 공기어 중 하나만을 공유한다는 점에서 서로 관련성이 소원해 보인다.

⑥

안타깝다-안쓰럽다, 딱하다-안쓰럽다 : 모습

가엾다-딱하다, 딱하다-불쌍하다 : 사람

한편 감정형용사의 공기어를 좀 더 확대하여 네트워크를 구성해 볼 필요가 있다. 먼저 상위 30개로 공기어를 확대하여 네트워크를 구성하면 〈그림 7〉과 같다.

〈그림 7〉의 네트워크에서는 다섯 개의 '안타깝다' 부류 형용사와 모두 연결된 공기어가 포함되어 있다는 점을 주목할 수 있다. 상위 10개의 공기어에서는 5개의 링크를 가진 공기어가 없었다는 점을 상기하자.

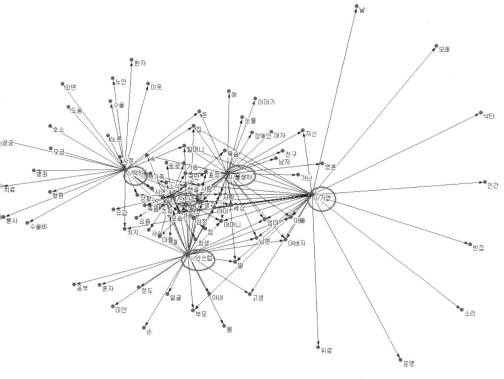

〈그림 7〉 '안타깝다'류 형용사의 공기어 네트워크(상위 30개)

⑤ 모습, 생각, 마음, 사람

즉 ⑤는 한 문장에서 '안타깝다' 부류 형용사가 공통적으로 자주 공기하는 관련성이 높은 명사들이다. 또한 다른 형용사에 비해 '가엾다'는 네트워크에서 가장 주변에 위치하고 있는데 이들과 공기하는 명사들의 관련성도 다른 형용사와 공기어의 관계에 비해 그리 높지 않다는 특성을 보인다.

⑤의 공기어뿐 아니라 4개의 링크를 가진 ⑥도 높은 관련성을 보인다.

⑥ 집, 할머니, 사랑, 아이, 어머니

'집'·'할머니'는 '안타깝다', '사랑'·'아이'·'어머니'는 '딱하다'를 제
외한 다른 4개의 형용사와 모두 연결되어 있다는 점에서 구별되는 연
결 관계를 보여 준다〈그림 8〉.

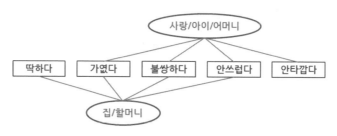

〈그림 8〉 '안타깝다'류 형용사 공기어(2링크, 상위 30개)

한편 3개의 링크를 가진 공기어를 통해 유의어 사이의 관련성을 살
펴볼 수 있다.

⑦
가엾다-딱하다-안쓰럽다 : 처지

가엾다-불쌍하다-안쓰럽다 : 딸, 아버지, 아빠, 엄마, 남편

가엾다-불쌍하다-안타깝다 : 세상

딱하다-안쓰럽다-안타깝다 : 일

불쌍하다-안쓰럽다-안타깝다 : 아들

⑦에 의하면 3개의 링크를 공유하는 감정형용사들을 군집화해 볼

수 있는데, 이를테면 '딸'과 '아들'은 '가엾다'와 '안타깝다'와 연결되어 있느냐의 여부에 의해 구분된다. 이는 단순히 정문이냐 비문이냐와 같은 문법성의 문제가 아니라 사회적인 관심이 반영된 사용상의 문제에 불과한 것일 수도 있다. 그럼에도 불구하고 '안타깝다'와 '아들'이 '딸' 보다 높은 관련성을 보이고 있다는 것은 흥미로운 결과로 보인다. 또한 '가엾다-불쌍하다-안쓰럽다'는 5개의 공기명사를 공유한다는 점에서 유사한 사용 양상을 보이고 있다. 특히 이들은 모두 가족과 관련되어 있다는 점에서 특징적이다.

한편 링크가 둘인 공기어와 하나인 공기어는 다음과 같다. 이들은 유의어의 개별적인 양상을 보여준다는 점에서 특히 주목을 요한다.

⑧

가엾다-불쌍하다 : 자신

가엾다-안쓰럽다 : 고생, 부모

가엾다-안타깝다 : 가슴, 목숨, 죽음

딱하다-불쌍하다 : 돈

딱하다-안타깝다 : 가족, 사연, 상황, 소식, 수술, 수술비, 현실

불쌍하다-안쓰럽다 : 속

불쌍하다-안타깝다 : 국민, 말

안쓰럽다-안타깝다 : 때, 표정[7]

---

7   두 개의 링크를 가지는 형용사 쌍 중 '가엾다-딱하다', '딱하다-안쓰럽다'와만 연결된 공기어는 없는 것으로 나타났다. 공기어를 확장하게 되면 이러한 양상은 바뀔 수 있다.

⑨

가엾다 : 낙타, 날, 모래, 빈집, 소리, 운명, 위로, 인간

딱하다 : 노릇, 노인, 도움, 모금, 병원, 봉사, 사정, 성금, 외면, 이웃, 치료, 형편, 호소, 환자

불쌍하다 : 가난, 남자, 눈물, 애, 여자, 영혼, 이야기, 장애인, 친구

안쓰럽다 : 공부, 몸, 미안, 손, 아내, 얼굴, 정도, 혼자

안타깝다 : 사실, 심정, 요즘, 유감, 점, 주위, 토로, 희생

특히 ⑧에서는 '딱하다', '안타깝다'와 함께 연결된 공기어가 다른 감정형용사에 비해 많이 분포하고 있다는 점뿐 아니라 '가족'을 제외하고는 현실이나 상황 등과 관련한 명사들이 주로 포함되어 있다는 점에서 특징적이다. 한편 ⑨는 하나의 링크만 가지는 공기어들을 감정형용사와 함께 제시한 것으로 이들의 개별적인 사용 양상을 파악하는 데에 유용하게 쓰일 수 있다. 다른 감정형용사에 비해 '딱하다'는 14개의 고립된 연결을 가진 공기어를 포함하고 있다는 점에서 다른 감정형용사의 사용 양상과 구별된다.

이제 마지막으로 공기어를 상위 50개까지 확대해 보자. 공기어를 확대하는 것은 공기어의 연결 정도를 폭넓게 파악할 수 있다는 점에서 유용하지만 지나치게 공기어를 확대할 경우 통계적으로 유의미한 t-점수의 경계를 넘어설 수 있다는 점에서 유의할 필요가 있다.

〈그림 9·10〉은 공기어를 상위 50개로 확장한 네트워크를 보인 것으로서, 먼저 5개의 링크를 가지는 공기어가 많이 포함되어 있다는 점이 주목된다.

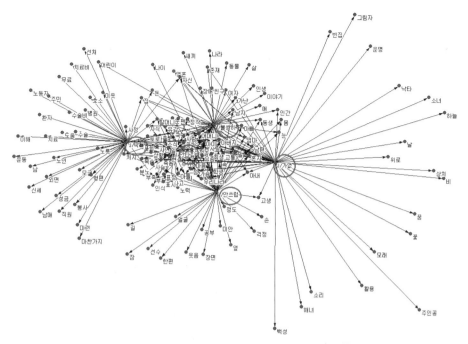

〈그림 9〉 '안타깝다'류 형용사의 공기어 네트워크(상위 50개)

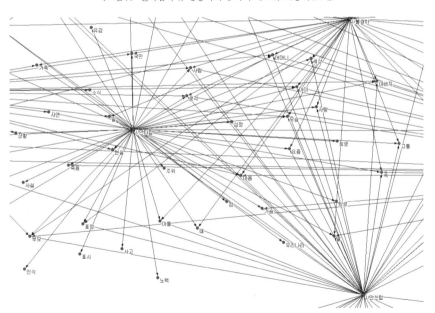

〈그림 10〉 '안타깝다'류 형용사의 공기어 네트워크(상위 50개, 중심 부분 확대)

⑩ 모습, 생각, 처지, 마음; 어머니, 아버지, 부모, 할머니, 아이, 사람

이에 비해 4개의 연결을 가지는 공기어들은 '가엾다'와 '딱하다'가 대조적인 모습을 보일 뿐 유사한 양상을 보인다.

⑪
가엾다-불쌍하다-안쓰럽다-안타깝다 : 눈물, 딸, 사랑, 세상, 속, 사신
딱하다-불쌍하다-안쓰럽다-안타깝다 : 일, 집

3개의 링크를 가진 공기어 중에는 '가엾다', '불쌍하다', '안쓰럽다'류와 '불쌍하다', '안쓰럽다', '안타깝다'류가 군집을 이루고 있다는 점이 특징적이다.

⑫
가. 가엾다-불쌍하다-안쓰럽다 : 동생, 아내, 아빠, 엄마, 남편
나. 불쌍하다-안쓰럽다-안타깝다 : 고통, 때, 말, 아들, 요즘, 자식, 표정
다. 가엾다-안쓰럽다-안타깝다 : 가슴
라. 딱하다-불쌍하다-안타깝다 : 가족, 국민

즉 ⑫-㉮와 ⑫-㉯는 '불쌍하다, 안쓰럽다'와 모두 연결된 공기어라는 점에서는 공통적이지만 ⑫-㉮는 '가엾다'와 더 높은 관련성을, ⑫-㉯는 '안타깝다'와 더 높은 관련성을 보인다는 점에서 구별된다.
이러한 군집화는 두 개의 링크를 가진 감정형용사에서도 발견된다.

⑬

가엾다–불쌍하다 : 가난, 영혼, 인간, 존재

딱하다–안타깝다 : 사연, 상황, 소식, 현실

가엾다–딱하다 : 어린이

가엾다–안쓰럽다 : 고생, 몸

가엾다–안타깝다 : 목숨, 죽음

딱하다–불쌍하다 : 돈

불쌍하다–안쓰럽다 : 혼자

불쌍하다–안타깝다 : 남자

마지막으로 ⑭는 한 개의 연결만 가지는 공기어들로서 '안타깝다'류
의 감정형용사의 개별적인 사용 양상을 잘 보여준다.

⑭

가엾다 : 그림자, 꽃, 꿈, 낙타, 날, 모래, 백성, 비, 빈집, 상처, 소녀, 소리,
운명, 위로, 주인공, 하늘, 해녀, 활용

딱하다 : 남, 남매, 도움, 마련, 마찬가지, 모금, 무료, 병원, 봉사, 사정, 선
처, 성금, 수술, 수술비, 신세, 외면, 운동, 이웃, 이해, 주민, 직
원, 치료, 치료비, 형편, 호소, 환자

불쌍하다 : 나라, 동물, 삶, 새끼, 애, 여자, 이야기, 인생, 장애인, 친구

안쓰럽다 : 걱정, 공부, 길, 나이, 미안, 선수, 얼굴, 옆, 웃음, 잠, 장면, 정도, 한편

안타깝다 : 부족, 분노, 사고, 사실, 사회, 심정, 우리나라, 유감, 인식, 점,
정작, 주위, 토로, 팬, 표시, 학생, 희생

4. 한국어 교재에서의 공기 관계

한편 본고에서 선정한 '안타깝다'류의 감정형용사가 실제 한국어교 재에서 어떻게 나타나는지 살펴볼 필요가 있다.[8] 한국어교육의 현장 에서 한국어교재에 포함된 어휘만으로 교육이 이루어진다고 볼 수는 없겠으나 교재에 어떤 감정형용사가 포함되어 있는지를 검토하는 과 정은 필수적이다.

〈표 2〉 참고한 한국어 교재 목록

교재명	출판사	어절 수	등급	출판년도
경희한국어 3	경희대 출판부	12,705	중급	2002
경희한국어 4	경희대 출판부	12,088	중급	2002
말이 트이는 한국어 3	이화여대 출판부	18,208	중급	2009
말이 트이는 한국어 4	이화여대 출판부	12,481	중급	2009
연세한국어 3	연세대 출판부	23,896	중급	2008
연세한국어 4	연세대 출판부	36,464	중급	2008
서강한국어 3A-B	서강대 출판부	19,769	중급	2008
서강한국어 4A	서강대 출판부	14,309	중급	2009
서강한국어 4B	서강대 출판부	16,434	중급	2009
서울대 한국어 3	서울대 출판부	20,663	중급	2000
서울대 한국어 4	서울대 출판부	23,548	중급	2000
고려대 한국어 3	교보문고	22,879	중급	2010
고려대 한국어 4	교보문고	28,567	중급	2010
경희한국어 5	경희대 출판부	22,148	고급	2002
서강한국어 5A	서강대 출판부	16,581	고급	2009
서강한국어 5B	서강대 출판부	17,393	고급	2009
연세한국어 5	연세대 출판부	31,041	고급	2008
고려대 한국어 5	교보문고	23,893	고급	2010
계		373,067		

---

8 본고에서 참조한 한국어교재는 고려대학교와 경희대학교에서 직접 입력한 것으로 형태 소 분석 정보가 부착되어 있어 일종의 특수 코퍼스라 할 만하다. 자료의 확보와 입력 등 에서 김정숙 교수(고려대)와 이정희 교수(경희대), 그리고 고려대학교와 경희대학교의 한국어교육 전공 대학원생들의 도움을 받았음을 밝힌다. 이들의 도움에 감사드린다.

〈표 2〉는 이 연구에서 '안타깝다'류의 감정형용사의 분포를 살펴보기 위해 검토한 한국어교재들로서 중급과 고급 교재를 모두 포함하였으며 전체 어절 수는 약 37만에 이른다.

그런데 아쉽게도 교재들에 나타난 '안타깝다'류의 감정형용사 가운데에는 중급, 고급 교재를 막론하고 '가엾다', '딱하다', '안쓰럽다'가 포함되어 있지 않다. 따라서 여기서는 '불쌍하다', '안타깝다'의 용례만을 검토할 수밖에 없다. 먼저 '불쌍하다'의 용례는 다음과 같다.

⑮

㉮ '너무 잔인해요!' '아이가 불쌍해요!'

㉯ 우리 어머니는 정이 많으셔서 불쌍한 사람을 보면 꼭 도와주신다.

㉰ 하지만 개가 너무 불쌍해서 짖지 못하게 수술을 하기는 어렵다고 하면서 저에게 이해해 달라고 합니다.

㉱ 홍수로 인해 피해를 입은 사람들이나 연말연시에 불쌍한 이웃을 돕기 위해 내는 돈

㉲ 어떤 사람이 불쌍한 거북이를 도와줘서 용궁에 가게 되는 이야기

⑯

㉮ '같은 병에 걸린 사람이 서로 불쌍하게 생각하다'

㉯ 저 애를 보면 불쌍해.

㉰ 지연 씨의 남편이 불쌍하다고 생각하고 있다.

⑮는 중급 교재에서, ⑯은 고급 교재에서 나타난 '불쌍하다'의 용례

전부를 보인 것으로 그 빈도는 8회에 불과하다. 여기서 쓰인 '불쌍하다'의 공기명사로는 '아이', '어머니', '정', '사람', '개', '수술', '이해', '홍수', '피해', '연말연시', '이웃', '돈', '거북이', '용궁', '이야기' 등이 포함되어 있다. 이를 〈그림 9〉의 공기어 네트워크와 비교해 보면 '아이', '어머니', '사람'과 같이 5개의 링크를 가진, 즉 '안타깝다'류의 다섯 개 형용사와 모두 공기하는 명사도 포함된 반면, '이야기', '돈'과 같이 '불쌍하다'와만 주로 공기하는 명사들도 포함되어 있음을 확인할 수 있다. 그러나 '수술', '이웃', '이해' 등은 적어도 신문 기사에서는 '딱하다'와 주로 결합하는 공기어라는 점에서 교재의 사용 양상과 차이를 보인다. 한편 '정', '개', '홍수', '피해', '연말연시', '거북이', '용궁' 등은 네트워크 구성에서는 포함되지 않았던 명사들이다. 이는 '불쌍하다'와만 주로 공기하는 명사들과는 다소 차이가 있다는 점에서 고려할 필요가 있다(나라, 동물, 삶, 새끼, 애, 여자, 이야기, 인생, 장애인, 친구).

한편 ⑰⑱은 '안타깝다'가 교재에 사용된 용례들을 보인 것이다.

⑰

㉮ 이렇게 정이 들었는데 떠나게 되어서 정말 안타깝다.

㉯ 일 년 동안 열심히 공부했는데 사고 때문에 시험을 볼 수 없게 되었다니 정말 안타깝군요.

㉰ 둘 다 한국에 있는데도 바빠서 자주 만나지 못하는 것이 안타깝다.

㉱ 일찍 돌아가셔서 제가 성공한 모습을 보지 못한 것이 안타깝습니다.

㉲ 이런 그를 안타깝게 바라보는 여자가 있었습니다.

㉳ 그는 "그때의 일은 이미 벌을 받았고 이제는 마음을 잡고 열심히 살려

고 했는데······"라고 하며 안타까워했다.

㉔ 그런데 안타까운 건 식당 주인 아주머니가 그 종업원을 마치 아들처럼 잘 대해 줬는데 그런 일을 했다는 거예요.

⑱

㉮ 학교를 다니지 못하는 경우도 있다니 안타깝네요.

㉯ 안타까운 역전패를 당한 선수들은 어깨가 축 처져서 경기장을 나왔다.

㉰ 안타깝게도 한국의 도시가 높은 순위에 오르지 못하는 것도 환경적 요인이 크다고 하겠습니다.

㉱ 아기가 계속해서 울 때 정말 안타깝지요?

⑰⑱에 쓰인 공기어 명사에는 '정', '공부', '사고', '시험', '부모', '성공', '모습', '여자', '벌', '마음', '식당', '주인', '아주머니', '종업원', '아들', '일', '학교', '경우', '역전패', '선수', '어깨', '경기장', '도시', '순위', '환경', '요인', '아기' 등이 포함되어 있다. 그런데 이들과 〈그림 9〉의 네트워크에 포함된 공기어와는 큰 차이를 보인다. 즉 ⑰⑱에 쓰인 '안타깝다'의 공기어 명사 가운데 '부모', '모습', '마음', '아들', '일', '사고'를 제외하고는 '안타깝다'와 관련성이 높지 않은 명사들이 많이 포함되어 있음을 알 수 있다.[9] 다른 형용사에 비해 '안타깝다'와 배타적으로 관련성이 높은 명사들이 ⑲와 같다는 점을 고려할 때 교재에 나타난 '안타깝다'의 공

---

[9] '정', '시험', '한국', '성공', '벌', '식당', '주인', '아주머니', '종업원', '학교', '경우', '역전패', '어깨', '경기장', '도시', '순위', '환경', '요인', '아기' 등은 네트워크에 포함되어 있지 않았다. 즉 이들은 적어도 신문 자료에서는 '안타깝다'와 높은 관련성을 보이는 명사들이 아니다.

기명사들은 신문 텍스트의 양상과는 차이가 큼을 확인할 수 있다.

⑲ 부족, 분노, 사고, 사실, 사회, 심정, 우리나라, 유감, 인식, 점, 정작, 주
위, 토로, 팬, 표시, 학생, 희생

5. 결론

지금까지의 논의를 요약하는 것으로 결론을 삼는다.

이 연구에서는 '안타깝다'류의 감정형용사 중 유의어사전과 빈도 등
을 참조하여 '가엾다', '딱하다', '불쌍하다', '안쓰럽다', '안타깝다'의 5개
형용사를 선정하고 이들이 공기하는 명사와 어떻게 관련되는지를 네
트워크를 구성하여 살펴보았다. 코퍼스를 기반으로 추출된 대상어와
공기어의 관련성 정도는 t-점수를 통해 계측하였는데 이를 통해 대상
이 되는 감정형용사와 공기어 사이의 우연적인 결과를 배제할 수 있었
다. 또한 감정형용사와 공기어의 네트워크를 관련성에 따라 상위 10
개, 30개, 50개로 구분하여 구성해 봄으로써 감정형용사의 유사성 정
도를 측정해 보았다. 그 결과 같은 공기어를 공유할수록 형용사들의
유사성이 높은 것으로, 반대로 공유하는 공기어가 적을수록 유사성이
약한 것으로 해석할 수 있었다. 그 과정에서 '가엾다', '불쌍하다', '안쓰
럽다'는 주로 '아빠', '엄마', '남편', '아내', '동생' 등의 가족과 관련한 명
사와 함께 공기한다는 점에서, '딱하다', '안타깝다'는 '사연', '소식', '상
황', '현실'과 같은 명사와 함께 공기한다는 점에서 유사성을 보여주었

다. 한편 5개의 감정형용사가 한국어교재에 사용되는 양상과 어떻게 유사한지도 검토하였다. 한국어교재의 경우 외국인을 대상으로 한다는 점에서 전형적인 공기어와 사용될 것이 기대되었으나 실제 사용 양상은 신문에서 나타난 공기어 양상과 다소 차이가 있음을 확인하였는데 이는 우리의 결과가 2000년대 신문 기사라는 다소 시사적인 성격의 텍스트를 대상으로 했다는 것도 한 이유가 될 수 있을 것이다.

유의어인 형용사의 공기어 네트워크는 대상어와 공기어의 관련 양상을 명시적으로 보여준다는 점에서 매력적인 방법이다. 대상이 되는 형용사의 대상을 확대하고 공기어의 양상이 보다 폭넓게 검토된다면 형용사의 관련성을 보다 객관적으로 포착해 줄 수 있을 것이다. 앞으로 이러한 분야의 연구가 보다 활성화되어 다양한 응용 분야에 활용될 수 있기를 기대한다.

참고문헌

강범모, 「공기명사에 기초한 의미/개념 연관성의 네트워크 구성」, 『한국어 의미학』 32, 2010.

강현화, 「연어 관계를 이용한 어휘교육 방안―유포적 척도 형용사 부류의 코퍼스 분석을 중심으로」, 『언어와 문화』 4-1, 2008.

김광해, 「유의어의 의미 비교를 통한 뜻풀이 정교화 방안에 대한 연구」, 『선청어문』 26, 1998.

김광해, 「형용사 유의어의 뜻풀이 정교화 방안에 대한 연구」, 『선청어문』 27, 1999.

김양진·최정혜, 「유의어(類義語)의 경계 탐색」, 『한국어 의미학』 33, 2010.

김일환·이도길·강범모, 「공기 관계 네트워크를 이용한 감정명사의 사용 양상 분석」, 『한국어학』 49, 2010.

김흥규 외, 『'물결 21' 신문 텍스트 기반의 장기간 언어·사회·문화 연구』, '물결 21' 사업 제1차 보고서, 고려대 민족문화연구원, 2010.

문금현, 「한국어 유의어의 의미 변별과 교육 방안」, 『한국어교육』 15-3, 2004.

서희정, 「한국어교육에서 감정형용사의 제시 방안」, 『한국언어문학』 74, 2010.

Manning, C.·H. Schütze, *Foundations of Statistical Natural Language Processing*, The MIT Press, 1999.

Nooy, W. de·A. Mrvar·V. Batageli, *Explanatory Social Network Analysis with Pajek*, Cambridge University Press, 2005.